CUKIERNIA W OGRODZIE

Carole
Matthews

CUKIERNIA W OGRODZIE

Tłumaczenie:
Adriana Celińska

Tytuł oryginału: *The Cake Shop in the Garden*

Pierwsze wydanie: Sphere, 2015

Opracowanie graficzne okładki: Emotion Media

Redaktor prowadzący: Małgorzata Pogoda

Opracowanie redakcyjne: Anna Kubalska

Korekta: Jolanta Rososińska

HarperCollins Polska sp. z o.o.
02-516 Warszawa, ul. Starościńska 1B lokal 24-25

Skład i łamanie: Studio COMPTEXT
Druk: OPOLGRAF

ISBN 978-83-276-1744-6

Droga Czytelniczko, dziękuję, że zdecydowałaś się zanurzyć w świecie niewielkiej Cukierni Fay założonej przez moją główną bohaterkę w przepięknym przydomowym ogrodzie położonym nad brzegiem kanału Grand Union. Ta sielska okolica jest wytworem mojej wyobraźni, ale gdy ją wymyśliłam, zaczęłam przeglądać strony biur nieruchomości, aby sprawdzić, czy może taki urokliwy zakątek istnieje w rzeczywistości. Zamieszkałabym w nim bowiem z prawdziwą rozkoszą!

Jestem wielką fanką angielskich kanałów śródlądowych. Ich wstęgi wijące się poprzez miasteczka i wioski to prawdziwy kawałek raju. Kanał Grand Union przebiega przez Costa del Keynes, gdzie mieszkam, i z przyjemnością spaceruję wzdłuż jego brzegów. To moje ulubione miejsce. Od zawsze marzyły mi się wakacje na kanale, ale mój partner, kochany Kev, uparcie twierdził, że nie bawiłby się dobrze w ten sposób. Bardziej odpowiada mu spływ pontonem rwącym górskim potokiem niż leniwe snucie się po spokojnych wodach na łodzi.

Potem zupełnie niespodziewanie dostałam e-maila, z którego dowiedziałam się o istnieniu łodzi hoteli. Usłyszałam o nich wtedy po raz pierwszy, ale ten pomysł z miejsca przypadł mi do gustu. Nie trzeba martwić się przygotowywaniem posiłków ani sterowaniem łodzią, odpada nawet troska o przejazd przez śluzę wodną – niewdzięczną robotą może się zająć ktoś inny. Można ograniczyć obowiązki do kompletnego minimum lub do robienia tylko tych rzeczy, na które ma się ochotę. I jak tu nie polubić takiego pomysłu?

Namówiłam zatem moją przyjaciółkę Sue, żeby ze mną pojechała, i razem spędziłyśmy cudowne chwile. Wcześniej nawet nie śniło mi się, żeby umieścić akcję książki nad brzegiem kanału, ale kiedy tylko moja stopa dotknęła pokładu, uświadomiłam sobie, że to świetny pomysł. Przy każdej śluzie spotykałyśmy mnóstwo ciekawych ludzi, zdarzyło się nam poznać kilku zakręconych oryginałów. Poczułam, że woda to mój żywioł. Okazał się to wspaniały sposób na poznanie okolicy i od tamtej pory angielskie barki są moją wielką miłością.

A kochany Kev? Wybrał się z nami na kolejną wyprawę.

Mam nadzieję, że książka Ci się spodoba, i może nawet skusisz się, żeby popływać po angielskich kanałach. Być może poszczęści Ci się na tyle, że w trakcie żeglugi odkryjesz jakąś ukrytą perełkę, Twoją własną cukiernię w ogrodzie.

Carole ☺

Mojej drogiej przyjaciółce Sue Davie,
idealnej towarzyszce odkrywania uroków żeglugi śródlądowej.
Wspomnienia z naszej wyprawy będą zawsze żywe!

ROZDZIAŁ 1

Siedzę na skraju łóżka mamy i biorę głęboki wdech.

– Zarezerwowałam dla ciebie tygodniowy pobyt w domu opieki.

Patrzy na mnie z przestrachem w oczach.

– Wcale się tam nie wybieram.

– Mamo, jest mi teraz bardzo ciężko. Sama zresztą o tym wiesz. Wkrótce zaczyna się sezon, a cukiernia wciąż nie jest gotowa, potrzebuję czasu, żeby wszystko przygotować.

Krzyżuje ręce. Nie przekonałam jej.

Przyniosłam herbatę i kawałek kawowego ciasta według nowego przepisu, aby ją udobruchać, ale mama nawet nie patrzy na jedzenie.

– Nigdzie nie wyjeżdżam, moja panno. – Wyzywająco unosi podbródek. – Nie ma mowy.

Jak na rzekomo schorowaną osobę, cieszy się wyjątkowo dobrym zdrowiem i ma żelazną wolę. Gdy rezerwowałam jej ten pobyt, czułam, że cieszę się na wyrost. Nawet gorący placek wprost z piekarnika nie jest w stanie zmiękczyć jej serca.

– Mam teraz mnóstwo na głowie, mamo. Przydałoby mi się kilka spokojniejszych dni. O nic więcej nie proszę.

Tylko o kilka dni bez jej wiecznych zachcianek, grymaszenia i humorów, bez dobiegającego z góry wzywającego walenia w podłogę co pięć minut. Laska wsparta o łóżko służy jej tylko do tego celu.

Zazwyczaj staram się nie narzekać, bo mieszkamy nad brzegiem kanału Grand Union w przepięknym domu, do którego moi rodzice, Miranda i Victor Merryweather, wprowadzili się tuż po ślubie. Obie z siostrą Edie urodziłyśmy się i wychowałyśmy tutaj. Mnie cieszy to bardziej niż ją. Dom położony jest w malowniczej wiosce Whittan, w sąsiedztwie Milton Keynes. Rozrastające się miasto pochłania każdą piędź ziemi na swej drodze, z wolna zbliżając się do jej granic.

Kiedy zaczęłam na stałe zajmować się mamą, zwolniłam się z pracy i żeby się utrzymać, otworzyłam niewielką Cukiernię Fay. Wcześniej sprzedawałam wypieki z naszej rodzinnej barki Ślicznotki Merryweather zacumowanej w dole ogrodu i wymagającej porządnego remontu. Początkowe hobby przekształciło się w zarobkowe zajęcie pozwalające spożytkować nadprogramowe ciasta i dżemy, które ogromnie lubię przygotowywać. Teraz prowadzenie Cukierni Fay, która z czasem powiększyła się o jadalnię, werandę i cały przydomowy ogród, jest pracą na cały etat. Problem stanowi tylko łączenie opieki nad mamą, czyli biegania z góry na dół po schodach i przynoszenia, wynoszenia, donoszenia jej różnych rzeczy, z organizacją pracy na parterze. Nie chciałabym narzekać, ale potrzebowałabym odpocząć od obowiązków opiekunki, żeby skupić się na tym, co przynosi nam tak bardzo potrzebny dochód.

– Posadzą mnie w kącie ze śliniącymi się, trzęsącymi starcami – narzeka mama.

– Na pewno nie. To miłe miejsce. – Dla potwierdzenia swych słów podaję jej broszurę domu opieki Słoneczna Jesień, ale odwraca głowę, nie rzuciwszy nawet przelotnego spojrzenia na opis. – To nie jest szpital – tłumaczę. – Dostaniesz własny pokój. Naprawdę długo siedziałam w internecie, żeby wybrać odpowiednie miejsce.

– Ba.

– To bardziej hotel, właśnie, to najlepsze określenie, tyle że zapewniają całodobową opiekę. Będą się o ciebie troszczyć.

– Po prostu powiedz, że jestem dla ciebie utrapieniem, Fay – łka mama, teatralnym gestem przykładając dłoń do czoła.

– Przecież nie jesteś. – I znów sprawia, że czuję się jak najpodlejsza córka pod słońcem. – Nie jesteś dla mnie żadnym utrapieniem.

Odpycha od siebie talerzyk z ciastem, pokazując, że jest zbyt wzburzona, żeby jeść.

– Kocham cię. Przecież wiesz. Tylko zwyczajnie czeka mnie teraz dużo pracy w cukierni.

Lista rzeczy do zrobienia zdaje się nie mieć końca. Na samą myśl aż kręci mi się w głowie.

– Och. – Przewraca oczami. – Cukiernia to, cukiernia tamto. Tylko o niej myślisz. Tylko o niej mówisz.

– Dzięki niej płacimy rachunki, mamo.

Choć ledwie wiążemy koniec z końcem. Przecież rachunki nie przestały przychodzić tylko dlatego, że siedzę w domu, żeby się tobą opiekować, dodaję w myślach, nie ośmielając się powiedzieć tego na głos.

Mama położyła się do łóżka w czasie ciężkiej infekcji grypy zimą cztery lata temu. W wyniku powikłań rozwinęło się zapalenie płuc, i wtedy było z nią naprawdę krucho. Ale po kuracji kilkoma różnymi antybiotykami, kiedy zwalczyła chorobę, wciąż nie spieszyła się do wstawania. Potem poślizgnęła się w łazience i złamała biodro. Po powrocie ze szpitala ani razu nie wykonała ćwiczeń zaleconych w ramach rekonwalescencji, tylko od razu wróciła do łóżka. Było jej tak wygodnie, że od tamtej pory nie ma ochoty wstawać.

Zdecydowała, że jest chora i niepełnosprawna, choć lekarze wielokrotnie orzekali, że całkowicie wróciła do zdrowia. Uparła się i nikt nie potrafi jej przekonać do zmiany zdania. Błagałam i groziłam, kolejni lekarze apelowali do jej rozsądku, a psycholodzy oferowali pomoc, którą niezmiennie odrzucała. Zapisano jej antydepresanty, które jej podawałam, aby potem znaleźć upchnięte za ramą łóżka. Reasumując, mama postanowiła zostać na dobre obłożnie chorą, i uwielbia to.

Teraz codziennie Miranda Merryweather siada opatulona kołdrą na łóżku wśród miękkich poduch i rządzi niczym królowa maleńkiego państwa. Odmawia spotykania się z większością ludzi. Czasem w drodze wyjątku udziela audiencji naszemu drogiemu lekarzowi rodzinnemu, doktorowi Ahmedowi. Wydaje mi się, że początkowo cieszyło ją, że jest w centrum uwagi. Potem w miarę upływu kolejnych miesięcy zakorzeniła się w tym tak mocno, że w końcu bała się wstać i wyjść na dwór. Teraz po prostu nie wyobraża sobie innego życia.

Przyjaciele, których kiedyś miała, powoli się wykruszyli, aż wreszcie zostałam jedyną osobą gotową stawić się na każde jej zawołanie. Gotuję, sprzątam i prowadzę cukiernię. Choć mama wciąż potrafi samodzielnie skorzystać z toalety, to potrzebuje mojej pomocy przy kąpieli oraz myciu głowy zawsze, kiedy tylko sobie tego zażyczy. Bywają dni, że brakuje mi czasu, żebym sama się uczesała. Przybywa leków, które powinna brać. Należy je oczywiście podawać o ściśle określonych porach. Tabletki moczopędne, nasenne, na ciśnienie, na cholesterol. I tak dalej, lista ciągnie się w nieskończoność. Im dłużej jest przykuta do łóżka, tym więcej ich potrzebuje. Codziennie ubieram ją w czystą koszulę, a raz na tydzień zmieniam pościel.

– Twoja siostra nigdy by mnie tak nie potraktowała – stwierdza mama.

– To prawda – zgadzam się z nią. – Prędzej umarłabyś z głodu, niż Edie by ci przyniosła herbatę z kawałkiem ciasta.

Mama kuli się, jakbym ją co najmniej uderzyła, a potem odwraca głowę i zatrzymuje wzrok na oknie z widokiem na ogród i wijący się w dole kanał. Drzewa rosnące wzdłuż brzegu są obsypane pączkami, wkrótce zaś głóg objawi pełnię swej krasy. Na zewnątrz jest przepięknie. Mimo to woli zostać w sypialni i marudzić.

– W kwestii opieki mogłabyś brać przykład z Edie, moja panno.

Nie mogłabym. Wierzcie mi, naprawdę bym nie mogła.

Edie, moja młodsza i jedyna siostra, to oczko w głowie matki. Choć nie pracuje, nie stroni od alkoholu i narkotyków, a obecnie jest utrzymanką żonatego mężczyzny, w oczach mamy nie ma wad. Mieszka w Nowym Jorku i dlatego mama nic nie wie o większości rzeczy. W jej wyobrażeniu Edie ciężko pracuje nad rozwojem własnej błyskotliwej kariery i chodzi z bajecznie zamożnym prawnikiem. Dlatego właśnie jest o niebo lepszym dzieckiem ode mnie. Moja siostra oszczędnie dawkuje szczegóły, kiedy rozmawia z mamą, która dzięki temu wciąż na nią patrzy przez różowe okulary. Mnie natomiast bardzo często wyzywa od wyrodnych córek.

Edie dzwoni bardzo rzadko, tylko kiedy sama czegoś potrzebuje, i ostatnio w ogóle nie przyjeżdża do domu. Nie zjawiła się od momentu, kiedy mama zaległa w łóżku, nie przyjechała nawet wtedy, kiedy było z nią bardzo marnie. A bądźmy szczerzy, w obecnych czasach Nowy Jork jest stąd zaledwie rzut beretem. To w końcu idealne miejsce na weekendowy wypad. Przecież nie mieszka w Australii, Nowej Zelandii czy gdzieś na drugim końcu świata.

Mimo że moja siostra jest nieznośna, strasznie za nią tęsknię. Chciałabym, żeby tu była, i wcale nie dlatego, że przydałaby się kolejna para rąk do pomocy przy mamie. Choć opieka nad rodzicem w pojedynkę jest żmudna i niewdzięczna, chciałabym mieć Edie blisko jako przyjaciółkę, która potrafiłaby zrozumieć, jak mi jest ciężko.

Naciskam dalej, choć powoli uświadamiam sobie, że mój trud na nic się nie zda.

– Myślę, że podczas twojej nieobecności mogłabym ci odświeżyć pokój.

– Nigdzie się nie wybieram, chyba nie ogłuchłaś, moja panno. Mówię to ostatni raz, koniec kropka.

Sypialnia naprawdę potrzebuje choć niewielkiego remontu. Ostatni raz cokolwiek było tu robione bodaj w 1972 roku. Bladoróżowa tapeta w kwiecisty wzór odkleja się płatami, a wilgotna plama na suficie może oznaczać, że dach nam przecieka. Nie po raz pierwszy zresztą. Nie mam jednak na tyle odwagi, żeby wejść na strych. Mówiąc szczerze, to cały dom potrzebuje odrobiny odświeżenia. Przez długie lata nikt nie wydał złamanego pensa na prace remontowe, zwyczajnie dlatego, że nie było na to pieniędzy.

Mam czterdzieści jeden lat i nigdy nie mieszkałam w innym domu. Tu się urodziłam, dokładnie w tej sypialni, i najprawdopodobniej, biorąc pod uwagę okoliczności, w nim dożyję swoich dni.

– Mogłybyśmy przejrzeć wzory tapet w katalogu.

– Nic nie słyszę. – Mama zatyka uszy palcami. – La, la, la. Nic nie słyszę.

Nie przeszkadzałoby mi to, gdyby mama była naprawdę stara, ale ma zaledwie siedemdziesiąt lat. Tylko tyle. Z pewnością teraz siedemdziesiątka jest nową pięćdziesiątką. Powinna wychodzić, cieszyć się życiem. Ale idea uniwersytetu trzeciego wieku jakoś ją ominęła. Irytuje mnie, że zrezygnowała z życia na rzecz leżenia w łóżku. Dobija mnie, że ją to cieszy. Całymi dniami marnieje, oglądając opery mydlane i teleturnieje. Albo programy o renowacji budynków, które nigdy nie pomogą naszemu domowi.

Nim jednak zdążam zaprotestować, słyszę dźwięk otwieranych frontowych drzwi, a potem z dołu dobiega mnie głos.

– To ja!

Pojawiła się moja pracownica Lija. Otwieramy dopiero za kilka godzin, ale przyszła pomóc mi wyczyścić stoliki i krzesła, które zimę spędziły w ogrodzie. To pierwsza rzecz na liście prac do wykonania przed otwarciem letniego sezonu, bo później nie będzie na nie czasu.

– Muszę lecieć – mówię.

– Herbata ostygła – żali się mama.

Czasem jestem przekonana, że całymi dniami planuje, kiedy wbić mi szpilę i mnie podręczyć. Jeśli budzi się w szczególnie wojowniczym nastroju, czeka, aż zejdę na sam dół, żeby znów mnie wezwać, bo przypomina sobie na przykład o tym, żeby jej poprawić poduszki.

Podnoszę kubek.

– Przyniosę ci świeżą.

– Tylko tym razem mniej mleka. Bo ostatnio lejesz tyle, że smakuje jak ryżowy pudding.

Mogłabym powiedzieć, że nie widzę przeszkód, żeby wstała i samodzielnie zrobiła sobie herbatę, i wtedy nie miałaby powodu do narzekań, ale gryzę się w język. To byłaby całkowita strata czasu, ten argument już od dawna nie działa. Zbieram jeszcze z podłogi pranie, ściągniętą wczoraj pościel i dzisiejszą koszulę, po czym schodzę na dół.

Oto moje życie, czy mi się to podoba, czy nie. Nie mam innego wyjścia, muszę stawić mu czoło.

ROZDZIAŁ 2

Kiedy wchodzę do kuchni, Lija jest już bez płaszcza i właśnie wyciąga jajka z lodówki.

– Dzień dobry – witam się, a potem ładuję pranie i uruchamiam pralkę. Wyprasuję bieliznę wieczorem, oglądając nagrany odcinek mojego ulubionego programu *Ucieczka na wieś*. To moja grzeszna przyjemność. – Może wyczyścimy sprzęty w ogrodzie teraz, póki jest ładnie? W prognozie zapowiadali deszcz po południu, wtedy moglibyśmy zająć się pieczeniem.

Po południu, jeśli wszystko pójdzie zgodnie z planem, mamy wypróbować nowe przepisy.

– Ciągle ten cholerny deszcz – jęczy moja pracownica. – Nic, tylko pada, pada i pada.

Lija Vilks to młoda, szczupła Łotyszka. Nie zachowuje się może idealnie w kontaktach z klientami, bo ma niezwykle cięty język, jest jednak wspaniałym, lojalnym pracownikiem, a mimo niewielkiego doświadczenia potrafi zdziałać cuda. Przysięgam, że placki jej autorstwa są znacznie lepsze od moich. Jej ciasto marchewkowe jest niepowtarzalne, a za czekoladowe brownie powinna dostać nagrodę. Jest gotycką, siarczyście klnącą wersją kuchennej bogini Nigelli Lawson.

– Jak się dzisiaj miewa stara jędza? – Lija z pogardą omiata wzrokiem sufit, ponad którym wypoczywa moja droga mama.

– Nie za dobrze – przyznaję. – Nie chce jechać do domu opieki. Jest głucha na moje argumenty. Muszę tam zadzwonić i odwołać rezerwację.

Lija cmoka z dezaprobatą. Nie przepada za mamą. Z wzajemnością.

– Przynajmniej próbowałam – mówię. – Nie wiem, co jeszcze mogłabym zrobić. Będziemy musiały pracować, mając ją na głowie.

– Nie mogłabyś wynająć pielęgniarki?

– Nie stać mnie. Nie zarabiam aż tak dobrze. – Ciężko wzdycham. – Chciałabym, żeby Edie przyjechała mi pomóc. Choć na tydzień lub dwa. Spróbuję z nią o tym raz jeszcze porozmawiać.

– Powodzenia. – Lija rzuca mi ponure spojrzenie.

Moja pracownica zazwyczaj nosi się na czarno, to jej ulubiony kolor, zarówno w kwestii ubrań, jak i nastroju. Dziś ma na sobie czarne dżinsy, czarną obcisłą koszulkę, a jej proste, czarne włosy są związane w koński ogon. Tylko jej skóra jest biała jak śnieg.

Lija bardzo rzadko się maluje, i dobrze, bo i tak jest zjawiskowo piękna mimo lekko wampirycznego wyglądu. Długa grzywka opada niczym zasłona, zakrywając jej ogromne, niebieskie oczy, dlatego czasami zastanawiam się, jak w ogóle udaje jej się cokolwiek zobaczyć. Ciastka jada na śniadanie, obiad i kolację, a jest najszczuplejszą osobą, jaką w życiu widziałam. Sama skóra i kości. Zazdroszczę jej takiej budowy. Drobne piersi, szczupłe biodra, niewielkie pośladki i ani śladu cellulitu. Mnie, mimo nieustannej bieganiny w górę i w dół, wciąż przybywa krągłości, i to zaledwie od patrzenia na ciasta.

Liję cenię także za jej punktualność, pod tym względem jest niezawodna niczym szwajcarski zegarek. Mieszka w mieście i do pracy dojeżdża na rowerze, niestraszny jej deszcz, śnieg ani grad. Wynajmuje pokój w mieszkaniu, które dzieli z jeszcze trzema innymi Łotyszkami. Dziewczyny imprezują do rana i piją na umór, ale Lija przez całe dwa lata, odkąd dla mnie pracuje, jeszcze ani razu się nie spóźniła. Kiedy z rzadka bierze dzień wolny, przychodzi jedna z jej koleżanek, toteż nigdy nie muszę martwić się o szukanie zastępstwa. Pozostałe dziewczyny również lubią czerń i mają równie cięte języki, choć są ciut mniej konfliktowe od Lii.

Raz jeszcze wstawiam czajnik.

– Mamie ostygła herbata – mówię. – Może ty też masz ochotę na filiżankę?

Kiwa głową.

– Zaniosę herbatę starej jędzy. Później nie będzie tak często stukać w podłogę z obawy, że to ja do niej przyjdę.

To kolejny drobiazg, który cenię w Lii. Mimo ostrych komentarzy nie ma nic przeciwko pomocy w opiece nad mamą. Wcale nie twierdzę, że pragnie zostać drugą Florence Nightingale. Wręcz przeciwnie, dr Crippen musiał posiadać więcej osobistego uroku niż Lija. Jej pojęcie opieki nad obłożnie chorym jest dość niekonwencjonalne, ale ma rację, mama zaczyna sprawiać znacznie mniej problemów, gdy Lija przejmuje pałeczkę. Dziewczyna nie pozwala sobą pomiatać. Mnie to wcale nie przeszkadza.

Kiedy zanosi na górę herbatę, napełniam wiadro gorącą wodą z dodatkiem płynu do mycia. Zakładam mój ukochany znoszony już sweter, do jego kieszeni wkładam dwie szczotki ryżowe i wychodzę do ogrodu.

Nasz dom jest duży, solidny i stateczny. Zbudowano go w latach dwudziestych ubiegłego wieku z praktycznej czerwonej cegły i w porównaniu ze współczesnymi, modnymi domeczkami ma rewelacyjny układ wnętrz. Dopisało nam szczęście, że kuchnia jest na tyle przestronna, że bez trudu dało się ją przeobrazić w zaplecze kawiarni.

Nie zamykamy Cukierni Fay na zimę, ale wtedy nie ma zbyt wielkiego ruchu. Wciąż sprzedajemy ciasta z pokładu Ślicznotki oraz prosto z kuchni, ale tylko w pogodne, słoneczne weekendy odwiedza nas tłum klientów. Kilka stolików z obrusami w różową kratę stoi w obszernej, uroczo urządzonej jadalni udekorowanej przypiętymi do ściany proporczykami, które sama zrobiłam. W tym przytulnym pomieszczeniu dominuje modny styl retro, jest to jednak wyłącznie zasługa tego, że większość mebli i bibelotów stoi tam od dnia zakupu. Kolekcja różowych kryształów matki cieszy się nowym życiem.

Z tyłu domu na całą szerokość rozciąga się szeroka weranda z pięknie rzeźbioną mosiężną balustradą. Teraz jest prawie całkowicie zakryta przez pnącza wisterii, której kwiecie wkrótce zawiśnie ciężkimi girlandami niczym kiście winogron. Później latem nadejdzie czas na ciemnofioletowy powojnik. W tym uroczym, zadaszonym miejscu także stoi kilka stolików.

Muszę przyznać, że główną atrakcją cukierni oprócz wypieków Lii jest zapierający dech w piersiach ogród. Ten malowniczy zakątek nie ma sobie równych. Jest długi i szeroki i ciągnie się aż do samego brzegu kanału Grand Union. Po bokach otacza go wysoki, ceglany mur, który chroni nas i klientów przed spojrzeniami sąsiadów.

Niestety, zainteresowanie ze strony żeglarzy jest niewielkie, bo dom stoi na samym końcu bocznej odnogi kanału i odkrywają go tylko najwytrwalsi. Nie stanowi wcale idealnego miejsca na prowadzenie cukierni, ale nie miałam innego wyjścia. Gdybym chciała kupić identyczną działkę w lepszej lokalizacji, musiałabym wydać fortunę, której przecież nie posiadam.

Kiedy patrzę na ogród i położony niżej kanał, widzę także skromny sad z sękatymi jabłoniami. Za nim wznosi się mur obrośnięty różowym powojnikiem, a później latem zakwitną tam pnące róże. Na prawo tuż obok werandy rośnie stara magnolia, której widok zachwyca wczesną wiosną, o ile nie zaszkodzą jej przymrozki. Do ścian tulą się kwitnące krzewy, stanowczo potrzebujące przycięcia.

Pogoda w tym roku na razie nas nie rozpieszcza. W końcu mieszkamy w Anglii. Jest nadzwyczajnie zimno i od stycznia nieustannie pada deszcz. Odbiło się to, niestety, na ogrodzie. Choć dziś jest sucho, oklapłe pąki krzewów są rozmokłe i pełne wilgoci. Rosnące nad brzegiem kanału piękne wiśnie obsypane delikatnymi, bladoróżowymi kwiatami bardzo ucierpiały od zeszłotygodniowych opadów i wiatrów. Wciąż jednak jest to sielski zakątek.

Nim mama utkwiła w łóżku, uwielbiała ogród, choć wszystkimi ciężkimi pracami zajmował się tata. Właśnie dzięki niemu stało się tu tak pięknie. Dawniej był to skromny dom, na który mogła sobie pozwolić średniozamożna rodzina, ale każdy kolejny boom na rynku nieruchomości podnosił jego wartość, więc teraz cena za działkę jest doprawdy astronomiczna. Cieszę się, że moi rodzice kupili go tuż po ślubie, bo inaczej nie miałabym szansy mieszkać w podobnym miejscu. Uwielbiam go. Naprawdę. Każdy jego kąt wiąże się ze wspomnieniami. Być może uznacie mnie za zatwardziałą domatorkę, ale dostał mi się maleńki okruch raju, dlatego nie mam ochoty stąd wyjeżdżać.

Nie wzgardziłabym dodatkową parą rąk do pomocy. Utrzymanie nieruchomości w przyzwoitym stanie wymaga ogromu pracy, która przytłacza, jeśli wykonuje się ją samodzielnie. Silne wichury w lutym połamały kilka sporych gałęzi, a przy murach wznoszą się prawie półmetrowe kopce opadłych liści. Na szczęście wiśnie nie dały się wiatrom. Przydałoby się też wszystko odmalować. W ciągu ostatnich kilku lat stary, nieco zaniedbany budynek popadł w niewielką ruinę. Dziś jest pierwszy naprawdę słoneczny dzień od dosłownie miesięcy i mimo że wciąż czuć chłód, a na popołudnie zapowiadają deszcz, cieszę się, że wyszłam na świeże powietrze. W tym roku Wielkanoc wypada dość późno, z końcem kwietnia, a zazwyczaj w świąteczny weekend jesteśmy już gotowi na nowy sezon. Nie ma zatem czasu do stracenia.

ROZDZIAŁ 3

Stawiam wiadro przy czekających na mycie stolikach i schodzę w dół ogrodu, aby zatrzymać się w moim ulubionym miejscu, na niewielkim pomoście tuż przy brzegu kanału. Mój tata uwielbiał wodę, kochał żeglować, ale także po prostu lubił przesiadywać nad nią. Podobnie do mnie przychodził tu podumać chwilę.

Victor Merryweather urodził się w nadmorskiej miejscowości w Pembrokeshire, ale praca przywiała go w naszą okolicę, która najprawdopodobniej jest położona najdalej od linii brzegowej w całym kraju. Tęsknota za morzem nie opuściła jego duszy. Nigdy się go nie spytałam, ale podejrzewam, że właśnie dlatego z mamą kupili ten dom tuż po ślubie. Nie ma tu co prawda dzikich plaż i spienionych fal, które tak uwielbiał, ale spokojny, łagodny urok angielskiego kanału nieodparcie przyciąga.

Brakuje mi ojca. Zmarł przed dwudziestu laty, ale przez ten cały czas nie było dnia, żebym o nim nie pomyślała. Własnoręcznie zbudował ciągnący się wzdłuż ogrodu nad kanałem drewniany pomost, dlatego staram się tu przychodzić codziennie, o ile znajdę chwilę, aby przez dosłownie pięć minut choć popatrzeć na wodę. Tak właśnie robiliśmy, kiedy byłam mała. Moje najwcześniejsze wspomnienia to obraz taty i mnie, kiedy siedzimy tutaj razem, macham nogami nad lustrem wody i obserwujemy przepływające różnokolorowe barki czy stada kaczek, które zawsze stanowiły atrakcję. Tata nauczył mnie rozróżniać różne gatunki ptaków zamieszkujących okolice kanału. Żyją tu rybitwy, czaple, kurki wodne, a przy odrobinie szczęścia można też dostrzec rzadki błysk błękitu, kiedy obok przeleci zimorodek.

Moja matka ma trudny charakter, ale tata był łagodny jak baranek. Mama wciąż się czegoś domaga, a tata wolał dawać. Nie mam pojęcia, jak im się udawało żyć we dwoje, ale najwyraźniej byli zgodnym małżeństwem. Tata zawsze ustępował mamie. Unikał wszelkiej konfrontacji. Pewnie wzajemnie się uzupełniali, niczym jin-jang. Kiedy zmarł, zupełnie niespodziewanie na zawał serca, mama nigdy nie doszła do siebie. Jego śmierć zmieniła nas wszystkie.

Rozkładam jedno z drewnianych krzeseł ogrodowych, aby podarować stopom odrobinę odpoczynku, i patrzę, jak płochliwa kurka wodna śmiga tam i z powrotem wzdłuż nasypu, nie spuszczając z oka swoich przypominających miękkie, puchate kuleczki piskląt. Na przeciwległym brzegu w kompletnym bezruchu, ze wzrokiem wbitym w wodę, zamarła czapla licząca na nieszczęsną rybę. Nigdy za wiele tu się nie dzieje. Życie z wolna toczy się rok za rokiem. Kanał tchnie spokojem i ciszą, dlatego z łatwością zapomina się tu o istnieniu zewnętrznego świata. Dwie kaczki wyskakują z wody na pomost i stroszą pióra, człapią do ogrodu. To jest mój własny mały wszechświat.

Jaskrawo pomalowana barka sunie z warkotem przez kanał. Poznaję ją, to Dryfujący Raj. Mieszkają na niej Fensonowie, którzy często wpadają na kanapkę lub filiżankę herbaty z kapką mleka.

– Cześć, Fay! – wita się stojący u steru na rufie Ralph i podnosi w górę dłoń.

Macham do niego.

– Już otwarte?

– Jak zawsze! – krzyczę. – Czekamy na was.

– Wstaw wodę! Wpadniemy później – odpowiada. – Teraz cieszymy się słońcem. Póki jest.

Ralph i Miriam kupili tę barkę kilka lat temu, kiedy oboje przeszli na emeryturę. Zazwyczaj cumują w pobliskiej przystani, ale w szczególnie chłodne dni pomieszkują na lądzie, bo zachowali mieszkanie w mieście. To świetny sposób na emeryturę. Naprawdę szkoda, że tata nie pożył na tyle długo, żeby pójść w ich ślady. Cieszyłby się z każdej chwili spędzonej na wodzie.

Niestety, ich łódź zasłużyła sobie na niezbyt pochlebne przezwisko Dryfującej Katastrofy. Moim zdaniem Ralph z Miriam nie mają talentu do życia na wodzie i do tego nie opanowali wodnej etykiety. Inni często wytykają ich palcami, bo regularnie nie domykają śluzy, a nawet zostawiają otwarte na oścież wrota, co prowadzi do wysuszenia komory. Albo przekraczają dopuszczalną prędkość i po drodze obijają inne łodzie, Ralph w kapitańskiej czapce z daszkiem, a Miriam w jednej z licznych bluz lub T-shirtów w biało-niebieskie pasy. Raz urządzili huczne przyjęcie, na które zaprosili wszystkich przyjaciół, i nieomal zatopili własną łódź, bo ją przeciążyli. Nie sądzę, żeby wyprawiali się w odległe trasy, bo Dryfujący Raj zazwyczaj stoi zacumowany w pobliskiej przystani, i tak chyba jest najlepiej dla wszystkich. Wielu doświadczonych barkarzy złorzeczy Fensonom, ale są tak uroczo roztrzepani, że drzwi mojej kawiarni zawsze stoją dla nich otworem. Samą swoją obecnością poprawiają nastrój.

Nasza rodzinna barka Ślicznotka Merryweather jest zacumowana przy ogrodzie. To klasyczny model o długości prawie dwudziestu metrów. Duma i radość mojego ojca. Uwielbiał ją. Nie było dnia, żeby choć nie przyszedł na nią popatrzeć. Zawsze planował, że po przejściu na emeryturę poświęcić jej więcej czasu.

Mama, rzecz jasna, nie cierpiała barki. Była o nią tak zazdrosna, jakby chodziło o kochankę. Podejrzewam, że nieraz musiała konkurować ze Ślicznotką o miejsce w sercu taty. Podobnie do Fensonów moi rodzice nigdy nie wypływali w dalekie trasy, choć o tym właśnie marzył ojciec. Byłby szczęśliwy, gdyby mógł rzucić pracę i żyć na łodzi. Mama jednak miała inne zdanie na ten temat. Nie lubiła nawet spać na pokładzie, bo było jej tam za ciasno, i tylko raz spędziła noc na łódce, ale bardzo się wtedy nacierpiała. Mimo cudownych możliwości, jakie dawało życie nad kanałem, udało nam się wypłynąć najdalej do Berkhamsted w jedną stronę, a w drugą, w kierunku Northampton, do Stoke Bruerne. Ojciec z pewnością nie był zadowolony z tego powodu, ale nigdy głośno nie narzekał. Celebrował tylko każdą chwilę spędzoną na pokładzie.

Także dla mnie rodzinne wakacje były najbardziej oczekiwanym momentem w roku. Uwielbiałam naszą Śliczną tak jak tata, a ciasnotę uważałam raczej za przytulną. Choć zamknięcie w tej ograniczonej przestrzeni z małą Edie, szczególnie podczas deszczu, stanowczo mi ciążyło. Moja siostra po godzinie lub dwóch dostawała kota i wręcz chodziła po ścianach. W przeciwieństwie do mnie nie lubiła zaszyć się w kącie z książką.

Barka była konikiem ojca, miłością jego życia. Nigdy nie czuł się szczęśliwszy niż na jej pokładzie. Za dnia pracował w biurze w jednej z wielu firm, które w latach osiemdziesiątych osiedliły się w Milton Keynes, ale od razu po wejściu do domu zrzucał z siebie garnitur i pędził nad kanał. Każdy wieczór i weekend ubrany w robocze dżinsy i granatowy sweter spędzał, dłubiąc przy łodzi, z rękami umorusanymi w smarze, ale obowiązkowo z uśmiechem na twarzy. Po jego śmierci Ślicznotka ani razu nie podniosła kotwicy, zwiększając moje poczucie winy. Nie wiem nawet, czy silnik wciąż jest sprawny. Ostatnim razem, gdy próbowałam go uruchomić, nawet nie zamruczał. Tata nie byłby tym zachwycony.

Zewnętrzne burty barki są pomalowane w kolory typowe dla łodzi rzecznych, czyli na ciemnozielono z partiami w kolorze czerwonym, które zdobią niewielkie różyczki, tradycyjny element dekoracyjny. Na krawędziach drewno jest przetarte i zniszczone, ale dbam, aby jej wnętrze lśniło czystością. I choć na pierwszy rzut oka prezentuje się całkiem nieźle, potrzeba by mnóstwa pracy, aby nadawała się do zamieszkania. W kajucie głównej i kambuzie wiszą dębowe szafki. W części kuchennej stoi też piec na drewno, w którym jednak od dawna się nie paliło. W oknach wiszą koronkowe zrobione szydełkiem zasłony.

Mimo że Ślicznotka nie rusza się z miejsca, potrafi na siebie zarobić. Jest głównym punktem Cukierni Fay. Ludzie przychodzą do mojego domu po zakupy, ale według mnie to właśnie osobliwy urok łodzi i rzecznej żeglugi przyciąga ich bardziej. Barka stanowi atrakcję zarówno dla turystów, jak i dla miejscowych. W ofercie mamy domowe placki, ciasta, ciasteczka i dżemy. Latem robię też lemoniadę, która cieszy się dużą popularnością. Miejscowy mistrz akwareli Graham Lovett jest autorem wodnych pejzaży, które sprzedaję w formie kartek i obrazków, bo w wakacje kanał zaludnia się od turystów. W pobliskiej przystani można wynająć łodzie i najczęściej moja kawiarnia okazuje się ich pierwszym przystankiem w drodze.

Jak wcześniej wspomniałam, Cukiernia Fay z czasem znacznie się rozrosła, ale początkowo miałam skromne plany. Pomysł zrodził się, kiedy patrzyłam na łodzie – i te należące do turystów, i te będące własnością ludzi mieszkających na stałe na ich pokładach – płynące kanałem, a także na rodziny spacerujące lub przemierzające rowerami ścieżkę wzdłuż wody. Pomyślałam wtedy, że jedynym miejscem, w którym ci wszyscy ludzie mogą napić się herbaty lub zjeść kawałek ciasta, jest jeden z położonych nad wodą pubów. A przecież nie zawsze ma się ochotę na siedzenie w pubie, prawda?

Praca w urzędzie na stanowisku starszego koordynatora nie była moją życiową pasją. Zarabiałam nieźle, ale pod koniec dnia nie czułam spełnienia. Przez chwilę rozważałam zmianę branży, ale biorąc pod uwagę moje umiejętności, nic sensownego nie przychodziło mi do głowy. Potem, kiedy mama zdecydowała o własnej niepełnosprawności i zaległa w łóżku, nie byłam w stanie pogodzić pracy na pełen etat z całodzienną opieką nad nią. Wykańczało mnie to. Próbowałam nająć płatną pomoc, która odciążyłaby mnie od domowych obowiązków, ale mama nie pozwalała nikomu zbliżać się do siebie. Poza tym było to bardzo kosztowne. Ale godzenie obu rzeczy groziło, że zaraz sama padnę u boku mamy. W końcu zdecydowałam się złożyć wypowiedzenie i wtedy narodził się pomysł rozszerzenia cukierni na dom i ogród.

Tak więc Cukiernia Fay i Ślicznotka Merryweather dbają teraz o moje zdrowie psychiczne i dają pracę. Spoglądam dumnie na naszą piękną barkę i zastanawiam się, czemu moja mama od zawsze na nią psioczyła. Przecież nie da się jej nie kochać. Nawet teraz, kiedy łódź zapewnia nam byt, mama nie przepuszcza okazji, żeby się na niej nie wyżyć.

Gdyby decyzja należała do mojej matki, Ślicznotki już dawno by tu nie było, ale ja się uparłam. Barka jest wszystkim, co mi zostało po tacie, i jak długo będę żyć, nie pozwolę jej sobie odebrać.

ROZDZIAŁ 4

Lija dołącza do mnie, na rękach ma żółte, gumowe rękawice. Z chmurnym obliczem zatrzymuje się na pomoście.

– Stara podła jędza – mówi. – Gdyby to była moja matka, zadusiłabym ją poduszką.

– Czasami mam na to ochotę – przyznaję się.

– Napluję do jej następnej herbaty.

Nie uważam się za wybitną opiekunkę, ale w porównaniu z Liją jestem jak Matka Teresa.

– Może zaczniemy od stolików?

Zasiedziałam się na pomoście i teraz muszę zakasać rękawy, żeby zdążyć przed zapowiadanym deszczem. W bojowym nastroju wyciągam szczotki ryżowe.

Niestety, brakuje nam miejsca na sprzęty, dlatego stoliki i krzesła całą zimę stoją na zewnątrz. Choć ustawiam je jedne na drugich i nakrywam starym brezentem, żeby chronić je przed mrozem i opadami, każdej wiosny po ściągnięciu osłony okazują się brudne i pokryte zielonkawym nalotem.

Razem z Liją podchodzimy do stolików. Woda w wiadrze nieco ostygła, ale nie ma czasu na bieganie po wrzątek. Bierzemy się za szorowanie.

Stoliki są niebrzydkie, pastelowe. Kupiłam je za bezcen w Ikei, kiedy rozkręcałam biznes, nazywały się Pacan lub Falstart, czy coś w tym stylu. Cukiernia Fay oficjalnie otworzyła swe podwoje trzy lata temu, pierwszy rok minął jak z bicza trzasnął, a ja się uczyłam podstaw branży. Dopiero w tym roku w trakcie przygotowań do sezonu mam poczucie, że wreszcie weszłam we właściwy rytm. Tak naprawdę miałam mnóstwo szczęścia, kawiarnia ruszyła bez szczegółowego biznesplanu, dość chaotycznie ewoluowała, a pierwszego roku, zwłaszcza w wakacje, powiodło mi się lepiej, niż przypuszczałam. Stałymi klientami okazali się żeglarze i spacerowicze, którzy wprost z pokładu Ślicznotki, kupiwszy ciasta, słoiczki dżemu i butelki lemoniady, przychodzili na herbatę. Minusem tej pracy, przy całodziennej opiece nad mamą, poza wyzwaniami, była samotność. Tęskniłam za pracą w biurze, bo całymi dniami nie miałam się do kogo odezwać i klienci okazywali się ostatnią deską ratunku.

Drugiego roku, ciesząc się z niewielkiego sukcesu, dodałam kilka kolejnych stolików do ogrodu i wyspecjalizowałam się w podwieczorkach, przede wszystkim dlatego, że to mój ulubiony posiłek. Okazały się tak popularne, że wkrótce potrzebowałam dodatkowej pary rąk do pomocy. W lokalnej gazecie zamieściłam ogłoszenie, na które odpowiedziało pięćdziesiąt osób. Na rozmowę zaprosiłam trzech kandydatów. Liję polubiłam od razu. Nie wiem dlaczego, bo dwie pozostałe osoby na pierwszy rzut oka wyglądały na potulniejszych pracowników. Ale ona jako jedyna przyszła z upieczonym przez siebie ciastem – biszkoptem przekładanym kawowym kremem z orzechami. Był to najlepszy placek, jaki w życiu jadłam. I tak Lija zaczęła dla mnie pracować.

Tamtego roku kawiarnię zrobiłam z naszej jadalni, ku ogromnemu niezadowoleniu matki. Marudziła, że ośmieliłam się wpuszczać obcych do domu. Tłumaczyłam jej, że skoro sama królowa udostępnia swój pałac zwiedzającym, to nie możemy być od niej gorsze.

Jadalnia przydaje się w razie niepogody, choć mieszczą się w nim tylko cztery małe stoliki. Latem otwieramy na oścież szerokie, wychodzące na ogród drzwi balkonowe. Poza zadaszoną werandą reszta miejsc jest skazana na łaskę i niełaskę żywiołów. Losy kawiarni zależą więc od kaprysów pogody i biznes idzie nierówno, ale na szczęście działa i pozwala nam wiązać koniec z końcem.

W zeszłym roku, pod koniec sezonu, kupiłam dwa ogrodowe parasole dla ochrony przed słońcem i deszczem, ale jeszcze nie zdążyłam ich użyć. Potrzebuję mężczyzny, który umie sprawnie posługiwać się śrubokrętem, a choć mój partner Anthony ma wiele zalet, to raczej nie jest złotą rączką.

Lija szoruje blaty z większym zapałem niż ja. Słońce przebija przez chmury, przyjemnie grzejąc plecy. Mam nadzieję, że nadchodzący rok okaże się hojny i zdołam trochę zaoszczędzić. Zbieram na renowację Ślicznotki, bo to ucieszyłoby tatę. Na pewno trzeba w niej wymienić silnik, a zakup nowego nie jest tani.

Kiedy się prostuję, aby rozciągnąć mięśnie, zauważam, że do pomostu podpływa barka, której nie kojarzę. Nowi klienci zawsze mnie bardzo cieszą. W zeszłym roku ustawiłam przy kanale tablicę z reklamą, żeby przyciągnąć przepływających ludzi. Ale nie znam tej łodzi.

Przysłaniam dłonią oczy i patrzę, jak ustawia się za barką taty.

– Kto to może być?

Łapacz Snów. Nazwa nie jest wielkim zaskoczeniem, to prawdopodobnie jedno z najpopularniejszych imion dla barek. To tradycyjna jednostka, podobna do Ślicznotki, stara i nieco przytarta na krawędziach. Ale jej właściciel, przynajmniej z dystansu, wygląda młodo. Dziarsko wyskakuje przez burtę na pomost, z liną cumowniczą w dłoni.

– Chyba mamy klienta – mówię do Lii.

Jeszcze nie otworzyłyśmy. Wszystkie świeże ciasta przeznaczone na sprzedaż wciąż leżą zawinięte w folię na kuchennym blacie. Zazwyczaj najwięcej klientów przychodzi w poszukiwaniu smakołyków na podwieczorek albo na kolację. Choć nie jesteśmy nawet cieniem konkurencji dla utargu pobliskiego Tesco.

– Aha – mruczy Lija, zataczając kręgi szczotką ryżową. – Powiedz, że zamknięte.

– Nie żartuj. Każdy klient jest na wagę złota, a wstawienie czajnika zajmuje sekundę. – Sama nie pogardziłabym kubkiem gorącej herbaty. – Może usiąść na werandzie, jeśli mu to nie przeszkadza. Tam wszystkie stoliki są już czyste i gotowe.

Odkładam szczotkę na bok i próbuję wyglądać jak bizneswoman. Nie jest to takie proste, jeśli ma się na sobie dziergany sweter. Mężczyzna cumuje obok Ślicznotki i po kilku minutach burta jego łodzi przylega do pomostu. Mały, biały piesek w czarne i brązowe łatki, chyba krzyżówka teriera, wystawia łebek z barki. Wokół szyi ma przewiązaną czerwoną apaszkę. Wygląda to przeuroczo.

– Diggery, do nogi!

Mężczyzna strzela palcami i pies wyskakuje z łódki, a potem posłusznie drepcze za swoim panem.

Właścicieli łodzi można generalnie podzielić na dwie kategorie: emerytów lub hipisów. Mężczyzna nie należy do żadnej z nich. Kiedy zdecydowanym krokiem przemierza ogród, zauważam, że jest bardzo wysoki i szczupły. Nie znam ostatnich trendów męskiej mody, ale wygląda mi na kogoś świadomego stylu. Jest ubrany w czarne obcisłe dżinsy, czarny T-shirt i wyblakłą szarą dżinsową kurtkę. Na nogach ma ciężkie trapery. Jego kruczoczarne, gęste, krótko ostrzyżone po bokach włosy sterczą na wszystkie strony, zalotnie opadając tuż nad czołem.

Marzy mi się podobna fryzura z charakterem, chciałabym mieć włosy jak Lija czy właśnie ten mężczyzna. Zamiast tego mam prostą, krótką blond fryzurę, głównie ze względów praktycznych, bo łatwiej się je układa niż burzę loków falujących aż do pasa, o których śnię po nocach. Jak gdybym miała czas na ich pielęgnację.

Kiedy mężczyzna podchodzi bliżej, muszę przyznać, że wszystkie elementy jego wyglądu tworzą przyjemną dla oka całość. Aż mi się wyrywa:

– O jeju.

Wtedy Lija przerywa pracę i prostuje się.

– Wygląda jak w mundurku – ocenia go pogardliwie.

Mężczyzna zatrzymuje się i wita się z nami:

– Dzień dobry paniom.

Obdarza nas tak ciepłym uśmiechem, jakiego od dawna nie widziałam. A może nawet nigdy.

Ten uśmiech potrafiłby złamać serce. I to niejedno.

– Hej – odpowiadam.

Wtedy zauważa, że w ogrodzie panuje sezon zimowy, a my właśnie czyścimy stoliki.

– Czy już otwarte?

Ma miękki, irlandzki i bardzo seksowny akcent.

– Oczywiście – mówię i wtedy po raz pierwszy w życiu czuję, jak drży mi serce.

ROZDZIAŁ 5

Prowadzę przystojniaka do stolika na werandzie, gdzie wygodnie siada, rozprostowując nogi. Zazwyczaj chętnie gawędzę z klientami, ale tym razem czuję się spięta i nie potrafię wydusić ani jed nego słowa. Jest młody. Pewnie ledwo przekroczył trzydziestkę, czyli ma całe dziesięć lat mniej niż ja. Wtedy uświadamiam sobie, że wpatruję się w niego.

Może jest do tego przyzwyczajony, bo wydaje się nie zwracać na to uwagi.

– Nazywam się Danny – przedstawia się, zrozumiawszy, że sama się nie odezwę. – Danny Wilde.

Martensy i lekko sprana koszulka przydają mu szorstkości, ale mówi jak ktoś obyty i wykształcony.

Wskazuje na pieska, który układa się przy jego stopach.

– A to jest Diggery.

Wreszcie udaje mi się wykrztusić:

– Cześć, Diggery.

Pochylam się, żeby podrapać go po szyi, a pies w odpowiedzi wyciąga pyszczek do mojej ręki.

– Mam na imię Fay i zaraz przyniosę menu.

– Nie trzeba. Chciałbym kanapkę z chrupkim bekonem – oznajmia, uśmiechając się szeroko. – Taką naprawdę dużą. Od rana mi się marzy i była to prawdziwa tortura, bo skończył mi się i chleb, i bekon.

– Nie mamy tego w karcie, ale znalazłabym bekon w lodówce. Na razowym czy białym pieczywie?

– Na białym. Z mnóstwem keczupu. Jak sobie folgować, to już na całego – odpowiada z błyskiem w oku.

– Kawa czy herbata?

– Wielgachny kubas słodzonej herbaty z mlekiem.

Postanawiam przemilczeć, że naszym znakiem rozpoznawczym jest delikatna porcelanowa zastawa, a dokładniej porcelanowe filiżanki i spodeczki każdy z innego kompletu. Skoro prosi o kubek, dostanie to, czego sobie życzy. Zauważam, że Lija uważnie mi się przypatruje.

– Za chwilę wracam.

Kiedy odchodzę, Danny rozsiada się wygodnie i zamknąwszy oczy, rozkoszuje się promieniami słońca padającymi mu na twarz. Bogu dzięki, moje serce już nie drży. Niestety, zaczyna teraz walić jak oszalałe.

To absurdalne, ale ręce mi się trzęsą, kiedy układam plastry bekonu na grillu. Co prawda rzadko na naszym progu stają przystojni nieznajomi. Codzienną klientelę stanowią zrzędliwi emeryci i rodziny w towarzystwie nadpobudliwych dzieci, które próbują ogołocić z pąków każdy kwiat w ogrodzie. Danny jak mu tam jest wobec tego miłą odmianą.

Parzę mu kubek mocnej herbaty i biorę wodę dla psa.

Danny wita mnie uśmiechem, a kiedy stawiam na podłodze miskę, Diggery w podziękowaniu merda ogonem.

– To miłe – dziękuje jego pan.

– Uwielbiam psy – mówię. – Choć…

Nie ma sensu tłumaczyć, że mama nie cierpi zwierząt, każdego bez wyjątku, i nawet w dzieciństwie nie było mi dane cieszyć się choćby rybką w akwarium. Anthony również nie znosi psów, kotów i dzieci. Niekoniecznie w tej właśnie kolejności.

– Bez niego nie byłbym sobą – zwierza się Danny. – Nieprawdaż, Digs?

W odpowiedzi piesek przestaje pić i wskakuje na kolana swojego pana. W podziękowaniu za ten trud czeka go mocny uścisk. Kiedy zwierzę – mały szczęściarz – otrzymuje dostateczną dawkę pieszczot, Danny znów kieruje na mnie czarne, figlarne oczy.

– To twoja kawiarnia?

– Tak, to znaczy, nie... po części. – Przestań się jąkać kobieto, brzmisz jak bełkoczący półgłówek. Biorę głęboki wdech. – Dom należy do mojej mamy, a ja prowadzę cukiernię.

– Brawo – mówi, rozglądając się wokół. Kiedy zaś jego spojrzenie znów do mnie wraca, dodaje z uśmiechem szkolnego urwisa: – Także dla ogrodu.

Rumienię się. Nikt nigdy ze mną nie flirtował. A już na pewno nie młodzi, przystojni mężczyźni. Zwłaszcza nie wtedy, kiedy mam na sobie rozciągnięty sweter.

Wyraz jego twarzy łagodnieje, kiedy zauważa moją konsternację.

– Przepraszam, nie chciałem cię onieśmielić.

– W porządku – zapewniam go. – Wszystko w jak najlepszym porządku.

Wtedy uświadamiam sobie, że wachluję się kartą dań.

– Ogród chyba wymaga mnóstwa pracy – zauważa. – To spora działka. Macie ogrodnika?

– Nie – przyznaję. – Niestety. Wszystko jest na mojej głowie.

Czasem Anthony, zmuszony przeze mnie, przejeżdża po trawniku kosiarką. Jednak najlepszym dniem na ogrodowe prace są poniedziałki, kiedy kawiarnia jest zamknięta, a wtedy mój partner siedzi w pracy. Inną dobrą porą są wieczory, ale wtedy dla odmiany Anthony gra w golfa.

– Szykujemy się na letni sezon – wyjaśniam. – Zbyt późno wzięłyśmy się do pracy i czas nas goni.

– Może potrzebujecie pomocy?

– Zawsze – śmieję się.

– Na poważnie – mówi. – Szukam dorywczego zajęcia. Nie ma pracy, której bym się nie podjął. Nie jestem wybitnym specjalistą od uprawy kwiatów i roślin, ale obsługę młotka i pędzla mam w jednym palcu. Wiem też, jak działa kosiarka i podkaszarka.

– Naprawdę? – Wtedy przypominam sobie o bekonie skwierczącym na grillu i wpadam w panikę. – Mój Boże, bekon! Zaraz przyniosę twoją kanapkę i wtedy porozmawiamy.

Pędząc do kuchni, myślę o wszystkich drobiazgach, które wciąż należy zrobić. Danny mógłby naprawdę okazać się pomocny przez kilka najbliższych dni. Na początek mógłby na przykład zgrabić liście i usunąć połamane gałęzie. Trawnik niezmiennie czeka na strzyżenie, choć wciąż jest na to zbyt mokro. Są jeszcze parasole ogrodowe, które Danny mógłby zainstalować. W zeszłym roku kupiłam też kilka ślicznych emaliowanych tabliczek w stylu retro z zabawnymi hasłami. Nie zdążyłam ich nawet wyjąć z pudełka. Mógłby je zawiesić. Trzeba naprawić część płotu. Dni mogłyby się przeciągnąć w tygodnie, jeśli znajdę fundusze. Z pewnością zadbałabym o to, żeby jego ręce nie zaznały spoczynku. Nie to miałam na myśli. Wiecie, o co mi chodziło. Jest mnóstwo do zrobienia i na pewno by się nie nudził. To właśnie chciałam powiedzieć.

Zgodnie z życzeniem wyciskam górę keczupu na kanapkę, a potem wynoszę ją na dwór. Danny z wilczym apetytem rzuca się na jedzenie. Diggery skomle na widok bekonu, wtedy jego pan odrywa i rzuca mu mały kawałek.

– Przydałaby mi się pomoc przy cięższych pracach ogrodowych – przyznaję. – Ale obawiam się, że nie jestem w stanie zbyt dużo zapłacić.

– Może mógłbym otrzymywać wynagrodzenie w kanapkach z bekonem – uśmiecha się. – Ta jest przepyszna.

– Nie mam nic przeciwko dokarmianiu mojego pracownika.

– W takim razie zgoda. Kiedy miałbym zacząć?

– Czy mógłbyś od razu nam pomóc? Czeka na mnie i Liję długa lista rzeczy do zrobienia. – Która się raczej nie skróci od gawędzenia z Dannym. – W wolnym czasie chciałyśmy jeszcze upiec kilka ciast, dlatego byłoby super, gdybyś nas odciążył.

– Ciasta? Mniam. Chętnie zapracuję na kawałek – dodaje.

Zauważam, że lustruje Liję od stóp do głów. Nie dziwię się. Jest młoda i piękna. I mówiąc szczerze – on też.

– To jest Lija – przedstawiam ją. – Pracuje tu na pełen etat. To prawdziwa mistrzyni wypieków.

Danny śmieje się.

– Zatem postanowione. Właśnie zatrudniłaś pomocnika, Fay.

– Świetnie. – Zadziwia mnie tempo rozwoju wydarzeń. Danny błyskawicznie zmienił się z klienta w pracownika obsługi, no, ale darowanemu koniowi nie zagląda się w zęby. – Gdy skończysz jeść, zapraszam do pomocy przy czyszczeniu stolików.

– Zgłaszam gotowość. – Grzbietem dłoni ściera resztkę keczupu z kącika ust. – Ile jestem ci winien?

– Ja stawiam – mówię i dorzucam z uśmiechem: – Postaram się, żebyś na nią zapracował.

– Dzięki. Dobrze powiedziane, Fay – przyznaje. – Naprawdę mi się to spodobało.

Potem patrzy na mnie oczami, których intensywny brąz przechodzi w głęboką czerń. Bije z nich szczerość, choć jednocześnie błyskają w nich psotne ogniki. Ponownie czuję, że zaraz stracę dech w piersi.

– Nie pożałujesz swojej decyzji – dodaje Danny.

Głęboko w nieodgadnionej otchłani mojego czułego serca tli się obawa, że jednak mogę pożałować.

ROZDZIAŁ 6

– Nadchodzi śmierdzący Stan – oznajmia Lija.

– Nie mów tak – ganię ją. – To nie jest miłe.

– Ale on śmierdzi.

– Tylko trochę – protestuję. – Odrobinę pachnie stęchlizną. Kiedy dożyjesz do dziewięćdziesięciu trzech lat, też będziesz lekko cuchnąć. Oto uroki starości.

– Nigdy się nie zestarzeję – postanawia Lija.

Mnie jednak więcej łączy ze Stanem niż z Liją, bo często czuję się starsza, niż jestem w rzeczywistości. Nie należę do modnych, odmłodzonych czterdziestolatków, których twarze zerkają z ekranu telewizora i okładek kolorowych czasopism. Nigdy nie wstrzyknęłam sobie botoksu ani nie poszłam do solarium. Nawet raz w życiu nie wybieliłam sobie zębów. Jestem czterdziestojednoletnią kobietą, w której szafie nie wiszą markowe ubrania.

Nasz najwierniejszy klient, Stan Whitwell, przekracza właśnie próg bocznej bramy, co o tej porze dnia jest jego odwiecznym zwyczajem. Stan mieszka samotnie w jednym z domków stojących wzdłuż uliczki prowadzącej do naszego domu. Ma dwa mikroskopijne pokoje na górze i dwa malutkie pomieszczenia na dole. Jego domek jest jednak uroczy, przy drzwiach frontowych rosną krzewy różane, a niewielki ogród aż kipi pachnącymi kwiatami.

– Przygotuję mu lunch – deklaruję. – Ale przedtem powiem ci, że ten facet, tam, nazywa się Danny, pomoże nam w pracach ogrodowych.

Lija w odpowiedzi unosi brwi.

– Przecież może być seryjnym mordercą.

– Uważam, że jest w porządku – uspokajam ją. – Wydaje się dość miły.

– Masz za miękkie serce.

– Jest zbyt dużo do zrobienia, żebym sama to ogarnęła. – Ulga, jaką poczułam na wieść, że Danny zostaje nam pomóc, jest wręcz namacalna. – Szukał dorywczego zajęcia. Zobaczymy, jak sobie poradzi w najbliższych dniach.

Wzrusza ramionami.

– Ty tu rządzisz.

– Pokażesz mu, co trzeba zrobić?

– Pewnie.

– Za sekundę przyślę go do ciebie.

Chyba da sobie radę w bezpośrednim kontakcie ze zdolną, choć zgryźliwą Liją. Jad sączący się z ust mojej pracownicy potrafi zamienić w kamień mniej odpornych śmiertelników, ale Danny Wilde wygląda na kogoś, kto się nie boi. Zostawiam ją więc, żeby przywitać Stana kierującego się w stronę domu.

– Dzień dobry. Jak się dzisiaj mamy?

– Nie narzekam – odpowiada.

Nigdy, przenigdy się nie skarży. Byłoby nieźle, gdyby udzielił mojej matce kilku lekcji zadowolenia z życia.

– Na co masz ochotę?

Od pierwszego dnia, kiedy otworzyłam kawiarnię, Stan przychodzi do nas codziennie w południe na lunch. Wprowadził się do swojego maleńkiego domku jakąś dekadę temu i od tamtej pory łączy nas serdeczna przyjaźń. Teraz został też moim wiernym klientem, co świetnie rozumiem, bo trudno zajmować się kuchnią w tak podeszłym wieku.

Mimo ukończenia dziewięćdziesięciu trzech lat Stan wciąż jest dziarski i umysłowo sprawny. Mam nadzieję, że w jego wieku będę się równie dobrze trzymać. W słabsze dni wspiera się o lasce i siada na werandzie, unikając przechodzenia przez cały ogród. Raz w tygodniu przychodzi do niego sprzątaczka, która w kilka godzin doprowadza mu dom do porządku, a poza tym jest samowystarczalny. Nie mogę się nadziwić, jak świetnie sobie sam radzi, zwłaszcza gdy go porównuję do mojej całkowicie zdrowej matki, która doprowadziła się do totalnej niesamodzielności. Gdyby miała raka albo inną straszną chorobę, byłabym bardziej wyrozumiała. Nie mam pojęcia, dlaczego wybrała takie życie, ale przypuszczam, że nie wstaje z łóżka, bo tak sobie zwyczajnie postanowiła.

– Jest dziś zupa? – pyta.

Stan niedosłyszy i mówi bardzo głośno.

– Krem ze świeżych pomidorów z dodatkiem bazylii – odpowiadam równie głośno.

– Moja ulubiona – rozmarza się, oblizując usta.

– Czy chciałbyś usiąść nad kanałem?

To jest także ulubione miejsce Stana. Choć z równą przyjemnością zasiada w cieniu wiśni.

– Z rozkoszą.

– Właśnie skończyłyśmy czyścić stoliki. Poproszę Liję, żeby ustawiła jeden na pomoście. Na pewno tam nie zmarzniesz?

– Założyłem swój najcieplejszy sweter – zapewnia mnie.

Na łokciu świeci dziura, a przód szpeci plama niewiadomego pochodzenia. Guziki krzywo zapiął i z trudem hamuję odruch poprawienia ich.

– Mamy dziś piękny, ciepły dzień. – Rozciąga ramiona, jakby chciał schwytać słońce. – Jest ślicznie. Kiedy słońce świeci, nie masz lepszego miejsca nad naszą kochaną Anglię.

Stan przez całe życie służył w RAF-ie i wciąż trzyma się jak na zawodowego wojskowego przystało. Może jest poorany zmarszczkami i nie pachnie najlepiej, ale ciągle wygląda jak oficer lotnictwa. Zaczesane na bok siwe włosy muska brylantyną, regularnie podcina krzaczaste wąsy i małą bródkę. Mimo wykrzywionych pleców wciąż jest dziarski i niezwykle bystry. Miał naprawdę wspaniałe życie i jeśli tylko znajdę wolne pięć minut, przysiadam się do niego, żeby wysłuchać paru anegdot. Czasem przypomina mi mojego kochanego tatę, dlatego mam do niego ogromną słabość.

Tymczasem na werandzie Danny wstaje, strzepując okruchy z dżinsów.

– Przeniosę ten stolik, Fay. – Podoba mi się ton, którym wypowiada moje imię. – Tylko powiedz który.

– Stan lubi bladozielone. – Wskazuję na jeden ze stolików, całkiem niepotrzebnie, bo chyba sam jest w stanie rozróżniać kolory. Weź się w garść, Fay. – Lubi siedzieć tuż nad kanałem. Postaw, proszę, stolik przy drzewach, wtedy nie będzie mu tak bardzo wiało. Danny będzie nam pomagał – wyjaśniam Stanowi. – Przez kilka kolejnych dni.

– Wspaniale – komentuje Stan, kierując się w dół ogrodu za nowym członkiem naszej drużyny.

Diggery mknie w stronę wody, przeganiając kaczki.

– Witaj, droga Lijo! – Stan macha do niej na powitanie.

– Cześć, Stan – odpowiada moja pracownica.

Razem z Liją obserwujemy przez chwilę, jak Danny przy końcu ścieżki ujmuje Stana pod ramię i służy mu wsparciem, potem rozkłada krzesło, aby staruszek usiadł, kiedy on rozgląda się za stolikiem we właściwym odcieniu. Znudzony kaczkami Diggery siada przy stopach byłego oficera, który uprzejmie głaszcze go po grzbiecie.

– Witaj, mały – mówi Stan. – Grzeczny pies.

Ogon czworonoga gwałtownie lata w ekstazie radości.

Do zeszłego roku Stan miał kota, starego sierściucha, który drapał każdego, kto tylko ośmielił się na niego spojrzeć. Nie cierpiałam go, bo lubił przeskakiwać przez płot i załatwiać swoje potrzeby w moim ogrodzie. Kot oczywiście, a nie jego właściciel. Niedawno zdechł. Stan zakopał go pod różanym krzewem w ogrodzie na tyłach domu i mimo podłego charakteru kociska chyba za nim tęsknił.

Wracam do kuchni, żeby przygotować zupę dla Stana. Najwyższy też czas zanieść posiłek mamie, bo zaraz zacznie stukać w podłogę. Zapach smażonego bekonu na pewno pobudził jej apetyt. Jak na przykutą do łóżka chorą, nie narzeka na brak łaknienia.

Szykuję tacę, na której stawiam miskę gorącej zupy, bo taką właśnie lubi, obok kładę kawałek świeżego, chrupiącego chleba z mojego porannego wypieku. Stan zawsze raczy się też filiżanką earl greya, bez mleka, z kawałkiem świeżego ciasta. Skoro zamówił zupę, trzeba odczekać dziesięć minut przed podaniem deseru, tak właśnie lubi.

Stan siedzi w przytulnym zakątku w cieniu wiśni nad samym brzegiem. Podchodzę do niego z talerzem zupy, wiosenna bryza owiewa mi twarz, co mnie bardzo cieszy.

– Proszę, Stan. Mam nadzieję, że będzie ci smakować.

– Jestem pewien, że będzie równie pyszna jak zazwyczaj.

Kiedy stawiam zupę na stole, niespodziewany widok sprawia, że zamieram w bezruchu.

W moim ogrodzie stoi półnagi mężczyzna.

Danny przestawia jeden ze stolików. Podnosi go w pojedynkę. Są tak ciężkie, że my z Liją dawałyśmy radę przestawiać je tylko razem. Wcześniej musiał ściągnąć kurtkę i koszulkę. Jego ubrania leżą na jednym z krzeseł. Zapiera mi dech z wrażenia.

– Uwaga! – krzyczy Stan.

Odwracam głowę, żeby zobaczyć, że o mało nie wylałam zawartości talerza na jego kolana.

– Przepraszam. Bardzo przepraszam.
– Nic się nie stało – uspokaja mnie Stan.
– Coś mnie rozproszyło.
– Zauważyłem, kochana – śmieje się.
Podaję Stanowi sztućce i serwetkę, cały czas nie spuszczając oka z krzątającego się po ogrodzie Danny'ego. Jest dziś ciepło, ale nie aż tak. Czy nie powinien się ubrać?
W końcu nasze spojrzenia się spotykają. Danny patrzy po sobie, wskazując na nagi tors.
– Nie masz nic przeciwko temu?
– Ja... hm... skądże. Oczywiście, że nie.
Lija posyła mi zabójcze spojrzenie. A Stan ku mojemu zażenowaniu uśmiecha się szeroko niczym kot z Cheshire.
– Nie ma sprawy – powtarzam. – Naprawdę.
Danny uśmiecha się do mnie.
– No to luz.
Wcale jednak nie jestem wyluzowana. Wręcz przeciwnie. I zrobiło mi się gorąco. On, niestety, też jest gorący.

ROZDZIAŁ 7

Pod koniec dnia wszystkie stoliki i krzesła są wyszorowane, nie ma na nich śladu mchu i wilgoci. Danny wypełnił liśćmi cały kosz na biodegradowalne odpady i jeszcze kilka worków, które będę musiała wywieźć autem.

Po południu przychodzi tylko kilku klientów w porze podwieczorku. Proponuję im miejsca przy drzwiach balkonowych na werandzie. Wszyscy wydają się bardzo zadowoleni. Przy jednym stoliku usadzam dwie panie – wyglądają na członkinie miejscowego stowarzyszenia przyjaciół koni, które chyba nigdy wcześniej u nas nie były, dlatego staram się szczególnie w nadziei, że nie tylko do nas wrócą, ale też zarekomendują kawiarnię znajomym. Drugi stolik wskazuję emerytowanemu małżeństwu, które wpada tu od czasu do czasu, także w towarzystwie wnuków. Wokół nich również krzątam się z zapałem.

Po wyjściu klientów w kuchni pieczemy z Liją placek według nowego przepisu jej autorstwa. To cytrynowy sernik z jagodami, który trzeba jeszcze polukrować, ale już bosko pachnie. Lija lepi z masy marcepanowej malutkie kwiatuszki o bladożółtych i liliowych płatkach, którymi udekoruje ciasto. Uwielbiam obserwować, jak pracuje. Wtedy z jej twarzy znika stale obecna pogarda, to także jedyny czas, kiedy kipi energią i życiem.

– Świdrujesz mnie wzrokiem – narzeka.

– Nieprawda. Po prostu uważam, że jesteś genialna.

Lija prycha. Nie lubi, kiedy się ją chwali. Taka już jest.

– Sernik wygląda pysznie – dodaję.

Obie patrzymy na cudo sztuki cukierniczej, które właśnie wyciągnęła z piekarnika, kiedy w drzwiach pojawia się głowa Danny'ego.

– Skończyłem na dziś – mówi.

– Chodź do nas – zapraszam go do środka.

– Ale moje buty...

– Nie szkodzi. Tylko porządnie je wytrzyj o wycieraczkę. Potem i tak muszę umyć podłogę.

Lija podczas pracy w kuchni nie przejmuje się powstającym wokół niej bałaganem. Zarówno szafki, jak i podłoga są pokryte białą warstwą mąki.

Danny wchodzi z psem podskakującym wokół jego nóg. Opiera się o szafki, krzyżując ramiona i nogi. Teraz przynajmniej ma na sobie czarną koszulkę, która – trudno nie zauważyć – ściśle opina jego umięśnioną klatę. O Boże! Znowu czuję dreszcze. Mam wrażenie, że wypełnia sobą całą kuchnię, choć w rzeczywistości przycupnął w kącie przy czajniku i wcale nie zajmuje aż tyle miejsca. Kuchnia jest ogromna, w końcu stanowi zaplecze kawiarni, a i tak jego osoba wydaje się nieproporcjonalnie wielka. Nie wiem, gdzie oczy podziać. Jest niczym Mona Lisa, mam wrażenie, że jego czarne oczy i enigmatyczny uśmiech wciąż mnie śledzą.

– Przyszedłem tylko zapytać, czy jutro też będę potrzebny?

– Tak, oczywiście. – Podchodzę do szuflady i wyciągam z pudełka czterdzieści funtów, które mu wręczam. – Nie ustaliliśmy twojej dniówki, ale czy to cię zadowala?

– To za dużo – odpowiada. – Niewiele dziś zrobiłem, a poza tym wiszę ci za kanapkę z bekonem. – Zostawia dychę w mojej ręce. – Trzydzieści plus kawałek tego ciasta i będziemy kwita.

Śmieję się.

– Właśnie testujemy nowy przepis. Autorstwa Lii.

– Wygląda pysznie.

– Usiądziesz na chwilę, żeby od razu spróbować?

– Jasne.

– W takim razie dostaniesz kawałek bez dekoracji.

– Przeżyję.

Odkrawam porcję ciasta i podaję mu na talerzyku. Lija parzy herbatę w dzbanku, potem wyciąga dwa kubki i stawia je przed nami.

Danny próbuje ciasta. Wygląda na faceta, który lubi dobrze zjeść.

– Pycha – chwali. – Naprawdę dobre.

Lija przyjmuje komplement z niewzruszonym wyrazem twarzy. Pewnie identycznie zareagowałaby, słuchając wyroku śmierci.

Diggery, przycupnięty u stóp swojego zajętego jedzeniem pana, liczy na okruszki. Danny wskazuje palcem na ogród.

– Trzeba wymienić zamek w drzwiach do wychodka.

W ogrodzie zachowała się wygódka z czasów, kiedy stawiano dom. Dwie murowane kabiny, choć w opłakanym stanie, zostały odnowione dekadę temu. Ze względu na kawiarnię okazują się bardzo przydatne, bo mama wpadłaby w szał, gdyby ludzie korzystali z domowej toalety. W stojącej obok szopie zorganizowałyśmy magazyn.

– Trzeba też wymienić kilka sztachet w płocie. Dwie, a nawet trzy są kompletnie przegniłe.

Zapomniałam o tym, choć te rzeczy od dawna czekają na naprawę. Cieszę się, że Danny, choć nie wiem, co go tu przygnało, zjawił się we właściwym czasie.

– Dziękuję. Powiedz tylko, czego ci trzeba. Już teraz ogród prezentuje się o niebo lepiej.

Czuję, jak zatrzymuje się na mnie kolejne śmiertelnie poważne spojrzenie Lii. Najwyraźniej uważa, że z nim flirtuję. Wcale nie.

– Co cię tu sprowadza? – pyta Lija.

Cieszę się, że zapytała tak wprost, bo mi nigdy nie starczyłoby na to śmiałości.

– Jesteś tu przejazdem? – ciągnie dalej przesłuchanie.

– Sam nie wiem – odpowiada, wzruszając ramionami. – Dopiero od niedawna mam łódź. Będzie z pół roku. Wciąż nie wiem, co z tego wyniknie, trochę eksperymentuję.

– Mieszkasz na łodzi? – włączam się.

– Teraz tak – odpowiada.

Tak właśnie podejrzewałam.

– Rzuciłem pracę w korporacji – ciągnie – żeby sprawdzić, czy pasuje mi życie włóczęgi i wolnego strzelca.

– I jak ci się podoba? – pyta Lija.

– Na razie nie narzekam. Dobrze mi na Łapaczu Snów. Trochę czasu zajęło mi przyzwyczajenie się do takiego życia, ale jestem na dobrej drodze.

– Podziwiam twoją odwagę – komplementuję go. – Sama nigdy bym się nie zdecydowała na podobny krok.

– Życie tak mnie pokierowało – przyznaje.

– Och.

– To długa historia. Zapraszam któregoś wieczoru do mnie na pokład, to z przyjemnością ją opowiem przy butelce wina, a najpewniej kilku.

– Och. – Jego propozycja wywołuje rumieniec na mojej twarzy.

– Wszystko na szczęście dobrze się skończyło – dodaje z uśmiechem.

Rzadko jesteśmy kowalami własnego losu. Czy byłabym w tym miejscu, gdyby nie mama? Nie narzekam, bo ubóstwiam prowadzenie kawiarni, ale chcąc nie chcąc jestem do niej uwiązana. Czasem nie ma się wyjścia, trzeba brać to, co oferuje życie, i dawać z siebie wszystko.

Danny kończy jeść ciasto.

– Dzięki – mówi. – Będę zmykał. Do jutra. Przyjdę około ósmej, jeśli ci to odpowiada.

– W porządku. Zawsze wstaję o szóstej, dzięki temu nim obudzę mamę, zdążę zrobić kilka rzeczy. – Dopiero teraz uświadamiam sobie, jaka jestem zmęczona. – Nie ma pokoju dla bezbożnych*.

– Chciałbym cumować łódź przy twoim pomoście tak długo, jak tu będę pracował. Czy to ci nie przeszkadza?

– Oczywiście, że nie.

– Miłego wieczoru zatem życzę. Pyszne ciasto, Lijo. – Puszcza do niej oczko. – Do nogi, Diggery!

Po tych słowach wychodzi. Piesek truchta w ślad za nim. Obie z Liją patrzymy, jak Danny przechodzi przez ogród, a potem wskakuje na pokład.

Myśl, że jest tuż obok, po drugiej stronie ogrodu, jednocześnie dodaje mi otuchy i rodzi niepokój.

Lija marszczy czoło.

– Z tego będą same kłopoty.

– Jest miły. – Czuję, jak wewnątrz mnie narasta bliżej nieokreślone ciepło. – Lubię go.

Nasze spojrzenia się krzyżują.

– Same kłopoty.

---

* *Biblia Tysiąclecia*, Iz 48, 22.

ROZDZIAŁ 8

Kiedy Lija idzie do domu, a raczej pedałuje na rowerze nadbrzeżną ścieżką, oczywiście zupełnie nie zważając na spacerujące psy i ich właścicieli, przygotowuję posiłek dla mamy, która wieczorami jada lekką kolację. Dziś kroję kawałek domowej wytrawnej tarty z pomidorów, obok której układam kilka liści sałaty. Upewniwszy się, że nie zapomniałam o żadnej tabletce, dwukrotnie, a nawet trzykrotnie sprawdzam wszystko, żeby nie miała się do czego przyczepić.

Nie pamiętam, kiedy dokładnie się taka zrobiła. Nigdy nie miałyśmy zbyt dobrych relacji, ale wcześniej nie była aż tak krytyczna ani tak szybka w wydawaniu sądów jak obecnie. Od zawsze dobrze chowała swe matczyne uczucia i przypuszczam, że jej doświadczenie bycia matką było dalekie od wszędzie wychwalanej sielanki. Pewnie nie była w tym osamotniona. Zakłada się, że matka powinna zawsze bezwarunkowo kochać swoje dzieci, ale wygląda na to, że nie wszystkie kobiety tak mają.

Nie zrozumcie mnie źle, mama nigdy nie zaniedbywała ani mnie, ani Edie. Po prostu przytulanie nie było w jej stylu. Gdy stłukłyśmy kolano, po odrobinę współczucia i plaster musiałyśmy zwrócić się do taty.

Mama zresztą od zawsze okazywała więcej czułości mojej siostrze. Chyba uważała mnie za nieśmiałą niezdarę. Edie była towarzyska, otwarta i poproszona zawsze chętnie śpiewała czy tańczyła. Urodzona aktorka. Naprawdę dziwię się, że nie skończyła na scenie.

Byłam raczej córeczką tatusia. Oboje nas cechował spokój. Siadywaliśmy razem na kanapie i słuchałam, jak mi czytał. Albo chadzaliśmy na pomost, gdzie zajmowaliśmy miejsca jedno przy drugim, godzinami wpatrując się w wodę i otaczający nas świat. To mama i Edie cały czas szukały sobie zajęcia. Dlatego tak bardzo jej teraz nie rozumiem. Marzę, żeby wreszcie wstała z łóżka i zaangażowała się w cokolwiek. W naszym sąsiedztwie dzieje się całkiem sporo. Działa nowoczesne koło gospodyń domowych, jest kościół, można wybierać pomiędzy kursem zdobnictwa cukierniczego, warsztatami z ikebany czy zajęciami tai-chi. Rozrywka jest na wyciągnięcie ręki, ale zwyczajnie jej się nie chce.

Wspinam się po schodach z naprawdę ciężkim sercem, niosąc tacę. Nie powinnam zbyt dużo myśleć, bo to grozi depresją.

Mama siedzi oparta o poduszki i ogląda telewizję. Kilka lat temu kupiłam jej na urodziny nowy płaski odbiornik. Wcześniej stało tu stare, kanciaste pudło, dlatego czasem martwię się, że popełniłam błąd, bo odtąd jest jej tu jeszcze wygodniej. Gdyby nie ja, nie mogłaby tak żyć. Gdybym przestała szykować jej posiłki, odmówiła pomocy przy kąpieli i nie zaspokajała wszelkich kaprysów, może, przymuszona, porzuciłaby łóżko i wyimaginowane dolegliwości? Ma wręcz niezłomną wolę, ale zaniechała jakiegokolwiek wysiłku fizycznego, dlatego patrzę tylko, jak marnieje w oczach, jak jej mięśnie z wolna zanikają. To chyba nie służy sercu? Lekarze jednak są zupełnie bezsilni. Oczywiście chętnie wypisywali recepty, ale poza tym umywali ręce. Pewnie czekały ich inne, bardziej zajmujące przypadki.

Jestem jej jedynym łącznikiem z zewnętrznym światem, dlatego wymuszam na sobie uśmiech i oznajmiam wesoło:

– Cześć, mamo. Przynoszę kolację.

Mój podły nastrój na pewno by jej nie pomógł.

– Dziękuję, Fay. Wygląda pysznie – wyłącza telewizor. – Czy to kupna tarta?

– Nie, mamo. Sama ją upiekłam. – Jakbym kiedykolwiek podała jej gotowe jedzenie. – Co dziś ciekawego w telewizji? Czeka mnie stos prasowania.

– Nic szczególnego. Jak zwykle zresztą – odpowiada.

Poprawiam jej poduszkę tak, aby siedziało się jej wygodnie z tacą na kolanach.

– Czy Anthony wpadnie dziś do nas? – pyta.

– Tak. Później, jak sądzę.

Zazwyczaj zagląda na chwilę wieczorami.

– Najwyższy już czas, żeby sformalizować wasz związek.

– Może kiedyś.

– Lepiej ci się nie trafi, wiesz o tym?

– Anthony to wspaniały mężczyzna – zgadzam się. – Ale... cóż... tak jest nam wygodnie.

Matka pochrząkuje.

– Żeby tylko nie było wam zbyt wygodnie, moja córko. Mężczyźni nie wzgardzą odrobiną pikanterii.

– Naprawdę?

Tak jakby moja matka znała się wspaniale na płci przeciwnej. Ojciec był oddanym mężem i chętnie zajmował się nami. Poza tym mój związek z Anthonym od zawsze wolny był od pikanterii, więc i w przyszłości obędziemy się bez tego dodatku.

Próbuję stłumić ziewnięcie, ale bezskutecznie.

– O to właśnie mi chodziło, Fay. Nikt nie marzy o powrocie do domu, do kobiety, która wygląda jak czupiradło i słania się ze zmęczenia.

– Dziękuję, mamo. Miałam dziś dużo pracy.

Może zrozumiała, że przesadziła w złośliwości, dlatego, łagodząc ton, pyta:

– Co dziś robiłaś?

Nieczęsto mama jest w nastroju do pogawędek, ale skoro ma ochotę porozmawiać, siadam na skraju łóżka.

– Razem z Liją wyszorowałyśmy stoliki i krzesełka ogrodowe, a potem testowałyśmy nowe przepisy. – Nie są to wyżyny konwersacji, ale lepiej nie potrafię. – Młody, sympatyczny chłopak zacumował u nas łódź. – Nie wiem, czemu opowiadam jej o Dannym, ale czuję, że powinnam. – Pomoże nam przy najcięższych pracach, które mnie przerastają.

– Ten dom to koszmar – zauważa mama. – Jest za duży. Za stary.

– Jest uroczy. – Kiedy tak mówi, czuję, jak rośnie we mnie panika, bo boję się, że będzie chciała go wystawić na sprzedaż. – Nie mogłabym mieszkać nigdzie indziej. Latami oszczędzało się na pracach remontowych, dlatego teraz przydałoby się porządnie o niego zadbać. Ogród już wygląda o niebo lepiej. W tym roku wisteria pięknie kwitnie, jest naprawdę zachwycająca. Powinnaś któregoś popołudnia przyjść zobaczyć, co tam się zmieniło.

– Wszystko widzę z okna, więc dziękuję za zaproszenie. – Kiwa głową w stronę kanału. – Również ten stary wrak.

Ślicznotkę Merryweather.

– Wciąż drzemie w niej życie – sprzeciwiam się. – Tata byłby zachwycony, że zorganizowałam w niej sklepik z łakociami. Nie sądzisz?

Choć pewnie byłby rozczarowany, że nie wykorzystujemy jej zgodnie z przeznaczeniem.

– Zawsze byłaś córeczką tatusia.

– Pewnie dlatego, że byliśmy do siebie podobni.

Odpowiada mi chrząknięciem, a potem dodaje:

– Oboje tylko marzyliście, żeby na niej siedzieć. – Kolejne skinienie głową w stronę łodzi. – Tylko Edie była moją małą księżniczką.

Nigdy nie miałam co do tego wątpliwości.

Mama sięga po sztućce i włącza telewizor. Nasza pogawędka zatem dobiegła końca.

– Smacznego – mówię.

– Napiłabym się herbaty, kiedy znajdziesz chwilę.

To znaczy teraz. Schodzę na dół, nastawiam czajnik, potem zanoszę jej kubek świeżej herbaty. Tym razem nie spuszcza oczu z ekranu.

ROZDZIAŁ 9

Sama jem kawałek tarty, a potem ustawiam deskę do prasowania w salonie. Czeka na mnie stos prasowania: pościel, obrusy w kratę na stoliki do jadalni i na werandę. Są też koszule Anthony'ego, który jest bardzo wymagający i woli, kiedy mu je sama piorę i prasuję, bo, jak twierdzi, radzę sobie z tym o niebo lepiej od niego.

Żałosna, stara panna, oto kim jestem. Codziennie nagrywam odcinek *Ucieczki na wieś*. To moja grzeszna przyjemność. Uwielbiam przyglądać się bajecznym wnętrzom, a pucołowaty prowadzący Jules Hudson także jest nie do pogardzenia. Wcale nie chodzi o to, że marzę o wyprowadzce. Kocham nasz dom. Mieszkam tu od urodzenia. Kiedy jednak patrzę na gustownie urządzone domy otoczone wspaniałymi ogrodami, wyobrażam sobie, jak może wyglądać nasz dom przy odrobinie czułej troski i większej gotówce.

Z kubkiem herbaty w zasięgu ręki i ze wzrokiem utkwionym na ekranie sięgam po żelazko. Odwieszam koszule Anthony'ego na wieszakach, zapinając trzy górne guziki, tak jak lubi. Potem, kiedy prasowanie i mój program dobiegają końca, słyszę charakterystyczne stukanie do drzwi. Idę wpuścić do domu mojego partnera.

Spotykamy się od dziesięciu lat i choć mam wątpliwości, czy Anthony Bullmore to miłość mojego życia, jest nam razem dobrze.

Nieznacznie muska mnie ustami w policzek i już jest w salonie, więc dostrzega napisy końcowe *Ucieczki na wieś*.

– Co za durny program! – wywraca oczami.

Poznaliśmy się na posiedzeniu rady nadzoru budowlanego – prawdziwe wyżyny romantyzmu. Protokolantka rozchorowała się i w ostatniej chwili poproszono mnie o zastępstwo. Podczas ostatniej przerwy na kawę staliśmy obok siebie. Nie pamiętam nawet, czy w ogóle oficjalnie zaprosił mnie na randkę, po prostu kilka razy wyskoczyliśmy na kolację, poszliśmy raz czy dwa do teatru. Potem byliśmy już parą na mocy obustronnego niemego porozumienia. I tak zostało, nie zadajemy zbędnych pytań, dlaczego i po co.

– Znów śnisz na jawie, Fay? – pyta z przyganą.

– Nie do końca. Po prostu lubię oglądać domy.

Anthony opada na swój ulubiony fotel i luzuje krawat.

– Miałem dziś koszmarny dzień – wzdycha. – Nie uwierzyłabyś.

Pracuje w urzędzie w dziale nadzoru budowlanego. Jego zdaniem to niezwykle wykańczająca praca, poza tym czuje się tam niedoceniany i fatalnie opłacany. Anthony – nigdy Tony – uważa się za osobę ambitną i pełną zapału. Ale w wieku czterdziestu pięciu lat nie ma nawet kierowniczego stanowiska. Sądzę, że to szczyt jego osiągnięć zawodowych, ale nie zamierzam się z nim dzielić swoimi uwagami, nie chcę rozbijać bańki, w której żyje.

– Jakie są szanse na herbatę? – Sięga po pilota i zmienia kanał.

– Wstawię wodę.

Niektórzy ludzie są starsi, niż mówi ich metryka. Anthony właśnie do nich należy. Ja pewnie też. Wyobrażam sobie, jak za kilka lat będzie kosił trawnik w koszuli pod krawatem. Zazwyczaj, kiedy wpada wieczorami, wciąż jest w garniturze z pracy. Nie należy do wielbicieli swobodnego stylu ubierania się. Zawsze nosi spodnie w kant i sznurowane buty. Chyba nigdy nie kupił sobie dżinsów. Niespodziewanie wraca do mnie wspomnienie wysokiej i smukłej sylwetki Danny'ego w jego roboczym, ale leżącym na nim jak ulał stroju, wywołując falę ciepła. Pieką mnie policzki. Nic więcej.

Odsuwam od siebie ten obraz, wracając na bezpieczne wody rozważań o Anthonym. Powinien urodzić się w latach czterdziestych, bo bardziej pasuje do poprzedniej epoki.

Nie jest nieatrakcyjny. Powiedziałabym, że ma przeciętny wygląd. Przeciętną urodę. Przeciętny wzrost. Pan Przeciętny. Nic w tym złego. Sama też pewnie jestem panią Przeciętną. Dlatego tak dobrze jest nam razem. Anthony ma brązowe włosy. Długa grzywka zasłania powiększające się zakola i zmarszczki na czole.

Waży nieco więcej, niżby chciał – głównie z powodu jedzenia moich ciast – ale utrzymuje dobrą kondycję dzięki regularnej i częstej grze w golfa. Bardzo częstej. Poświęca mu każdy weekend. Każdą calusieńką sobotę i niedzielę. Zostawia sobie chwilę na towarzyskiego drinka i na nic więcej nie ma już czasu. Chce zostać kapitanem klubu w przyszłym roku – wtedy to już w ogóle przestanę go widywać. Klubowa składka członkowska nie należy jednak do najtańszych i Anthony chce dobrze wykorzystać wydane pieniądze.

Oprócz smykałki do golfa Anthony przejawia talent organizacyjny jako menedżer i dyrygent lokalnego zespołu Dźwięczne Gracje, grającego na dzwonkach ręcznych. Wiem więcej o tych instrumentach niż ktokolwiek inny. Mimo jednak niesłabnących wysiłków Anthony'ego, by włączyć mnie w ten ekscytujący świat, na razie udaje mi się stawiać mu opór. Zespół spotyka się przynajmniej raz, a czasem dwa razy w tygodniu na próby. Szczególnie intensywnie ćwiczą przed zbliżającymi się „ważnymi" koncertami, z okazji dożynek czy kościelnych świąt.

Naprawdę staram się okazać mu zainteresowanie. Ale dźwięki dzwonków sprawiają, że mam ochotę żywcem rozszarpywać ludzi. Dla Anthony'ego to kojąca muzyka, na mnie jednak działa zupełnie odwrotnie: pobudza moje sadystyczne, mordercze zapędy.

Przynoszę Anthony'emu herbatę i kawałek czekoladowego tiramisu Lii, bo cytrynowy sernik z jagodami nie przypadłby mu do gustu. Uznałby pewnie, że jest zbyt przekombinowany.

– Dzięki, Fay. – Anthony bierze ode mnie filiżankę i talerzyk, a potem odwraca głowę w stronę telewizora. – Dziś długo nie posiedzę.

– W porządku.

Czy powinnam się martwić na myśl, że ucieszę się, jeśli szybko zje deser i od razu sobie pójdzie? Obejrzałabym wtedy jeszcze jeden odcinek *Ucieczki na wieś* przed pójściem spać.

Pochylając się nad deską do prasowania, zastanawiam się, czemu nigdy nie zamieszkaliśmy razem. Anthony ma bardzo ładny dom w Stony Stratford. Bliźniak z lat siedemdziesiątych, któremu niczego nie brakuje. Ale ceni sobie prywatność i nigdy nie było mowy o mojej przeprowadzce do niego czy jego do mnie albo nawet o wspólnym kupnie domu. Anthony wcale się nie spieszy do zmiany swojego życia. Lubi przychodzić i wychodzić według własnego widzimisię, mnie też to odpowiada, mam w końcu mamę na głowie.

Nigdy nie podejmowaliśmy tego tematu i trudno byłoby mi go poruszyć teraz. Co, jeśli chciałby, żebym się do niego wprowadziła? To byłoby bez sensu. Nie mogę zostawić mamy samej. To niewykonalne. Może ze względu na nią odkładam własne życie na bok, ale czy mam inny wybór? Poza tym, pękłoby mi serce, gdybym musiała wyprowadzić się z naszego domu. Za bardzo tęskniłabym do życia nad wodą.

Sprawy zatem toczą się swoim rytmem. Anthony wpada wieczorami, kiedy nie ma prób zespołu ani nie chodzi do klubu golfowego. Teraz, gdy dzień robi się dłuższy, udaje mu się po pracy zaliczyć kilka dołków. Gdy przychodzi, zazwyczaj siedzimy przed telewizorem. Kiedy potrzebujemy więcej prywatności w wiadomych sprawach, aby nie przerywało nam stukanie maminej laski, jedziemy do niego. Czasami u siebie Anthony szykuje dla nas kolację. Ale już dawno, bardzo dawno tam nie byłam. Naprawdę wieki temu.

– Moglibyśmy gdzieś wyskoczyć któregoś wieczoru – proponuję. – Coś razem zrobić.

Czasem w równym stopniu czuję się uwiązana do domu jak do mamy. Przebywam w nim dzień i noc, w świątek, piątek i niedzielę.

Odrywa wzrok od ekranu.

– Co masz na myśli?

– Sama nie wiem. – Ale po chwili namysłu dodaję: – Moglibyśmy pójść do kina, a potem na pizzę.

Wzrusza ramionami.

– Jeśli masz ochotę.

Postanawiam kuć żelazo póki gorące.

– Może jutro?

– Mamy nadprogramową próbę zespołu – informuje mnie Anthony. – Zbliża się doroczny Festiwal nad Kanałem.

– Ach, tak.

– Jestem zdziwiony, że zapomniałaś.

– Ja też.

– Musimy się dobrze przygotować.

– Ale to dopiero za kilka miesięcy.

– Nie da się w jeden wieczór osiągnąć mistrzostwa. – Bierze głęboki wdech. – Jesteśmy głównym punktem programu zarówno w sobotę, jak i w niedzielę.

Ratunku!

– To ogromna odpowiedzialność – ciągnie. – Panie będą miały nowe bluzki. Całe białe.

– Czy teraz też nie ubierają się na biało?

– Tak. – Anthony przybiera ton, jakby mówił do dziecka. – Ale to będą nowe, białe bluzki.

Festiwal nad Kanałem, pomimo występu zespołu dzwonkarskiego, cieszy się dużą popularnością i jest jednym z większych lokalnych wydarzeń. Odbywa się co roku i towarzyszy mu kiermasz, na którym sprzedaje się wyroby rękodzielnicze i pyszne jedzenie. Zazwyczaj też można posłuchać całkiem niezłych koncertów, które nie budzą we mnie morderczych myśli.

Ze względu na duże zainteresowanie turystów mamy wtedy także spory ruch w kawiarni, to jest zazwyczaj szalony weekend. Ale ponieważ mieszkamy w Anglii, trzeba już zacząć się modlić o dobrą pogodę.

Anthony kończy deser i odstawia filiżankę. Lekko się przeciąga, to znak, że niedługo będzie się zbierał. Po tylu latach znamy się jak łyse konie.

– Smakowało ci tiramisu?

– Było pyszne.

– To jeden z nowych przepisów Lii. Włączymy go do menu w nadchodzącym tygodniu.

– To zdolna dziewczyna – mówi Anthony. – Szkoda, że ma taki trudny charakter.

Przyganiał kocioł garnkowi.

– Wyglądasz na zmęczonego – zauważam.

– Bo jestem zmęczony. Będę się zbierał. – Kolejne przeciągnięcie się. – Położę się dziś wcześniej.

Wstaje i cmoka mnie w policzek.

– Czy wciąż się kochamy, Anthony? – pytam go niespodziewanie.

– Słucham? – Przerażenie przemyka mu po twarzy. – Oczywiście, że tak.

– Tak tylko pytałam.

– Czy chodzi ci o to kino? – pyta. – Możemy pójść za tydzień. Mam wolny wieczór we wtorek, tak sądzę. Muszę sprawdzić w kalendarzu. Może będziemy potrzebować więcej prób. Nowa członkini zespołu, Deborah, ma trudności w opanowaniu kilku melodii. W szczególności myli się przy *Congratulations,* a to nasz popisowy numer, który publiczność wręcz uwielbia.

– Nie chodziło mi o kino.

– To o co?

– O nic. – Sama zresztą nie wiem. – Zapomnij o tym.

Anthony zerka na zegarek.

– Jutro czeka mnie kolejny ciężki dzień.

To znaczy, że nie chce się kłócić. Powinien jednak wiedzieć, że nigdy się nie sprzeczamy, bo nigdy nie podejmujemy trudnych tematów.

– Do zobaczenia jutro.

– Jutro gram w golfa – mówi. – Jedną rundkę, maksymalnie dziewięć dołków. Zjem w klubie. Nie będę cię kłopotać.

– Dobrze. W porządku.

Podchodzi do drzwi.

– Na pewno wszystko w porządku, Fay?

– Tak, jestem po prostu zmęczona.

Mama zaczyna stukać w podłogę. Ma ochotę na wieczorne kakao.

– Idę! – krzyczę.

– Będę zmykał. – Kolejne cmoknięcie w policzek. – Do widzenia, Mirando! – woła w kierunku schodów.

Odwraca się jeszcze przed domem, aby mi pomachać. Dopada mnie wtedy myśl, czy gdybym chodziła z innym facetem, na przykład w typie Danny'ego Wilde'a, to czy wystarczyłby mu taki malutki, malusieńki pocałunek na pożegnanie?

ROZDZIAŁ 10

Zanoszę kakao mamie.

– Co u Anthony'ego?

– W porządku – odpowiadam.

– Nawet do mnie nie wszedł. Szkoda, bo lubię się z nim chociaż przywitać.

– Dziś nie był sobą. – Bardziej już sobą być nie mógł. – Chyba był zmęczony. Ma teraz dużo pracy. – Dobiega mnie dźwięk przychodzącego SMS-a. – Lepiej sprawdzę, o co chodzi.

Choć mogę się założyć, że wiem, kto to.

I oczywiście, kiedy wreszcie wyciągam telefon z dna kosza z bielizną do prasowania, czeka na mnie wiadomość od Edie, która prosi o rozmowę na Skypie. Jest dziesiąta, czyli piąta po południu w Nowym Jorku. Czy mam dość sił na moją siostrę? Pod każdym względem dzień był niespokojny.

Nie ośmielam się powiedzieć mamie, że to Edie, bo nie dałaby nam spokojnie porozmawiać. Zresztą wiem, czego się spodziewać po rozmowie z siostrą. Na pewno niczego przyjemnego.

Schodzę na dół i kilka minut później siadam na kanapie przed włączonym laptopem na stoliku. Korzystając z dobrodziejstw Skype'a, patrzę na zapłakaną Edie, która spogląda na mnie z ekranu. Tego właśnie się spodziewałam. Ostatnio zawsze, kiedy z nią rozmawiam, ma łzy w oczach. Serce mi pęka.

Przybieram radosny wyraz twarzy.

– Cześć, Edie.

– Nie uwierzysz, co on znów zrobił – od razu przechodzi do sedna.

Moja siostra od zawsze sprawiała problemy. Jako nastolatka wymykała się z domu, aby popijać cydr na przystanku autobusowym w towarzystwie podejrzanych typów. Od czternastego roku życia paliła, nie tylko tytoń. Stylizowała się na gotkę, nieco zbyt długo. Mama albo przymykała na to oko, albo wypierała to, że jej córka jest zagubiona i sprawia kłopoty. Wtedy bardzo brakowało mi taty. Edie przydałoby się trochę dyscypliny, a mnie wsparcia w kontakcie ze zbuntowaną nastolatką. Najwyraźniej jego śmierć miała zupełnie inny wpływ na każdą z nas.

Tata zmarł niespodziewanie na zawał tuż po moich dwudziestych urodzinach. Edie właśnie wkraczała w okres dojrzewania i może ten cios był dla niej zbyt trudny do zniesienia. Wraz z nim straciłyśmy sojusznika w kontaktach z mamą, bo nie został już nikt, kto by nam pomagał podczas jej napadów złego humoru. Bez niego musiałyśmy stawiać czoło całej tryskającej z niej żółci. W szczególności ja.

Każdy inaczej przechodzi żałobę. Mama po prostu schowała głowę w piasek i zrzuciła wszystko na moje barki. Nigdy nie wspominałyśmy dobrych czasów, kiedy żył, ani nawet o nim nie rozmawiałyśmy. Teraz, kiedy o nim mówi, robi to tylko po to, żeby narzekać z powodu jakiejś wyimaginowanej błahostki. Byli jednak ze sobą szczęśliwi, jestem tego pewna. Ostatnio mama skupia się bardziej na wytykaniu różnic, które ich dzieliły. Poza tym nigdy nie była zachwycona tym, że miałam z ojcem bliską więź, a po jego śmierci wydawało mi się, jakby chciała mnie jeszcze mocniej za nią ukarać.

Mimo moich najlepszych wysiłków, Edie przeszła żałobę poprzez puszczenie wszelkich hamulców. Sypiała, z kim popadnie, często wymuszając na mnie krycie jej nieobecności przed mamą.

Za dużo piła, paliła jak smok, nieustannie przeklinała i generalnie była trudna do opanowania. To się zmieniło dopiero, kiedy zaczęła pracować. Ale nawet teraz czasami wychodzi z niej niesforna nastolatka, mimo że skończyła trzydzieści trzy lata.

A ja? Jak ja sobie radziłam? Musiałam wziąć się w garść ze względu na Edie. Chyba zamknęłam się w sobie i najprawdopodobniej wciąż ukrywam się gdzieś, głęboko w środku siebie. Unikam konfrontacji. Nie przepadam za burzami w szklance wody.

Patrzę na ekran laptopa, na którym Edie popija piwo z butelki. Nikt nigdy nie uważa nas za siostry, tak bardzo się różnimy. Edie jest drobna, wręcz wygląda na zabiedzoną, a jej gotycka faza skończyła się już dawno temu. Farbowane na czarno, własnoręcznie podcinane, nastroszone włosy zastąpiła burza ciemnych loków swobodnie opadających na plecy. Teraz Edie nosi się szykownie, uznaje tylko markowe ciuchy. Najlepiej od znanych projektantów. Może ten styl jest pochodną pracy pod ogromną presją w jednej z wiodących firm prawniczych. Armani, Gucci, Prada rujnują jednak jej budżet. Za wysokie progi na twoje nogi, skwitowałaby mama. Gdyby tylko wiedziała.

Dawno, dawno temu Edie często się śmiała. Teraz na jej umęczonej twarzy łzy rozmywają tusz do rzęs w czarne smugi. Szkoda mi jej.

– Co się stało tym razem? – pytam poruszona do żywego.

– Nie musisz być taka, Fay – łka Edie. – Wiem, że mi daleko do ciebie i twojego idealnego życia.

Osobiście uważam, że daleko mi do perfekcji. Moje życie też jest odległe od ideału, ale odpuszczam.

– Tylko pytam, bo widzę, że jesteś zmartwiona. Chciałaś ze mną rozmawiać.

Po swoich dwudziestych ósmych urodzinach, tuż przed tym, jak mama zległa w łóżku, Edie przeprowadziła się do Stanów. Od ukończenia studiów zmieniała pracę jak rękawiczki, kiedy cudem znalazła posadę asystentki w oddziale firmy prawniczej, dla której pracowała w Londynie. To była wspaniała szansa, milowy krok naprzód, zwłaszcza w porównaniu z jej dotychczasowymi zawodowymi osiągnięciami. A dzięki, jak podejrzewam, zakulisowym działaniom otrzymała zieloną kartę.

Dopiero później okazało się, że związała się z jednym ze wspólników, którego poznała podczas jego delegacji w Londynie. Oczywiście facet jest żonaty. Uznałam, że ten związek nie przetrwa, ale po pięciu latach wciąż są razem. To raczej dość luźna relacja.

– Brandon powiedział, że nigdy się nie rozwiedzie – wyrzuca z siebie moja siostra. – I co ty na to?

Jestem rozdarta. Zlitować się czy wylać kubeł zimnej wody na głowę? Przecież Brandon Ryan nigdy nie zamierzał zostawić swojej żony. Zwodził Edie przez pięć lat. Na pewno nie tak zachowuje się mężczyzna spieszący się do rozwodu, prawda?

– Poszedł już – rozpacza Edie. – Do niej. Zostawił mnie samą.

Każdego dnia po pracy Brandon spotyka się z Edie. Piją, spalają jointa, uprawiają seks, ale potem zawsze wraca do kochającej żony i dzieci.

– Rzuciłam dla niego wszystko.

Prawdę mówiąc, ich romans był tajemnicą poliszynela wśród współpracowników, ale kiedy w samym środku dnia pracy między kochankami niespodziewanie wybuchła karczemna awantura o jego żonę, Edie została z miejsca zwolniona. Nie dziwiło też wcale, że pan Ryan zachował swoje stanowisko. To było pół roku temu, od tamtej pory Edie jest bezrobotna.

– Możesz znaleźć inną pracę, Edie.

– Próbowałam – znów szlocha. – Wierz mi. Wcale nie jest łatwo. Zresztą muszę czekać na Brandona. Tutaj pracuje się do późna. Co, gdybym wracała do domu na siódmą, a nawet później? Nie mógłby do mnie przychodzić wieczorami. Przestałabym go widywać.

Zastanawia mnie w takim razie, jak on daje radę urywać się wcześniej co wieczór. Poza tym wcale nie byłoby tak źle, gdyby musiał nieco potrudzić się, aby spotkać się z Edie, nie mówię jej jednak tego. Gdyby spotykali się rzadziej, ich związek mógłby się z wolna wypalić. Może w nowej pracy spotkałaby kogoś innego. Kawalera. Z mniejszym bagażem doświadczeń.

Kiedy wyprowadziła się do Nowego Jorku, Brandon znalazł jej niewielkie mieszkanko w Lower East Side. Nigdy jej nie odwiedziłam, ale Edie twierdzi, że nie jest większe od schowka na miotły. Mimo to ledwo było ją na nie stać z pensji asystentki. Teraz, kiedy nie pracuje, wszystkie rachunki płaci jej kochanek.

– Wróć do domu – odzywam się cicho. – Może najwyższy czas na nowy krok.

– Jak możesz tak mówić? Kocham go.

– Całe swoje życie podporządkowałaś czekaniu na niego.

– Co mi innego pozostaje?

– Przyjedź choć na chwilę – namawiam ją. – Aż staniesz na nogi.

Martwi mnie także, że ostatnio podczas każdej naszej rozmowy Edie nie rozstaje się z kieliszkiem. Czasem ma także nadmiernie rozszerzone źrenice i niezwykle ożywione ruchy ciała.

– Jak bym mogła?

– Brakuje mi ciebie – ciągnę. – Mama tęskni.

Edie sprzeciwia się:

– Mama wcale za mną nie tęskni. Chciałaby tylko kolejną opiekunkę. Gdybym wróciła, musiałabym się nią zająć, Fay. A nie jestem tobą. Nie potrafiłabym.

– Wspólnie byśmy coś wymyśliły.

– Ona musi mieć wszystko pod kontrolą, Fay. Dobrze o tym wiesz. Raz mi się udało przed nią uciec. Nie ma mowy, żebym teraz wróciła.

– Może choć na święta.

– Nawet nie stać mnie na kupno biletu – przyznaje.

Czekam, aż przestanie płakać.

– We wszystkim jestem zależna od Brandona. Płaci mój czynsz, daje mi pieniądze na życie. Za każdym razem muszę go o to prosić.

– Och, kochana siostro – mówię. – To mi wygląda raczej na więzienie niż romans.

– Ty masz szczęście, masz Anthony'ego.

– Moje życie nie jest usłane różami. – Jednak zachowuję dla siebie gorzkie przemyślenia z dzisiejszego wieczoru. – Nie ma związku bez problemów.

– Tylko się pieprzymy – przerywa mi. – Nigdzie razem nie wychodzimy, żeby przypadkiem nie wpaść na znajomych jego żony. Założę się, że twój związek nie ogranicza się do seksu.

To prawda, ale tak naprawdę rzadko mamy z Anthonym okazję do intymnych spotkań. Nigdy zresztą nie spala nas żar namiętności, a mój partner niezbyt garnie się do pieszczot. Myślę jednak, że mała częstotliwość chwil na osobności, a dokładniej całkowity ich brak, powinien mnie zaniepokoić.

– Prześlę ci pieniądze na bilet – oferuję.

Ucieszyłabym się, gdyby zerwała z Brandonem. Ich związek jest dla niej źródłem nieustającej zgryzoty. Choć wieczorami nie bywamy z Anthonym na szalonych imprezach, to jednak pasujemy do siebie.

– Kilka tygodni dystansu pozwoliłoby ci spojrzeć na wszystko chłodnym okiem. Odłożyłam trochę pieniędzy z myślą o remoncie Ślicznotki. Mogę ci pożyczyć.

– Och, ta przeklęta łajba – jęczy.

Już wspominałam wcześniej, że ani mama, ani Edie nie podzielają mojego entuzjazmu dla łodzi.

– Tylko powiększa moją niechęć do powrotu. Nienawidzę tego domu, Fay. Jest taki ponury. I jeszcze ten cuchnący kanał. Nie cierpię go. Tylko ty i tata lubiliście dom i łódkę. Teraz mieszkam w Nowym Jorku. To niesamowite, energetyczne miasto. Tu jest też Brandon.

Robi mi się przykro. Nie chciałam stąd wyjeżdżać nawet na studia. Wybrałam uczelnię na tyle bliską, żeby cały czas mieszkać w domu. Na marginesie trzeba dodać, że kanał wcale nie śmierdzi.

– W takim razie nie wiem, co mogłabym ci poradzić, Edie.

Szkoda, że nie byłyśmy sobie bliższe w dzieciństwie, ale osiem lat różnicy wydawało się większą przeszkodą niż różnica pokoleń. Jestem przekonana, że uważa mnie za starą nudziarę, mnie znów zdarza się zapominać, że mam do czynienia z dorosłą kobietą. Edie nie jest już zbuntowaną nastolatką.

– Na pewno będzie dobrze – pociesza się Edie z brawurą, której najwyraźniej nie czuje. – Nie mogę tracić nadziei. – Niedbale macha dłonią. – Odejdzie od żony. Jestem pewna. Musi tylko poczekać, aż jego dzieci trochę podrosną.

Zawsze znajdzie się jakiś powód, myślę. Pretekst, dlaczego nie może teraz odejść.

– Martwię się o ciebie.

– Nie powinnam cię obarczać moimi problemami. – Edie robi się ckliwa. – I tak masz dużo na głowie.

Martwię się o mamę, ale nic nie mówię mojej siostrze. Choć może nie ma żadnych poważniejszych dolegliwości, to staje się coraz słabsza fizycznie. Wizyta Edie na pewno poprawiłaby jej nastrój.

– Muszę kończyć – rzuca Edie.

– Kocham cię – mówię. – Chciałabym, żeby ci się udało, żebyś znów była szczęśliwa.

Moja siostra rozczula się.

– Też cię kocham, siostrzyczko. Tęsknię za tobą. Powinnaś do mnie przyjechać. Chciałabym ci pokazać mój Nowy Jork.

– Przyjadę – obiecuję.

W głębi serca wiem jednak, że jest to równie prawdopodobne jak przejęcie przez Edie opieki nad mamą. Może obie jesteśmy w równym stopniu uwiązane.

ROZDZIAŁ 11

Nie spałam za dobrze ubiegłej nocy, bo martwiłam się o Edie. Wierciłam się i kręciłam aż do świtu. Bardzo chciałabym jej pomóc, ale nie jestem pewna, czy potrafię.

Jest zbyt wcześnie, żeby budzić mamę. Narzeka, że dzień jej się dłuży, jeśli wstaje przed ósmą. Po szybkim śniadaniu zawijam świeże ciasta, które wczoraj upiekła Lija, w przezroczystą folię, dodaję kolorowe kokardy i ręcznie wypisane etykiety. Następnie zanoszę wszystko na pokład Ślicznotki i układam wypieki na półkach. Jest rześki, nieco wietrzny poranek. Drzewa cicho szumią.

Aby przewietrzyć kajutę, otwieram boczne okienko, które, niestety, przecieka. Długi sezon deszczowy definitywnie wypłukał kit, który i tak się kruszył. Kolejny punkt do długiej listy. Trzeba będzie to naprawić przed nadejściem zimy.

Wyglądam przez okno, śledząc wzrokiem taflę wody marszczoną podmuchami wiatru. Para kaczek podpływa w nadziei na kawałki chleba, ale nic ze sobą nie zabrałam. Rozczarowane ptaki, kwacząc z niezadowolenia, ruszają w swoją stronę.

Na barce zawsze czuję się bliżej ojca. Ciekawe, co by powiedział o sytuacji Edie. Może byłby smutny, bo żadna z córek nie wyszła za mąż i nie założyła rodziny. Jestem pewna, że chciałby cieszyć się wnukami, byłby wspaniałym dziadkiem.

Mimo wiatru panuje przyjemne ciepło i choć mam na sobie gruby sweter, to czuję, że wcale go nie potrzebuję. Jest wcześnie i nad taflą wody unosi się lekka mgła, która wkrótce zniknie. Para dumnych łabędzi przepływa obok, rzucając mi zdziwione spojrzenia. Czyż można tego nie lubić?

Odsuwam się od okna, aby zająć się ciastami. Potem przecieram ściereczką kurz z regału, na którego półkach stoją słoiki z przetworami. Jest ich niewiele, powinnyśmy przygotować z Liją nową partię. Niedługo będzie można zacząć robić lemoniadę, dlatego nie powinnam dłużej odkładać wyprawy do hurtowni, żeby nie dać się zaskoczyć. Z wolna wchodzimy w nowy sezon, wkrótce na pokład Ślicznotki zaczną zaglądać stali klienci, mieszkający i cumujący nieopodal ludzie, aby uzupełnić zapasy ciasta i dżemów. Zajrzą też turyści na wynajmowanych łodziach w poszukiwaniu smakołyków na podwieczorek lub pamiątek z żeglugi po kanale. Ruch utrzyma się aż do października.

Przyznaję, że ukochana barka mojego ojca wygląda na nieco podniszczoną. Trzeba ją będzie wkrótce wyciągnąć na brzeg i pomalować na czarno kadłub, żeby nie rdzewiał. Nie teraz jednak, bo wciąż nie stać mnie na poważny remont. Chciałabym jeszcze kiedyś pożeglować na naszej łodzi. Choć obecnie wcale nie generuje kosztów, wręcz przeciwnie, zarabia, a przekształcenie jej w sklep na wodzie było rewelacyjnym wykorzystaniem przestrzeni, jest mi smutno. Ślicznotka zasługuje na więcej.

Kiedyś myślałam, że odnowimy ją razem z Anthonym, on ma jednak dwie lewe ręce. Mimo mieszkania tuż przy kanale już latami nie żeglowałam. Brakuje mi tego. Przebywanie na jej pokładzie jest teraz wszystkim, na co mogę sobie pozwolić. Szkoda, że Anthony nie podziela moich marzeń o długich, leniwych popołudniach na wodzie. Próbowałam. Kilka lat temu wynajęliśmy łódź na cały tydzień. Dla Anthony'ego jednak sterowanie i korzystanie ze śluz okazało się zbyt stresujące i w ogóle nie odpoczął. Kabestan stał się jego największym wrogiem. Anthony lubi mieć wszystko pod kontrolą, dlatego najlepiej czuje się w dobrze znanej mu przestrzeni. Wciąż jednak mam nadzieję, że z czasem może to pokochać.

Moje przemyślenia przerywa Diggery. Pies z elegancką apaszką na szyi zeskakuje z Łapacza Snów Danny'ego i rusza pomostem w stronę ogrodu. Wychodzę na górny pokład. Kiedy pies zbliża się do Ślicznotki, zatrzymuje się i merda ogonem w oczekiwaniu na pieszczoty. Chyba już mnie uznał za swojego zadeklarowanego przyjaciela.

Pochylam się, żeby go pogłaskać.

– Cześć, piesku.

Za Diggerym idzie Danny.

– Hej – wita się. – Dzień dobry, Fay. Zapowiada się piękny dzień.

– To prawda.

– Podoba mi się twoja łódź.

– Zapraszam. Tu zaczął się mój biznes.

Przesuwam się, żeby przepuścić Danny'ego, który wchodzi do środka.

– Super – mówi, oglądając sklepik. – Bardzo pomysłowe.

– Potrzeba matką wynalazków – odpowiadam. – Nie miałam wyjścia, inaczej musiałabym ją sprzedać. Nie potrafiłabym jednak. Była dumą i radością mojego ojca.

– Nie dziwię się.

– Z jej dawnej urody pozostał tylko cień – zwierzam się. – Nawet silnik nie działa i, tak samo jak w domu, lista napraw powiększa się każdego dnia. – Czule przesuwam dłonią po dębowych wykończeniach. – Co się odwlecze, to nie uciecze.

– Nie wątpię – mówi.

Uśmiecham się.

– Chyba bardziej w to wierzysz niż ja sama.

– Jeśli mógłbym ci pomóc...

– Dzięki. To miłe. Ta barka wiele dla mnie znaczy. Mój tata marzył o takim życiu, jakie wiedziesz teraz. Na wodzie.

– Naprawdę polecam.

Wzdycham, niechętnie opuszczając moją małą oazę spokoju.

– Powinnam wracać. Mama pewnie już wstała.

– Czekam na listę zadań. Wczoraj zauważyłem, że kilka trejaży wymaga naprawy. Najwyraźniej zimą wiatr dał wam popalić.

– Chodź do kuchni. Zagotuję wodę, a potem rozejrzymy się po ogrodzie, żeby ocenić, co jest najpilniejsze. Jadłeś śniadanie?

– Tak, dziękuję – odpowiada.

Wychodzi na pokład, a potem zeskakuje na pomost. Podaje mi rękę, którą ujmuję. Zaskakuje mnie siła, z jaką mnie podtrzymuje, i ciepło bijące z jego skóry, choć pewnie nie powinnam wcale się temu dziwić.

Razem ruszamy w stronę domu. Diggery chwilę obszczekuje kaczki, a potem do nas dołącza.

Kiedy otwieram drzwi, mama już stuka w podłogę.

– Fay! Fay!

– Już idę! – wołam, chwytając za tacę ze śniadaniem, które przygotowałam zawczasu.

– Pomóc ci? – pyta Danny.

– Nie. Tak jest co rano. Zajmie mi tylko chwilę – rzucam mu przez ramię. – Głód sprawia, że robi się marudna.

– Czy zaparzyć herbatę?

– Tak. Cudowny pomysł. Wrzuć też, proszę, kilka kromek do tostera, jeśli to nie problem. Mam ochotę na grzankę.

Głośno wchodzę po schodach, żeby mama wiedziała, że się zbliżam.

– Z kim rozmawiałaś? – pyta, gdy tylko przekraczam próg sypialni.

W pokoju jest duszno. Mama już siedzi, dlatego od razu stawiam jej tacę na kolanach. Następnie odsuwam zasłony. Wąska, szara wstęga wody wije się w dole, lśniąc w słońcu. Otwieram okno, żeby przewietrzyć.

– Nie za szeroko – beszta mnie mama. – Nie chciałabym zamarznąć tu na śmierć.

– Jest ciepło – mówię. – Mamy dziś piękny dzień.

– Mów – ponagla mnie. – Kto to był?

– Och. Rozmawiałam z Dannym. Wspomniałam ci o nim wczoraj. Będzie pracował w ogrodzie.

Rzuca mi baczne spojrzenie.

– Wczoraj po wyjściu Anthony'ego też dobiegły mnie jakieś głosy. Czy to również był on?

– Oczywiście, że nie – zapewniam ją. – To była Edie. Rozmawiałam z nią przez Skype'a.

– Czemu nic mi nie powiedziałaś? Jesteś okropna, Fay. Chciałam z nią porozmawiać. Tęsknię za moją córeczką.

– Nie miała za dużo czasu. Wiesz, jaka jest, ciągle gdzieś pędzi, z kimś się spotyka. Przesyła jednak pozdrowienia i obiecuje, że się wkrótce odezwie.

Muszę nagabywać Edie, żeby pogadała z mamą, bo unika jej jak ognia.

– Ma bardzo wymagającą pracę – stwierdza mama z dumą.

– Tak.

Mama nie wie, że Edie od miesięcy nie pracuje. Nie ma pojęcia, że jej młodsza córka cienko przędzie ani że spotyka się z żonatym mężczyzną, który nią pomiata. Uważa, że jej nowojorskie życie jest usłane różami.

– Namawiałam ją, żeby przyjechała do nas na święta.

– Och, byłoby wspaniale. Ostatnim razem, kiedy rozmawiałyśmy, mówiła, że wybiera się do Sen Wiele.

– Na Seszele – poprawiam ją. – W końcu chyba nie pojechała.

Głównie dlatego, jak podejrzewam, że Brandon nie potrafił znaleźć dobrej wymówki, żeby uzasadnić dłuższą nieobecność.

– Wydaje mi się, że Edie potrzebuje wakacji.

To jest najbliższe prawdy, więcej mamie nie mówię.

– To są minusy aktywnego życia. Moja Edie zawsze była ambitna – wzrusza się mama. – To miejsce nie miało nic jej do zaoferowania, dlatego nie mogła tu zostać.

– Nie zadręczaj się, mamo – mówię miękko. – Wiesz dobrze, że gdyby tylko mogła, od razu by przyjechała.

Kłamię, ale w dobrej sprawie. Czy mogę postąpić inaczej? Czy mogę powiedzieć, że jej ukochana córka ma to wszystko w dupie? Teraz mówię jak Lija.

– Zjedz tosty, wypij herbatę i od razu poczujesz się lepiej.

Pomijam, że gdyby wstała z łóżka, to sama mogłaby polecieć do Edie. Tylko wtedy cała prawda o życiu jej córki wyszłaby na jaw. Może słodka niewiedza jest najlepszym rozwiązaniem?

– Muszę się zbierać.

– Nie zapomnij o moim drugim śniadaniu – przypomina mi.

– Nigdy mi się to nie zdarzyło, mamo – uspokajam ją.

Najprawdopodobniej jestem najbardziej niezawodną i rzetelną osobą na świecie. Czasem wydaje mi się, że to wcale nie jest takie dobre.

ROZDZIAŁ 12

Przed zejściem do kuchni staram się przybrać rześki wyraz twarzy. Mimo to Danny, gdy tylko mnie słyszy, mówi:

– Usiądź. Zrobiłem nam herbaty.

Wzdycham.

– Ratujesz mi życie.

Siadam przy stole naprzeciwko Danny'ego, który stawia na środku talerz z ciepłymi grzankami posmarowanymi masłem.

– Twoja mama jest chora?

Jak to wytłumaczyć?

– Nie wstaje z łóżka. – To powinno wystarczyć. Danny jest kimś z zewnątrz i nie musi znać tajników mojego życia. – Opiekuję się nią.

– Musi być ci ciężko.

– Przyzwyczaiłam się, chyba. To już trwa od pewnego czasu. Z tego powodu otworzyłam kawiarnię i sklepik z ciastami. Dzięki temu pracuję w domu.

– A to fantastyczny dom. Nie dziwię się, że tak go uwielbiasz.

– To prawda. Nie mogłabym się stąd wyprowadzić. Nie mieści mi się to w głowie. Mieszkam tu od urodzenia. Cieszę się, że udało się to tak zorganizować, że mogę opiekować się mamą.

– Co jej dolega?

– Więc... – zaczynam. – Tu zaczynają się schody.

– Nie moja sprawa – mówi, unosząc dłoń. – Nie chciałem się wtrącać. Nie musisz odpowiadać.

Nagle jednak czuję, że dobrze mi zrobi, jeśli się tym z kimś podzielę.

– Tak naprawdę to nic – przyznaję ze smutkiem.

Staram się mówić cicho, żeby mama nic nie usłyszała.

– Kilka lat temu przeszła zapalenie płuc, a potem złamała biodro. Kiedy doszła do siebie, uparła się, żeby zostać w łóżku. Teraz w ogóle z niego nie wychodzi, z wyjątkiem wizyt w toalecie. Już nawet nie schodzi na dół.

– To musi być dla ciebie trudne.

– Dla niej też. Zrobiłam wszystko, żeby ją przekonać do zmiany zdania, ale jest bardzo uparta. Nie rusza się z łóżka od tak dawna, że zaczynam się martwić o jej zdrowie. Zamknięcie się w czterech ścianach nikomu nie służy.

Danny kręci głową.

– Prawdziwy dramat. Szczególnie jeśli wiesz, co czeka na nią za progiem. – Dłonią wskazuje na ogród i kanał. – W mieszkaniu na łodzi najlepsze jest to, że można być wciąż na świeżym powietrzu, niezależnie od pogody. Nie umiałbym już wrócić do pracy w korporacji i siedzieć cały dzień przykuty do biurka.

– Obiecałeś, że opowiesz o sobie przy kieliszku wina.

– I tak będzie – uśmiecha się. – Tylko sprawdzę, kiedy mam czas, mój towarzyski kalendarz jest wypełniony po brzegi.– Patrzy na psa. – Diggery, na kiedy możemy się umówić?

Pies podnosi uszy i szczeka.

– Mówi, że każdy wieczór w nadchodzącym tygodniu jest dobry.

– Dziś na pewno nie – mówię. – Przychodzi Anthony. – I dodaję jeszcze: – Jest tu prawie co wieczór. – Rumienię się przy tych słowach.

– Twój chłopak?

– W moim wieku nie ma się chłopaków! – śmieję się. – Mój partner.

– Od dawna?

– Od dziesięciu lat.

– Brawo. Sam nigdy nie byłem w związku dłużej niż pół roku.
– Jesteś młody – stwierdzam.
W odpowiedzi śle mi uśmiech.
– Ty też nie jesteś wcale stara.
– Ty jednak jesteś wolny, a ja nie.
Z durnego powodu łza kręci mi się w oku, szybko jednak tłumię płacz. Uciekam spojrzeniem w bok.
Danny zatrzymuje tęskny wzrok na już pustym talerzu stojącym między nami.
– Fay, razem schrupaliśmy wszystkie tosty, a ja już byłem po śniadaniu. Nie ma zmiłuj, trzeba się zbierać. – Odsuwa się od stołu i wstaje. – Jeśli nie dziś, to zapraszam na przekąski i wino na pokładzie Łapacza Snów, kiedy będziesz wolna. Tylko uprzedź mnie wcześniej, żebym schłodził butelki.
Uśmiecham się.
– Masz to jak w banku.
Zaciera dłonie.
– Praca wzywa. Pokażesz mi, co trzeba dziś zrobić?
– Idź na razie sam. Na pewno coś wynajdziesz.
– Zacznę zatem od zniszczonych trejaży.
– Zgoda, dobry pomysł. Ogarnę kuchnię, wstawię babeczki i wyjdę do ciebie, wtedy razem ustalimy, co dalej.
– Nie zapomnij o dodatkowej babeczce dla mnie. Nie mogę się doczekać, kiedy zjem moją wypłatę. – Puszcza oko, a w drodze do drzwi gwiżdże na psa.
Śledzę go wzrokiem aż do ogrodu, dopiero wtedy ocieram łzy. Mam nadzieję, że dziś nie ściągnie koszulki. Zmieszana myję kubki i talerz.

Nie jestem pewna, czy przyjęcie zaproszenia od Danny'ego jest mądre. Bardzo bym chciała zobaczyć jego barkę. Ale cóż. Anthony chyba nie byłby zachwycony. Podejrzewam, że wcale.

ROZDZIAŁ 13

Lija mierzy mnie gniewnym spojrzeniem.

– Zanieś lunch gorącemu ciachu. Ja się zajmę śmierdzącym Stanem.

– Nie nazywaj go tak, Lija.

– Gorącego ciacha czy śmierdzącego Stana?

– Obu.

Tuż po dziesiątej zrobiło się naprawdę ciepło. O dziesiątej pięć Danny znów zdjął koszulkę.

Półnagi mężczyzna w ogrodzie kawiarni bardzo rozprasza. Świadomość tego wzmaga tylko moje zakłopotanie. Nie spuszczam go z oczu przez cały poranek. Czuję się jak kobieta z reklamy Coca-Coli, która nie może się skoncentrować z powodu półnagiego mężczyzny koszącego trawę, myjącego okno czy wykonującego inną pracę.

– Nie, nie, nie – powtarzam. – Ty się tym zajmiesz.

Przez moment przepychamy między sobą talerz kanapek z serem i sałatą, które dla niego zrobiłam. Wygrywam dzięki przewadze wieku i doświadczenia. Chowam ręce za plecami i Lija zostaje z jedzeniem w rękach.

– Zanieś mu też kawałek świeżego ciasta – instruuję ją.

– Sama mu zanieś. – Lija stawia kanapki na stole i podnosi zupę dla Stana.

Marchewkowa z kolendrą. Nie należy do jego ulubionych.

Lija gwałtownie rusza przed siebie. Wzdycham, sięgając po kanapki.

– Cześć, Stan – witam się, mijając jego stolik. – Czy dziś wszystko u ciebie w porządku?

– W najlepszym, złotko.

– Dziś marchewkowa z kolendrą.

– Wspaniale – odpowiada. – Moja ulubiona.

Nie miałam czasu, żeby wyjść do Danny'ego i omówić z nim, co trzeba zrobić. Ale sam sobie dobrze poradził. Rano naprawił kraty, potem w garażu znalazł podkaszarkę i zanim zjawił się pierwszy klient, skosił wysokie kępy trawy rosnące tuż przy ogrodzeniu. Następnie obciął martwe gałązki z drzew wiśniowych. Nie jestem pewna, czy to odpowiedni czas na tego typu prace, ale jak wszystko w ogrodzie, muszą rosnąć dzięki okazjonalnej trosce.

Teraz układa gałęzie za szopą, a mnie przypomina się, że w garażu leży stare palenisko. Byłoby miło w ciepły wieczór usiąść pod gwiazdami przy ognisku u boku Anthony'ego. Kolejna rzecz, której od dawna nie robiliśmy.

Kiedy się zbliżam, Danny przerywa pracę i ociera pot z czoła. Nie wiem, gdzie podziać oczy. Jest bardzo dobrze zbudowany. Jedyne męskie ciało, jakie dane jest mi oglądać, od kiedy skończyłam trzydzieści lat, należy do Anthony'ego, który ma posturę miękkiego misia, a poza tym bladą skórę. Danny natomiast ma twardy, umięśniony brzuch, mój Boże, prawdziwy sześciopak. Nigdy wcześniej nie widziałam nic podobnego na żywo.

Polewa dłonie wodą z butelki, potem strzepuje z nich krople, nim sięgnie po kanapki, które mu przyniosłam.

– Rewelacyjna obsługa – mówi, podnosząc pierwszą do ust. – W tej pracy nie będę chodził głodny. Same bonusy.

Dla mnie też, myślę.

Siada w cieniu wiśni tuż obok drzemiącego psa, który schronił się tam przed słońcem. Temperatura powietrza wciąż rośnie i zapowiada się na piękne wiosenne popołudnie.

Danny osłania oczy dłońmi i mówi:

– Zapraszam do mnie!

– Nie mogę – odpowiadam. – Praca na mnie czeka. Chciałam też chwilkę pogawędzić ze Stanem.

– Wygląda na dziarskiego staruszka.

– To prawda. Ma dziewięćdziesiąt trzy lata i wiele w życiu przeszedł. Często do nas zagląda. Jest naszym sąsiadem. – Kiwam głową w stronę jego domu. – Tam mieszka. Codziennie wpada do nas na lunch.

– Chętnie bym z nim porozmawiał. Wiesz, jeśli to problem, żebyś mnie sama odwiedziła na łodzi, zawsze możesz przyjść ze Stanem. Byłoby sympatycznie.

– Och, to nie tak.

– Wydawało mi się, że masz opory.

Zgadza się. Czemu jednak boję się z nim rozmawiać? Czemu przeraża mnie myśl o przebywaniu na barce tylko w jego towarzystwie? Przecież chce się tylko zaprzyjaźnić, a ja wychodzę na idiotkę. Z jednej strony mieszkanie na łodzi łączy się ze spotykaniem ciągle nowych ludzi, ale z drugiej, gdy cały czas zmienia się miejsce, trudno nawiązać głębsze relacje.

– Na pewno przyjdę – obiecuję. – Jutro wieczorem.

Uśmiecha się do mnie.

– Świetnie.

– Muszę tylko poprosić kogoś o zajęcie się mamą, to wszystko.

– Będziesz przecież na skraju ogrodu – przypomina mi, głową wskazując Łapacza Snów. – W razie czego dotrzesz do domu w mniej niż dwie minuty.

– To prawda. – Jestem tak bardzo związana z domem, że czasem zapominam, że przecież mogę z niego wyjść. – O której?

– Przyjdź, kiedy będziesz mogła. Nigdzie się nie wybieram. – Kiedy to mówi, oczy mu błyszczą wyzywająco. – Strój wieczorowy nie jest wymagany.

– Zostawię zatem diadem w szafie. – Palcem wskazuję przeciwny kraniec ogrodu. – Powinnam pójść do Stana.

– W porządku. Dzięki za lunch, Fay.

– Cała przyjemność po mojej stronie.

Kiedy się odwracam, serce wali mi jak szalone.

Gdy dochodzę do stolika, Stan kończy zupę. Kilka kropel skapnęło mu na sweter z przodu.

– Stan, ubrudziłeś się – zwracam mu uwagę.

Wyciera plamy serwetką.

– Stary głupiec ze mnie. Zupełnie zramolałem na stare lata.

– Bzdura – zaprzeczam. – Jesteś w znacznie lepszej formie niż niejeden połowę młodszy od ciebie.

– Naprawdę? – Stan unosi brwi. – Nie jestem pewien, czy położyłbym na rękę twojego nowego młodego pomocnika.

Rzucam okiem w kierunku Danny'ego. Skończył kanapki i teraz wypoczywa z zamkniętymi oczami i dłonią delikatnie wspartą na grzbiecie psa. Nie mam smykałki do fotografii, ale gdybym miała aparat albo chociaż telefon, zrobiłabym im piękne zdjęcie.

– Nielicznym by się to udało.

Jego barkom i ramionom niczego nie brakuje. Odrywam wzrok od atutów Danny'ego Wilde'a i wracam do rozmowy.

– Dobrze mieć pomoc. Nie daję rady ze wszystkim, Stan.

– Twoja matka wyciska z ciebie siódme poty.

– To prawda. Danny nie mógł zjawić się w lepszym momencie.

– Dzięki niemu twoje oczy błyszczą – zauważa Stan.

Śmieję się.

– Przestań. To nieprawda.

Zauważam, że Lija wychodzi z kuchni z kawałkiem ciasta i kubkiem herbaty. Zanosi je Danny'emu. Patrzę, jak on się budzi i siada na jej powitanie. Oczywiście nie słyszę, co mówi, ale wyobrażam sobie, zbyt wyraźnie, jego uroczy irlandzki akcent. Wkrótce oboje śmieją się, a niełatwo jest rozśmieszyć Liję. W zasadzie każdą próbę rozbawienia jej uważa za łamanie należnych jej praw człowieka.

– Hm – mruczy Stan, który także na nich patrzy. – Widzę, że nie jesteś w tym osamotniona.

Czuję ukłucie zazdrości. Lija ma dwadzieścia pięć lat, wiekowo bliżej jej do Danny'ego niż mnie. Zresztą nie ma chłopaka. Każda bez wyjątku kobieta szybko znalazłaby się pod jego urokiem, ma w sobie tyle charyzmy, uwodzi też sposobem bycia. Wydawało mi się jednak, że Lija nie ulega aż tak łatwo. Najwyraźniej myliłam się.

ROZDZIAŁ 14

Dzwoni do mnie Anthony.

– Panie poprosiły o dodatkowe zajęcia dziś wieczorem – informuje mnie. – Zaraz po golfie jadę do sali koncertowej.

– Och, nie zobaczymy się zatem dzisiaj.

Nie wiem czemu, ale nagle czuję ogromną ochotę, aby być przy nim. Wytrąca mnie to na sekundę z równowagi.

– Nie, ale zobaczymy się jutro.

– Na jutro się umówiłam – odpowiadam, nim zdążę pomyśleć. Teraz nie mam już wymówki.

– Och – dziwi się Anthony dla odmiany.

– Umówiłam się z Dannym, że wpadnę na jego barkę.

– Z Dannym?

– Z chłopakiem, który mi pomaga w ogrodzie. Na pewno ci o nim wspominałam.

– Nie przypominam sobie.

– Idziemy razem ze Stanem.

Rumienię się. Oczywiście skłamałam, bo nawet nie zapytałam Stana. Poza tym on nie lubi wychodzić wieczorami. Woli zaszyć się w domu z książką i kubkiem herbaty. Co ja sobie wyobrażam?

– Też mógłbyś przyjść, jeśli masz ochotę.

– Nie chciałbym popsuć imprezy – mówi Anthony lekko nadąsanym tonem.

– Już wiem, może w takim razie ja przyszłabym na dzisiejszą próbę? – pytam, żeby go udobruchać.

Chcę zadośćuczynić za nadmierne myślenie o nagim torsie Danny'ego. Anthony jest dobrym człowiekiem. Rozważnym, statecznym i godnym zaufania. Powinnam bardziej doceniać jego zalety. Co z tego, że ma zaokrąglony brzuszek? Mojej sylwetce też daleko do ideału. Może już mnie nie rozśmiesza, a jego oczy nigdy nie iskrzą, ale życie to nie same śmichy-chichy.

– Nigdy nie przychodziłaś na próby – zauważa.

Głównym powodem jest to, że nie znoszę dźwięku dzwonków.

– Najwyższa zatem pora, żebym się wybrała.

– Zgoda – mówi. – Skoro naprawdę ci zależy.

Nie tryska zbytnim entuzjazmem na wieść, że przyjdę. Może obawia się, że przy mnie nie rozwinie w pełni skrzydeł.

– Czy mam przyjść około ósmej?

– Co z twoją matką?

– Mam nadzieję, że da sama radę przez godzinę. Powinnam mieć więcej czasu dla siebie. Dla nas.

– Słusznie – Anthony wydaje się przekonany. – Do zobaczenia później.

Odkładam słuchawkę, zastanawiając się, czy w apteczce mamy nie zostało trochę valium, bo bardzo by mi się przydało.

Sala koncertowa od zawsze zalatywała stęchlizną. Myślę, że to z powodu przeciekającego dachu. W tym niewielkim pomieszczeniu należałoby odmalować ściany, a parkiet chyba leży tam niezmieniony od lat dwudziestych, kiedy stawiano budynek.

Anthony wygląda jednak, jakby znalazł się w Royal Albert Hall. Chwała mu za to. Zespół zebrał się w komplecie i teraz z zapartym tchem czeka na jego sygnał. Mój partner uderza batutą w pulpit.

– Czy możemy zaczynać, drogie panie?

Wszystkie dzwonkarki, każda w stosownym wieku, wyczekująco wpatrując się w dyrygenta, stoją za stołem, na którym leżą przygotowane dzwonki. Wszystkie panie są nieco przy kości i mają albo krótko ścięte siwe włosy, albo trwałą w drobne loczki, które ostatnio były w modzie w latach pięćdziesiątych. Na rękach mają białe rękawiczki, z wyjątkiem jednej kobiety, która nie jest ani siwa, ani pulchna. Tylko ona włożyła sportowe rękawiczki w kolorze fuksji.

Na razie patrzę przez szybę w drzwiach i wciąż mogę cichutko zawrócić, a nikt by się nigdy nie dowiedział, że tu w ogóle byłam. Jednak postanowiłam, że będę wspierać Anthony'ego, więc wślizguję się cicho do środka. Niestety, drzwi skrzypią. Anthony odwraca się.

– Cześć, kochanie – wita mnie z uśmiechem. – Cieszę się, że mogłaś do nas dołączyć.

– Przepraszam za spóźnienie. – W ramach tłumaczenia przewracam oczami i krótko rzucam: – Mama.

– Nic nie szkodzi, przegapiłaś tylko rozgrzewkę. Właśnie zamierzamy przejść do właściwej części.

– Cześć. – Nieśmiało macham w kierunku pań.

Uwielbiają Anthony'ego i czuję, jakbym nieproszona wtargnęła na ich terytorium.

– Cześć – odpowiadają z lekkim wahaniem.

– Nie poznałaś jeszcze naszej nowej członkini. To Deborah – przedstawia ją Anthony.

Właścicielka rękawiczek w kolorze fuksji macha w moją stronę.

– Miło cię poznać.

Deborah jest zadbaną blondynką pod pięćdziesiątkę i znacznie wyróżnia się na tle pozostałych pań. Jej szminka ma identyczny odcień różu jak jej rękawiczki. Ciekawe, czym dla niej jest ten ohydny dźwięk dzwonków. I czy zawsze nazywano ją Deborah, nigdy Debbie czy Debs.

Anthony ponownie stuka w pulpit. Rozmyślnie zajmuję krzesło z tyłu, tuż przy ścianie, możliwie jak najdalej od zespołu, i szykuję się na seans tortur.

– Gotowe? Zaczniemy od *Congratulations* z myślą o Deborah. – Anthony posyła jej uśmiech pełen pobłażliwości. – Nie obawiaj się, skarbie, damy radę.

– Dziękuję, Anthony – wzdycha.

– Dzwonki przy piersi. Równo w górę. I zaczynamy. Raz i dwa. Raz i dwa.

Rozlega się charakterystyczne brzęczenie dzwonków. Słyszałam ten dźwięk zbyt wiele razy w życiu i zawsze mnie irytował. Jestem jednak partnerką Anthony'ego, miłością jego życia, i dlatego powinnam go wspierać. Mimo że dzwonki brzmią dla mnie jak zgrzytanie paznokciem po tablicy lub wycie kota w rui. Siadam na dłoniach, żeby nie podrapać sobie twarzy ani nie wyłupić sobie oczu.

Anthony w przeciwieństwie do mnie jest w swoim żywiole.

– Delikatnie, delikatnie – intonuje. – Tylko muskajcie. Ledwo drażnijcie.

Panie dzwonią. Niemal unisono. Połowa strofy, a już mam wrażenie, że krew płynie mi z uszu. Kto, na Boga, wymyślił ten potworny rodzaj muzyki?

– Teraz żwawiej. Crescendo. Crescendo. I mocno. Mocno, i od początku. Mocno i jeszcze raz. Mocno! Z życiem!

Też mam ochotę na żywą reakcję, ale na pewno nie taką, jaką Anthony ma na myśli.

– Coraz żwawiej! Z werwą! Tak. Świetnie.

Nigdy nie przepadałam za tą piosenką, przykro mi, sir Cliffie, bo zawsze kojarzyła mi się z deszczem padającym nad Wimbledonem*. Mimo to przykro jest słyszeć ją w równie fatalnym

* W 1996 roku sir Cliff Richards na prośbę organizatorów turnieju na Wimbledonie podczas przerwy technicznej w związku z opadami deszczu rozbawił publiczność, która wraz z nim śpiewała piosenki, m.in. *Congratulations* (wszystkie przypisy pochodzą od tłumaczki).

wykonaniu. Gusta muzyczne Anthony'ego znacznie różnią się od moich.

– Nie żałujcie dzwonków. – Anthony popada w ekstazę. – Tak! Tak! Och, tak!

Wywija batutą końcowe esy-floresy i dzięki Bogu dzwony milkną. Z wdzięczności jestem gotowa skakać i bić brawo.

Panie są dumne ze swojego sukcesu.

– Dobra robota, Deborah. – Anthony ściera kilka kropli potu z czoła. – Doskonale sobie poradziłaś.

Policzki szczęśliwej Deborah pokrywa rumieniec, oczywiście w kolorze fuksji.

– Brawa dla wszystkich. Zawojujemy publiczność festiwalu dzięki tej właśnie interpretacji. – Zaróżowione policzki i błyszczące oczy Anthony'ego zdradzają wielką ekscytację. – Teraz spróbujmy *My Heart Will Go On*.

Mam dziką ochotę władować w nich całą serię z uzi kaliber dziewięć milimetrów.

– Dzwonki w dłoń!

Ukradkiem zerkam na zegarek, zastanawiając się, kiedy będę mogła wrócić do domu.

ROZDZIAŁ 15

Mimo że mama została sama na całe dwie godziny, zbytnio nie cierpiała. Wydaje mi się nieco bledsza, kiedy przynoszę jej kakao. Siedzi w łóżku wpatrzona w telewizor. Wszystkie jeszcze ciepłe ciasteczka, które jej zostawiłam, zniknęły.

– Jak było na próbie zespołu Anthony'ego? – pyta, popijając gorący napój.

– Wspaniale.

– To bystry chłopak.

– Tak.

– Powinnaś się go trzymać, Fay. W twoim wieku niewiele jest szans na podobne szczęście.

– Tak.

Ma rację, rzecz jasna, ale na myśl o tym aż mnie mrozi w sercu. Może to z powodu tej druzgocącej próby, z której właśnie wróciłam, bo mam ochotę wydrapać sobie oczy, ale czasem zastanawiam się, dlaczego wciąż jesteśmy razem. Czy jest miłością mojego życia? Czy jesteśmy razem jedynie z przyzwyczajenia? Myślę o moich rodzicach, i nachodzą mnie wątpliwości, czy naprawdę ich małżeństwo było idyllą? Czy to właśnie jest normalne? Nie zachowywali się jak papużki nierozłączki, ale też nie darli ze sobą kotów. Czy miłość polega na znalezieniu osoby, z którą żyje nam się w miarę bezkonfliktowo? Nigdy nie marzyłam o związku pełnym fajerwerków i scen rozdzierających serce. Nie chciałabym na przykład znaleźć się na miejscu wiecznie podminowanej Edie, u której gorsze dni znacznie przeważają nad garstką chwil szczęścia. Nasz związek z Anthonym tchnie spokojem. Odpowiada mi to.

Spokój jest dobry.

Tak sądzę.

Kiedy mama wypija kakao, stawiam pusty kubek i talerzyk na tacy, aby je znieść na dół. Układa się do snu, opatulam ją niczym małe dziecko, całuję w czoło i głaszczę po włosach.

– Przestań – odpycha moją dłoń.

– Kocham cię – mówię. – Chciałam, żeby było ci dobrze. Czy czegoś ci potrzeba?

– Niczego – odpowiada. – Jestem tylko zmęczona.

– Dobranoc, mamo.

Odwraca się do mnie plecami.

Podnoszę tacę i ruszam do drzwi. Na progu jednak zatrzymuję się.

– Czy kochałaś tatę?

Aż poderwała głowę z poduszki.

– Co to w ogóle za pytanie?

– Nie wiem. Byliście razem szczęśliwi?

– Byliśmy małżeństwem przez czterdzieści lat.

– Wiem, ale czy byliście szczęśliwi?

– Po co ci ta wiedza?

– Po nic. – Zastanawiam się, czy po tylu latach spędzonych razem można być w sobie wciąż szaleńczo zakochanym. – Dobranoc, mamo.

Też powinnam się położyć, ale jestem zbyt pobudzona. Szykuję sobie kubek czekolady na gorąco, wyciągam dwa ciastka z pudełka, zarzucam na ramiona sweter i wychodzę do ogrodu. Wieczór jest przyjemny. Niebo w kolorze indygo ciemnieje, a kilka szarych, puchatych chmur zakrywa gwiazdy. Mieszkam daleko od świateł miasta, dlatego ich poświata nigdy nie przeszkadza w nocnej kontemplacji nieboskłonu. Uwielbiam patrzeć na gwiazdy, to kolejna rzecz, która łączyła mnie z tatą. Owijam się szczelnie swetrem i ruszam na pomost.

Siadam na drewnianych deskach, opierając plecy o porośnięty trawą brzeg. Popijając gorącą czekoladę, myślę o dzisiejszym wieczorze. Uczciwie muszę przyznać, że Anthony jest mi kompletnie obcy. Znamy się już tyle lat, a wciąż niewiele o nim wiem. I wątpię, czy on zna mnie lepiej.

Kojące ciepło płynące od kubka poprzez moje dłonie sprawia, że się odprężam. Wzdycham. Czy odrobina czekoladowej słodyczy nie stanowi antidotum na całe zło? Delikatna bryza targa liście, słyszę pohukiwanie sowy, ale poza tym nad kanałem panuje cisza. Od czasu do czasu chmury odsłaniają księżyc, którego odbicie tańczy na wodzie.

Patrzę w dół pomostu, gdzie stoi zacumowany Łapacz Snów. Wewnątrz łodzi wciąż pali się światło, rzucając nikłą poświatę w nocny mrok. Przy odrobinie skupienia jestem w stanie wśród wszechobecnej ciszy wyodrębnić cichy szum akumulatora.

Sekundę później dobiega mnie głuchy łoskot i z mroku wyłania się krępa sylwetka Diggery'ego truchtającego w moim kierunku. Pies zaczyna łasić się do moich nóg.

– Witaj, piesku – mówię, mierzwiąc mu sierść. – Przyszedłeś zobaczyć, co tu robię?

Pies merda ogonem. Powinnam przygarnąć czworonoga, byłby moim towarzyszem. Wtedy uświadamiam sobie, że mam partnera, siostrę i matkę, która jest całkowicie ode mnie zależna, a mimo to czuję się samotna.

– Tylko użalam się nad sobą – zwierzam się Diggery'emu.

Pies siada i patrzy na mnie, przechylając na bok łebek.

– Masz może ochotę na kawałek herbatnika?

Przysięgam, że kiwnął. Ułamuję kawałek ciastka. Chwyta go z takim zapałem, że niemal odgryza mi palec. Potem zamiera w oczekiwaniu.

– To jest według ciebie sposób na szczęście, tak? – pytam, patrząc na jego pełen nadziei pysk. – Wierna psina, która bezwarunkowo cię pokocha.

– Diggery! Digs! Gdzie jesteś, piesku? Diggery, do nogi!

– Jest tutaj! – wołam. – Przyszedł się przywitać!

Dobiega mnie powielony echem stukot butów Danny'ego o deski pomostu, a moje serce łomocze do wtóru.

– Dałam mu kawałek ciastka – przyznaję się, kiedy Danny podchodzi bliżej. – Malutki.

– No to mnie nie dziwi, że zostałaś jego najlepszą przyjaciółką. – Danny siada obok mnie i głaszcze psa, który z radością kręci się między nami, a potem kładzie, opierając łeb o łapy. – Miły wieczór.

– To prawda.

– Mimo to wyglądasz, jakbyś dźwigała problemy całego świata.

– Nie mogłam zasnąć – przyznaję się. – Za dużo myśli kotłuje mi w głowie. Postanowiłam przyjść tu na chwilę. Uwielbiam siedzieć i patrzeć na wodę, na gwiazdy. – Drżę. – Choć trochę zmarzłam.

– Zapraszam na Łapacza. Mam kominek, centralne ogrzewanie, wszystko, czego dusza zapragnie. Współczesne udogodnienia. W środku jest naprawdę gorąco.

– Kusząca propozycja – mówię, zauważając, że ma na sobie tylko cienką koszulę. Jest tak blisko mnie, że w tym rześkim, wieczornym powietrzu czuję świeży zapach mydła na jego skórze. – Ale muszę wracać do łóżka. Jutro czeka mnie mnóstwo pracy.

– Tak czy siak, nie ucieknie ci.

– Słuszna uwaga. I właśnie to mnie martwi.

– Wiesz, Fay, życie jest za krótkie, żeby ciągle się zamartwiać.

– Czy odkryłeś to dzięki mieszkaniu na łodzi?

– Tak – śmieje się cicho. – Choć zajęło mi to chwilę.

– Mój tata pochwaliłby twój tryb życia. Nigdzie się nie czuł tak dobrze jak u sterów Ślicznotki Merryweather. Uwielbiał też tu siedzieć, patrząc na gwiazdy. Nauczył mnie dostrzegać w nich piękno.

– Chyba wreszcie dojrzewam, bo sam mam podobnie. – Oboje wpatrujemy się w niebo. – Zupełnie jednak nie znam się na gwiazdach.

– Byłabym w stanie wskazać kilka gwiazdozbiorów. Jeśli ktoś mnie przymusi. – Wyciągam palec w górę. – To Orion. Gwiazdy tworzą sylwetkę myśliwego.

– Tylko w oczach ludzi obdarzonych wybujałą wyobraźnią.

Widząc, jak mocno mruży oczy, chichoczę.

– To jeden z najłatwiej rozpoznawalnych gwiazdozbiorów. Jego najjaśniejsze gwiazdy nazywają się Rigel i Betelgeza.

Danny przysuwa się, aby śledzić ruch mojego palca. Nasze ramiona stykają się, ale żadne z nas nie odsuwa się. Siedzimy nieruchomo wpatrzeni w górę, jakby nieświadomi, że się dotykamy.

– Trzy jasne gwiazdy pośrodku tworzą tak zwany Pas Oriona. Muszę odświeżyć pamięć, bo tata dużo mnie nauczył. – Bliskość Danny'ego rozprasza mnie tak bardzo, że nie jestem w stanie wykrzesać z siebie spójnych myśli. – Mogłabym poszukać teleskopu.

– Tęsknisz za nim.

– Każdego dnia. Był wspaniałym ojcem.

– To najlepszy komplement na świecie. Mam nadzieję, że pewnego dnia ktoś tak właśnie powie o mnie.

– Masz dziewczynę?

Pytanie niemal pali mnie w gardło. Dlaczego? Bo nie jestem wścibska, oto dlaczego.

– Nie. Od kiedy zamieszkałem na Łapaczu Snów wiodę żywot samotnika. Potrzebuję tego, żeby złapać dystans do przeszłości.

– Brzmi intrygująco.

– Mógłbym ci teraz o wszystkim opowiedzieć – mówi, gładząc sierść psa.

Jego ramię wciąż styka się z moim, jakby nasze ciała przyciągały się niczym dwa magnesy. Kiedy próbuję delikatnie się odsunąć, jakaś siła ściąga mnie z powrotem.

– Obiecałem, że ci opowiem, a w środku czeka butelka porządnego czerwonego wina. Właśnie miałem ją otworzyć.

– Nie mogę.

– Noc jeszcze młoda.

– Może dla ciebie. Już dawno powinnam być w łóżku.

– Nie zmuszaj mnie do picia do lustra, Fay. To byłoby okrutne.

Śmieję się.

– Kusząca propozycja, ale naprawdę nie mogę. Poczekaj do jutra. Przyjdę wieczorem, kiedy ułożę mamę do snu.

– Słowo?

– Tak, obiecuję.

– Cieszę się, że się tu zatrzymałem, bo znalazłem przyjaciela – mówi ze wzrokiem utkwionym w wodzie.

– Też się cieszę – przyznaję. – Zjawiłeś się w samą porę.

– Tak, wpadłem na darmowe śniadanie – poprawia mnie.

Znowu się śmieję. Danny jest mężczyzną, w którego towarzystwie dobrze się bawię. Może zbyt dobrze.

W świetle księżyca jego twarz jest jeszcze piękniejsza i głęboko we mnie odzywa się tęsknota, której już dawno nie czułam. Tak dawno, że dopiero po chwili uświadamiam sobie, że to pożądanie. Wieki nie odnawiałam karty członkowskiej w klubie namiętności.

Danny podnosi się.

– Dobranoc zatem.

Kiedy się odwraca, jego twarz jest tak blisko mojej, że w ułamku szalonej sekundy wydaje mi się, że chce mnie pocałować. Głośno nabieram powietrza. Wtedy albo zmienia zdanie, albo zwyczajnie się pomyliłam.

– Do zobaczenia jutro rano – dodaje. – Pomyślałem, że zacznę od zamontowania parasoli.

Ledwo jestem w stanie coś z siebie wydusić.

– Byłoby super.

– Dalej, Digs. Idziemy do łóżka. – Strzela palcami, a śpiący pies podskakuje. – Dobranoc, Fay.

– Dobranoc.

Nawet nie ośmielam się wypowiedzieć jego imienia.

– Ale przyjdziesz do mnie jutro wieczorem? – upewnia się.

– Tak.

Na samą myśl czuję strach i podniecenie zarazem. W jego obecności wszystkie moje życiowe pewniki przestają być takie pewne. Mimo to chcę być tylko z nim na Łapaczu Snów. Pragnę tego tak bardzo. Choć cała moja dusza przestrzega mnie, krzycząc, że nie powinnam. Nigdy nie powinnam stawiać się w podobnej sytuacji.

Patrzę na jego wysokie, szczupłe ciało, kiedy się oddala i jednym susem wskakuje na łódź. Słyszę, że jest już na pokładzie, a w ślad za nim rusza Diggery. Zamyka za sobą drzwi i zaciąga zasuwę.

Siedzę jeszcze przez chwilę, dopijając gorącą czekoladę, i wbrew sobie zastanawiam się, jak by to było spędzić noc w ramionach o dziesięć lat młodszego mężczyzny.

ROZDZIAŁ 16

Następnego dnia rano budzę się zmęczona, smutna i rozdrażniona. Źle spałam, poza tym nie mogę się nawet przyznać, co mi się śniło. Powiedzmy, że nie była to gra na dzwonkach.

Kiedy przynoszę mamie tacę ze śniadaniem, widzę, że też nie wygląda za dobrze. Już wieczorem wydała mi się bledsza, teraz tylko się w tym utwierdzam.

– Wszystko w porządku, mamo?

– Słabo się czuję – szepce.

– Co ci dolega? Coś cię boli?

– Nie wiem. Serce dudni mi jak oszalałe.

– Wezwać lekarza?

– Nie – odpowiada słabym głosem. – Nie trzeba.

Po raz pierwszy nie udaje i jestem bardzo zaniepokojona. Ma poszarzałą cerę i błędny wzrok.

– Natychmiast dzwonię po doktora Ahmeda.

– Nie potrzeba mi lekarza.

– Właśnie, że potrzeba.

– Jeśli tak uważasz...

Uświadamiam sobie, że musi naprawdę źle się czuć, skoro jest to jedyny protest, na jaki ją stać. Pomagam jej usiąść i pytam:

– Dasz radę zjeść grzankę?

– Nie teraz. – Kręci głową. – Może później.

Schodzę na dół, wybieram numer lekarza i mimo niechęci utyskującej recepcjonistki umawiam pilną wizytę domową. Potem zamiast wyrzucić tost mamy, sama go zjadam. Choć prawie nie czuję smaku.

Kilka minut później przychodzi Danny.

– Cześć – wita się.

Najprawdopodobniej wyglądam równie fatalnie jak się czuję, bo do razu dodaje:

– Czy wszystko w porządku?

– Mama źle się czuje – odpowiadam bez chwili wahania. – Właśnie wezwałam lekarza.

– Czy mogę ci jakoś pomóc?

Przecząco kręcę głową.

– Na razie nic mi nie trzeba.

– W takim razie już ci nie przeszkadzam – mówi. – Tylko może byś mi pokazała, gdzie mam zainstalować parasole, wtedy będę mógł od razu się nimi zająć.

– Dzięki.

Wyciąga dłoń i niepewnie dotyka mojego ramienia.

– Jeśli będziesz mnie potrzebować, nie wahaj się i mów od razu.

Patrzę na jego długie, mocne palce na moim ramieniu. Ten drobny gest przynosi mi wielką pociechę.

– Dobrze. Dziękuję.

Wychodzę za nim na dwór i szybko pokazuję, gdzie są parasole i gdzie ma zamontować je w ogrodzie. Potem wracam do kuchni i czekając na lekarza, zajmuję ręce pieczeniem ciasteczek. Wolałabym posiedzieć z mamą, dopóki nie przyjdzie, ale praca nie zrobi się sama. Podczas ucierania ciasta zauważam, że mieszanie składników mnie uspokaja, wygasza mój niepokój.

Przyjeżdża Lija.

– Mama źle się czuje – mówię jej.

Przewraca oczami.

– Czy stara jędza odgrywa kolejne przedstawienie?

– Nie sądzę. Nie tym razem.

– W takim razie zajmę się dziś cukiernią – oferuje. – Nawet śmierdzącym Stanem. Nie martw się.

Całuję ją w policzek.

– Kocham cię.

Grymas wykrzywia jej twarz.

– Ty kochasz wszystkich bez wyjątku.

Do czasu przyjścia lekarza niepokoję się, niecierpliwię i zamartwiam. Chodzę do mamy co pięć minut, ale drzemie i nie chcę jej budzić.

Rano przez kawiarnię przewija się niewielu klientów, ale teraz w porze lunchu jest już zajętych kilka stolików: dwie pary siedzą w jadalni, kolejne trzy w ogrodzie, Lija jednak świetnie sobie radzi.

Kiedy wreszcie przychodzi doktor Ahmed, od razu prowadzę go na górę. Jest naszym lekarzem rodzinnym od wielu lat i już sama jego obecność działa na mnie kojąco.

– Martwię się o nią – mówię. – Wydaje mi się, że tym razem to coś poważnego.

– Porządnie ją przebadam – obiecuje. – I nie obraź się, Fay, ale sama wyglądasz na bardzo zmęczoną.

– Jestem zajechana – przytakuję. – Jak zwykle.

– Zwolnij odrobinę – radzi. – Nie chciałbym następnym razem przychodzić z wizytą do ciebie.

Wchodzimy do sypialni mamy.

– Dzień dobry. Co się dzieje, pani Merryweather? – pyta łagodnym głosem.

Mama podnosi się.

– Och, panie doktorze, nie czuję się za dobrze.

– W takim razie zbadam panią.

Siada obok niej na łóżku, mierzy jej temperaturę, tętno. Potem stetoskopem osłuchuje klatkę piersiową i serce.

Wreszcie wzdycha.

– Tak – zaczyna. – Nie zauważam nic szczególnie niepokojącego. Jednak dobrze pani wie, pani Merryweather, że leżenie w łóżku przez cały dzień w niczym nie pomaga.

– Przecież jestem chora – upiera się.

– Nieraz już przeprowadzaliśmy specjalistyczne badania – przypomina. – Nic jednak nie znaleźliśmy. Nie widzę żadnych przeciwwskazań, żeby wstała pani z łóżka.

– Serce bije mi jak szalone.

– Teraz wszystko z nim w porządku – zapewnia ją. – Jednak po długim leżeniu w łóżku każdy, nawet najmniejszy ruch obciąża organizm. Ma pani lekko podwyższoną temperaturę i wyższe niż zazwyczaj ciśnienie krwi. Czy wciąż przyjmuje pani przepisane leki?

– Tak.

– Pilnuję tego – wtrącam.

– Wie pani, biedna Fay musi być wykończona.

– Fay nie ma nic przeciwko temu.

– Możemy pani pomóc, pani Merryweather. Nie ma potrzeby przedłużania tego stanu. Przy odpowiednim podejściu błyskawicznie postawimy panią na nogi.

– Słabo się czuję.

– Im dłużej będzie pani leżeć w łóżku, tym gorzej dla pani. To nie pomaga. Leżąc, bardzo nadwyręża pani serce. Jak każdy niepracujący mięsień, w końcu zwiotczeje. A tego chcielibyśmy uniknąć, prawda?

Mama wygląda, jakby miała w nosie swoje biedne serce.

– Potrzebuje pani świeżego powietrza i łagodnych ćwiczeń, które pomogą pani wrócić do formy. Takie jest moje zalecenie. Mieszka pani w pięknej okolicy. Krótki spacer wzdłuż brzegu kanału to najlepsze lekarstwo, jakie mógłbym przepisać. – Doktor Ahmed chowa stetoskop i wstaje. – Przyjdę jutro sprawdzić, jak się pani czuje. Jeśli utrzyma się podwyższone ciśnienie krwi, będę musiał zwiększyć dawkę leku.

Potem wyprowadzam go z pokoju.

– Co mogłabym zrobić? – pytam na szczycie schodów.

– Nic. Jeśli sama nie chce sobie pomóc, nic nie poradzimy. Mogę oczywiści zapisać jej kolejne leki. – Patrzy na mnie ze współczuciem. – Przyjdę jutro.

– Dziękuję. Przepraszam za kłopot.

– To żaden kłopot, Fay – mówi. – Tylko zadbaj o siebie, zanim będzie za późno.

– Dziękuję.

Czy mam jednak inny wybór?

ROZDZIAŁ 17

Odprowadzam doktora Ahmeda do drzwi. Kiedy wracam do kuchni, czuję się wyczerpana, Lija w biegu szykuje kanapki i kroi ciasto. Danny parzy herbatę.

Podnosi obie ręce.

– Najpierw je umyłem.

Rozbawia mnie tym.

– Wypruwam sobie żyły jak cholerna wariatka – żali się Lija. – Czy skończyłaś już ze starą jędzą?

– Tak, przepraszam, że nie było mnie tak długo.

– Nie przepraszaj. Nie twoja wina – Podbródkiem wskazuje blat. – Zanieś zupę śmierdzącemu Stanowi.

Posłusznie podnoszę miskę i kładę na talerzu kawałek razowego chleba z ziarnami pszenicy. Choć nie powinien go jeść, bo raz złamał sobie na nim ząb. Ale wiem, że uwielbia ten chleb i od czasu do czasu pozwalam mu na tę przyjemność.

Stan siedzi w swoim ulubionym miejscu nad brzegiem kanału. Mimo że Lija narzeka na niego, w skrytości ducha bardzo go lubi. Uśmiecham się, kiedy zauważam, że Diggery wygodnie się ułożył u jego stóp.

– Cześć, Stan.

– Witaj, skarbie – pozdrawia mnie. – Piękny dzień.

– Cudowny. Widzę, że masz nowego przyjaciela.

– Kochany, mały piesek. – Stan klepie Diggery'ego po głowie. – Opiekuję się nim, gdy jego młody pan pomaga w kuchni.

Stawiam miskę na stoliku.

– Brokułowa ze stiltonem.

– Och, moja ulubiona – zaciera obie dłonie.

– I kawałek chleba z ziarnami. Uważaj na zęby.

– Oczywiście.

Potem odwracam się i dopiero teraz zauważam parasole, które zamontował Danny.

– Popatrz, Stan. Czy to nie był dobry pomysł?

– Cudowny – przyznaje. – Wspaniały. Szkoda, że nie mieliśmy podobnych, kiedy byłem w Egipcie.

– Co tam robiłeś, Stan?

– Och, to i tamto. Kręciłem się tu i tam. Fantastyczna zabawa. Choć ukrop jak w piekle. Chwilami obawiałem się, że stopią mi się buty.

Stan nigdy nie jest zbyt wylewny, niewiele opowiada o życiu podczas wojny, ale czasem wyrywa mu się jakiś szczegół. Przez pewien czas był pilotem bombowca, tyle wiem na pewno.

– Młody człowiek okazuje się niezwykle pomocny – zauważa.

– Tak, to prawda – uświadamiam sobie, że ton mojego głosu jest bardziej melancholijny, niżbym sobie tego życzyła.

– Przez wzgląd na ciebie, liczę, że zatrzyma się na dłużej w okolicy.

– Sam wiesz, jak to bywa z mieszkańcami łodzi, Stan. Jestem pewna, że wkrótce się stąd zabierze.

– To szkoda, Fay – mówi. – Chciałbym, żeby został i cię trochę rozweselił. – Mruga do mnie okiem, na co odpowiadam uprzejmym rumieńcem. – Gdybym był kilka lat młodszy, sam bym się tym zajął. Za młodu był ze mnie kawaler jak się patrzy.

– Nie dziwi mnie to ani trochę, Stanleyu Whitwellu.

Aż zanosi się kaszlem.

– Nie czekaj, aż ci zupa ostygnie.
– Cudownie. Co dzisiaj mamy?
– Brokułowa ze stiltonem – cierpliwie powtarzam.
– Och, moja ulubiona.
– Uważaj na zęby.
Zostawiam Stana pochylającego się nad zupą i wracam do domu, zbierając po drodze brudne naczynia i dwa zamówienia na herbatę i ciasto. Przejmuję kuchnię od Danny'ego, który wraca do ogrodu.

Jest taki ruch, że nim się spostrzegam, wybija piąta po południu. Kawiarnia świeci pustkami, ostatni klienci wychodzą, a Lija siada z zasłużonym kubkiem kawy nad późnym lunchem. Nie dziwi mnie wcale, że jest taka szczupła.

Danny wraca do nas. Całe popołudnie nie miałam szansy zamienić z nim słowa.
– Dziękuję za pomoc w kuchni.
– Nie ma sprawy – odpowiada. – Zaparzyłem tylko kilka kubków herbaty i przygotowałem kilka kanapek.
– Świetnie się spisał – z przekąsem chwali go Lija. – Szybko się uczy.
– Zamontowałem też parasole.
– Widziałam. Ślicznie wyglądają.
– I tabliczki. Choć nie jestem pewien, czy w odpowiednich miejscach, ale zawsze można je przewiesić. Naprawiłem zamek do kibelka. Przekopałem się przez garaż i znalazłem zapasową zasuwę.
– Wydaje mi się, że kupiłam ją w zeszłym roku, ale nigdy nie udało mi się jej wymienić.
– Teraz jest już na miejscu.
– Dzięki, Danny.
Nie mogę uwierzyć, jak wiele udało mu się zrobić.
– Wychodzę na fajkę – rzuca Lija, zabierając plecak z parapetu.

– Choć rzuciłem, to zabiłbym za jednego macha. Trudno pozbyć się wieloletnich nawyków – mówi Danny. – Mógłbym dołączyć?

Lija wzrusza ramionami, co on interpretuje jako zgodę i wychodzi za nią na zewnątrz.

Siadam przy kuchennym stole i próbuję się uspokoić nad kubkiem herbaty. Patrzę, jak zatrzymują się na podjeździe do garażu. Trudno jest dojechać do domu. Są, co prawda, dwie możliwości: od strony kanału albo od wąskiej, wyboistej uliczki prowadzącej od stromego, garbatego mostu. Ma to swoje wady i zalety. Choć może odstraszyć potencjalnych klientów, to i tak dociera ich dostatecznie dużo, a ci, którzy raz nas odwiedzą, natychmiast zakochują się w ogrodzie. Z przodu domu na podjeździe może zaparkować sześć samochodów, jest też podwójny garaż obrośnięty bluszczem, którego używamy jako przechowalnię i magazyn.

Lija pozwala Danny'emu zapalić swojego papierosa, a potem opiera się o drzwi garażowe w charakterystyczny dla niej niedbały sposób. Danny stoi tuż obok i widzę, że rozmawiają. Lija z trudem powstrzymuje uśmiech, ale w końcu odpuszcza i chichocze.

Zazdroszczę im młodości, swobody i łatwości w rozmowie. Bardzo im zazdroszczę. Oj, jak bardzo.

Wstaję, zajmując ręce zmywaniem. Niebawem muszę zajrzeć do mamy.

Wkrótce Danny i Lija wracają do środka wciąż roześmiani.

– Będę się zbierał – mówi Danny. – Wciąż widzimy się później, Fay?

Lija aż podrywa głowę z zaskoczenia.

– Nie jestem pewna. – Czuję, jak wściekle płoną mi policzki. – To zależy od mamy.

– Rozumiem. Mam nadzieję, że ci się uda. Wino czeka.

– Nie zwlekaj z wypiciem go ze względu na mnie.

Wzrusza ramionami. Wygląda na zawiedzionego.

– Przykro mi.

Macha nam na pożegnanie i gwiżdże na psa, który wyskakuje zza krzaka, razem ruszają w dół ogrodu.

Lija nie odrywa ode mnie wzroku.

– O co chodziło?

– O nic – mówię z poczuciem winy.

– Nie brzmiało to jak „nic".

Jej badawcze spojrzenie sprawia, że się poddaję.

– Umówiliśmy się z Dannym dziś wieczór na Łapaczu Snów. Na drinka. Nie mogę jednak zostawić mamy, bo źle się czuje.

– Ona zawsze źle się czuje – przypomina mi Lija. – Idź. Popilnuję starej jędzy.

– Nie mogę.

– Idź. Nie będzie stukać w podłogę, kiedy zostanę.

Moje serce zaczyna bić w dziwnym rytmie i uświadamiam sobie, że chcę iść. Naprawdę. Naprawdę chcę napić się wina na Łapaczu Snów z Dannym Wilde'em.

– Mogłabyś? Naprawdę? Nie miałaś żadnych planów na wieczór?

– Żadnych szczególnych. Poza tym zapłacisz mi, a potrzebuję pieniędzy.

– Dam ci też na taksówkę. – Nie zamierzam siedzieć długo, ale nie chcę, żeby wracała po ciemku na rowerze wzdłuż kanału.

– Nie ma sprawy, prześpię się w pokoju Edie – proponuje Lija. – Zawsze noszę w torebce zapasowe majtki i szczoteczkę do zębów.

Jestem tym zaskoczona.

– Dlaczego?

Wzrusza ramionami.

– Zestaw awaryjny w razie bzykanka. Nigdy nie wiesz, kiedy na twojej drodze pojawi się szansa na miłość.

Rozumiem, że w jej ustach miłość oznacza seks. Z przypadkowo spotkaną osobą. Ojoj. Nigdy nawet nie planowałam podobnej rzeczy i czuję się teraz bardzo staroświecka.

– Dobrze być przygotowanym.

– Słusznie.

Na myśl, że przez całe życie, nigdy, przenigdy nie musiałam być tak przygotowana, zaczynam martwić się o przebieg wieczoru z Dannym Wilde'em.

ROZDZIAŁ 18

Przed wyjściem dzwonię do Anthony'ego. Rozmowa nie należy do najprzyjemniejszych. Ma zastąpić kolegę na zebraniu i z tego powodu jest bardzo zrzędliwy. Kiedy przypominam mu, że wychodzę, tylko pogarszam jego nastrój, bo uświadamia sobie, że nie będzie ciepłej kolacji w drodze do domu.

– Przykro mi – mówię. – Jutro będę na ciebie czekać jak zazwyczaj. Upichcę to, co lubisz.

Anthony lubi domową zapiekankę z kawałkami wołowiny i nerek.

– Hm – chrząka Anthony. – Planowałem zorganizowanie kolejnej próby zespołu. Muszę tylko sprawdzić, czy wszystkim paniom będzie pasować.

Jestem przekonana, że będzie. Wygląda na to, że jutro czeka mnie samotny wieczór mimo propozycji przygotowania jego ulubionej potrawy.

– Muszę lecieć – mówię, zerkając na zegarek.

Nie umawialiśmy się na konkretną godzinę, ale nie chcę zjawić się zbyt późno, żeby nie wyjść na osobę źle wychowaną. Korci mnie, aby odwołać nasze spotkanie, ale teraz, kiedy zaangażowałam Liję, nie czuję się na siłach, aby stawić czoło jej furii na wieść, że zmieniłam zdanie.

– Nie będę cię zatrzymywał – mówi Anthony i rzuca słuchawką.

Wzdycham do telefonu. Czy znacie to powiedzenie, które się kończy słowami: „Nie dasz rady zadowolić wszystkich przez cały czas"*?

Nim ruszam na Łapacza Snów, szybko biegnę na górę, zerknąć na mamę. Wygląda teraz nieco lepiej, nie ma co do tego żadnych wątpliwości. Pewnie kiedy zrozumiała, że nie dostanie od lekarza zbyt wiele współczucia, wymusiła na sobie powrót do lepszej formy.

– Nie wrócę późno, zresztą Lija zostaje – mówię. – Jeśli będziesz czegoś potrzebować, zawołaj ją.

– Ona nigdy nie przychodzi, kiedy ją wołam – żali się mama.

– Nie wołaj jej zatem co chwila – upominam ją. – Wszystko będzie w porządku.

– Czemu wychodzisz? – jęczy. – Co jeśli Edie będzie chciała porozmawiać ze mną przez Skype'a?

– Lija ci w tym pomoże.

– Wczoraj wieczorem też cię nie było.

– Wychodzę drugi raz w ciągu pół roku, mamo. Poza tym będę na łodzi przy pomoście.

– Nie szkoda ci zachodu?

– Chcę zobaczyć jego barkę – zaczynam się tłumaczyć.

– Dlaczego? Widziałaś już setki innych. Wszystkie są identyczne.

– Staram się być towarzyska. Danny bardzo ciężko pracuje w ogrodzie i chcę poświęcić godzinę, żeby go lepiej poznać. Jak przystało na dobrą sąsiadkę. – Zastanawiam się, po co mam go lepiej poznawać, skoro jest pewne jak w banku, że wkrótce stąd odpłynie. Mimo to wizyta u niego jest ciekawsza niż siedzenie przed telewizorem w ekranowym towarzystwie uroczego Julesa Hudsona. – Długo nie zabawię.

---

* Chodzi o powiedzenie Johna Lydgate'a, które w całości brzmi następująco: „Możesz zadowolić niektórych ludzi przez cały czas, możesz zadowolić wszystkich ludzi przez jakiś czas, ale nie dasz rady zadowolić wszystkich przez cały czas" (przeł. A. Celińska).

Całuję suchy jak papier policzek mamy, ale odpycha moją rękę. Nie przepada za pieszczotami.

W salonie Lija z miską chipsów na kolanach siedzi przed telewizorem, na ekranie leci *Emmerdale*.

– Wychodzę – mówię. – Jak wyglądam?

Odwraca się, aby wygłosić chłodną krytykę:

– Jak bezdomna. Uczesz się. Umaluj. Zmień bluzkę.

– Idę tylko na jednego drinka.

Odpowiada mi mrożącym krew w żyłach spojrzeniem.

– W porządku – poddaję się. – Ale to tylko strata czasu.

– Sama to ocenię.

Wlokę się z powrotem na górę, aby z oporami wcielić w życie rady Lii. Czeszę włosy. Robię makijaż. Zmieniam bluzkę. Gdy zerkam w lustro, jestem zaskoczona swoim wyglądem. Choć moja pracownica nie napomknęła o tym w wydanych przez siebie instrukcjach, zmieniam dżinsy na czyste i porządnie szoruję ręce. Może powinnam robić tak częściej. Nie dziwi mnie teraz, że w spojrzeniach rzucanych na mnie przez Anthony'ego brak iskry.

Na dole staję przed Liją i obracam się wokół własnej osi.

– Lepiej?

– Tak. Teraz na pewno rzuci się na ciebie, sapiąc z pożądania.

Śmieję się, zbyt głośno i zbyt piskliwie.

– Kto? Danny?

– Powinnaś zabrać ze sobą zestaw awaryjny w razie bzykanka, tak na wszelki wypadek.

– Nie zamierzam robić nic takiego.

Na samą myśl czuję, jak krew się we mnie gotuje.

Lija odkłada miskę chipsów na bok.

– Mam coś dla ciebie.

Prowadzi mnie do kuchni. Tam czeka cytrynowa babka, jeszcze w blaszce.

– Przez żołądek do serca. Weź też ze sobą butelkę wina.

Nie ma sensu się spierać, dlatego posłusznie wyciągam alkohol z lodówki. Wino leży tam od wieków, czekając na odpowiednią okazję, żebyśmy mogli je wypić z Anthonym. Dziś jest równie dobra okazja.

– Wezmę też sweter.

– Nie jest ci potrzebny.

Łapię sweter wiszący na oparciu krzesła w kuchni. Lija mi go zabiera.

– Idź choć raz bez tego cholernego swetra. Zobacz, jak to jest.

– Lubię swetry.

– Ale dziś żadnego nie założysz.

Lija przyciska sweter do swojej szczupłej piersi.

W takim razie idę bez swetra.

– Zadzwoń, gdyby tylko pojawił się problem z mamą. Wrócę w jednej chwili.

– Włączę głośno telewizor, żeby nie słyszeć, jak mnie woła. Nic jej nie będzie.

Mimo tego, co mówi, wiem, że mogę jej zaufać w kwestii opieki nad mamą.

Lija grozi mi palcem.

– Nie waż się wracać przed północą. Zresztą im później wrócisz, tym lepiej.

– To tylko jeden drink, Lijo.

Przedrzeźnia wyraz mojej twarzy.

Podnoszę dłoń.

– Dobrze, już dobrze! Nie ma mnie.

– Im później, tym lepiej – powtarza. – Tym lepiej.

ROZDZIAŁ 19

Kiedy w gęstniejącym mroku schodzę w dół ogrodu, kierując się w stronę Łapacza Snów, serce mocno wali mi w piersi. Nawet nie przypuszczałam, że tak łatwo da się omamić. Zawsze sądziłam, że jego przyspieszony rytm jest zastrzeżony do biegu za autobusem i kłótni z kasjerem w banku. Nie sądzę, abym kiedykolwiek się tak czuła, pomijając pierwszą randkę, ale wtedy miałam tylko szesnaście lat. Teraz, gdy wiem, że życie zaczyna się po czterdziestce, wydawało mi się, że jestem w stanie poradzić sobie z przystojnym młodzieńcem. Ale tak nie jest. Weź się w garść, Fay. Na Boga!

W jednej ręce trzymam butelkę schłodzonego wina, w drugiej – placek.

Czuję się tak, bo rzadko zdarza mi się przebywać sam na sam z mężczyzną innym niż Anthony, który, trzeba to szczerze przyznać, już dawno nie wprawił mojego serce w podobne poruszenie. Żałuję, że jednak nie wzięłam swetra.

Schodzę w dół po pomoście, a kiedy dochodzę do jego łodzi, zatrzymuję się i biorę kilka głębokich wdechów. Podekscytowany Diggery zaczyna szczekać i drapać drzwi od kajuty.

– Spokojnie, piesku – słyszę Danny'ego. – Mamy gościa.

Nieśmiało pukam do drzwi, które otwierają się przede mną.

– Witamy na pokładzie – mówi gospodarz, wyciągając rękę.

Podaję mu wino, a potem ściskam jego dłoń, przechodząc przez próg. Po raz kolejny zaskakuje mnie dotyk jego skóry. Ma miękkie dłonie, choć raczej powinny być zgrubiałe i twarde. Diggery szczeka i merda ogonem na powitanie.

Wnętrze Łapacza Snów jest takie, jak sobie wyobrażałam. Przytulne, ciepłe i nieszczególnie nowoczesne, ma ciut nonszalancki charakter. W kajucie głównej na podłodze leży kolorowy chodnik, a wygodna, nieco wytarta, czekoladowobrązowa skórzana sofa stoi naprzeciwko rozpalonego kominka. Na niej leży barwna, dziergana narzuta i po dwie poduchy z angielską flagą na każdym jej krańcu. Z tyłu znajduje się niewielka przestrzeń kuchenna, której meble wykonano z jasnego, niemalowanego drewna. Zauważam mikrofalówkę i czajnik, ale nic poza tym. Wystrój nie jest wytworny, ale swojsko-domowy.

Wąski korytarz prowadzi w głąb łodzi zapewne do sypialni i łazienki.

– Jest wspaniała.

Uwielbiam przytulne wnętrza barek. Nie ma tu miejsca na zbędne sprzęty, dzięki czemu łatwiej ogarnąć całość. Uzmysławia mi to, jak ciężką pracą jest utrzymanie i prowadzenie dużego domu.

– Dzięki. Wciąż nad nią pracuję.

– Przyniosłam wino i ciasto – wyduszam z siebie. – Choć ciasto to tak naprawdę prezent od Lii.

– Otworzyłem już czerwone wino. Czy włożyć to do lodówki?

– Pewnie.

Bierze ode mnie podarki, wtedy obejmuję się ramionami.

– Zimno ci? – pyta.

– Nie – wzdycham. – Jestem zdenerwowana. I boję się.

Śmieje się.

– Kogo? Mnie?

– Tak. – Czuję, jak się czerwienię. – Nie mam zwyczaju tak robić.

– Przecież tylko pogadamy i napijemy się wina, Fay. Pomyślałem, że może ciekawiło cię, jak wygląda w środku Łapacz Snów. Nie zamierzam cię wykorzystać ani przetrzymywać wbrew twojej woli.

– No tak – mówię, czując się jak idiotka. – Oczywiście, że nie.

– Masz partnera. Ma na imię Anthony, tak?

Kiwam głową.

– Wiem o tym. – Nalewa wina do kieliszków. – Wydawało mi się, że dobrze się dogadujemy. To wszystko.

– Dzięki. – Biorę od niego kieliszek, szczęśliwa, że moje dłonie nie trzęsą się aż tak bardzo. – Moje życie towarzyskie jest dość ubogie, niestety. Praktycznie nie istnieje – wyznaję. – Wszystko się kręci wokół mamy i kawiarni.

– I Anthony'ego.

– Szczerze, to nie całkiem.

Stukamy się kieliszkami.

– Wypijmy zatem za bardziej ekscytujące życie.

Uśmiecham się.

– Wypiję za to.

Upijam mały łyk wina. Jest dobre. Bogaty owocowy bukiet sprawia, że łatwo się je pije.

– Poszedłem do sklepu – mówi. – Kupiłem paczkę krakersów i sery. Chciałabyś? Mam nadzieję, że tak, bo inaczej będę je jadł przez kilka kolejnych dni.

– Z przyjemnością się poczęstuję.

Uświadamiam sobie, że nie zjadłam dziś w końcu kolacji i jestem głodna jak wilk.

– Czuj się jak w domu. Możesz zdjąć buty – zachęca. – Chwilę zajmie mi przygotowanie przekąsek.

Nieśmiało ściągam buty i siadam na sofie, przez chwilę zajmując się układaniem poduszek. Nie wiem, czy to przez niewielką przestrzeń, czy przez to, że Danny ją tak szczelnie wypełnia, ale nastrój robi się bardzo intymny.

Kilka minut później Danny przynosi z kuchni tacę, którą stawia na stoliku stojącym na środku salonu. Na zewnątrz ciemniejące niebo opatula nas nocą. Danny zapala małe świeczki w przenośnych lampach naftowych ustawionych na gzymsie kominka, potem gasi górne światło. Sam też zrzucił ciężkie buty i chodzi boso. Nigdy bym nie przypuszczała, że zachwyci mnie widok nagich męskich stóp, ale tak właśnie się stało. Gospodarz jest ubrany w sprane, rozdarte dżinsy i biały T-shirt. Wokół szyi zawiązał szary szalik, który często widzi się u celebrytów. Na jednej ręce ma duży zegarek wyglądający na drogi i pleciony, czarny, skórzany rzemyk. Na drugi nadgarstek założył srebrną bransoletkę z wygrawerowanym imieniem. Nosi też dwa srebrne pierścionki, po jednym na każdej dłoni. To dla mnie egzotyczne, niespotykane. Anthony nie nosi biżuterii. Ma rolexa z brązowym, znoszonym, skórzanym paskiem, którego dostał od ojca na dwudzieste pierwsze urodziny, i to by było na tyle. Konsekwentnie sam także nie kupuje biżuterii.

Danny musiał wziąć prysznic tuż przed moim przyjściem, bo jego włosy wciąż są wilgotne, a siedzę tak blisko niego, że czuję piżmowy zapach jego mydła i delikatną woń balsamu po goleniu. Wyperfumował się specjalnie dla mnie? Ciekawe. Upijam wina, żeby ukoić nerwy. Mimo jego zapewnień mających mnie uspokoić, sytuacja jest dwuznaczna, nastrój kusicielski. Zapewne tylko w mojej głowie. On jest o dekadę młodszy ode mnie. Bardziej pasowałby do Lii albo mojej siostry, mimo to czuję się zdenerwowana.

– A więc, Fay – mówi Danny, uroczo się uśmiechając. – W końcu możemy się lepiej poznać.

ROZDZIAŁ 20

– Nie krępuj się. Śmiało. Skosztuj sera – zachęca mnie Danny. – To moja kolacja.

– Moja też – przyznaję.

– Częstuj się zatem. Smacznego.

Dolewa mi wina i podaje talerzyk. Jemy w milczeniu.

Ze stojącego w rogu iPoda leci muzyka, chyba Ed Sheeran. Z braku czasu nie jestem na bieżąco i nie wiem, czego teraz się słucha, ale czasem Lija włącza radio w kuchni i docierają do mnie urywki przebojów. Lubię tę piosenkę. Wysłużona gitara stoi wsparta o ścianę. Obok niej Diggery chwilę się kręci w legowisku, aby w końcu zwinąć się w kłębek i natychmiast usnąć.

Na moim talerzu znajduje się pyszny zestaw serów: brie, stilton, wensleydale obok kilku chrupiących krakersów i winogron. Ciekawe, czy Danny kupił to wszystko w pobliskim sklepie, czy wybrał się aż do centrum miasta? Choć pewnie nie miałby tyle czasu.

– Nie powinieneś był się tak kłopotać.

– Jesteś moim pierwszym gościem na pokładzie Łapacza Snów – mówi. – Pomyślałem, że będzie miło.

– Jak długo masz łódź?

– Pół roku. Może ciut dłużej.

– Bo wyglądasz na zahartowanego żeglarza.

Śmieje się.

– Uznam to za komplement. Ale tak nie jest. Kupiłem ją pod wpływem impulsu. Wcześniej nigdy moja stopa nawet nie stanęła na pokładzie barki.

– Naprawdę?

Odpowiada mi skinieniem głowy.

– Wiem. Szaleństwo. Ale czasem układ gwiazd jest taki, że po prostu nie masz wyjścia i musisz coś zrobić. Nigdy tak się nie czułaś?

– Nie mogę powiedzieć, że tego doświadczyłam. Nigdy – przyznaję.

Boże, nawet we własnych uszach brzmię jak beznadziejna nudziara. Zawsze dążyłam do spokojnego, zwyczajnego życia wolnego od rozdzierających serce scen. I z wyjątkiem kilku emocjonalnych wybuchów ze strony matki, osiągnęłam swój cel. Uświadamiam sobie jednak, że nie jest to zajmujący temat do rozmowy na proszonej kolacji.

– Życzę ci w takim razie, żebyś przeżyła podobną chwilę, bo to niewiarygodne uczucie. Całe twoje ciało, dusza, całe jestestwo mówi, że podejmujesz absolutnie słuszną decyzję.

– Niesamowite. – Zazdroszczę mu.

– Obiecałem opowiedzieć ci o moim życiu, prawda?

– Tylko z tego powodu tutaj przyszłam – żartuję.

Śmieje się.

– Czy jest ci wygodnie?

Bez zastanowienia wciągam stopy na kanapę i zwijam się wsparta o poduchy.

– Teraz już tak.

W blasku świec oczy Danny'ego lśnią, kiedy dolewa nam wina. Opieram swój kieliszek na kolanach. Rzadko pijam alkohol, a teraz w ciągu jednego wieczoru już przekroczyłam miesięczną dawkę procentów i czuję się zadziwiająco dobrze. Dwa kieliszki wystarczyły, aby wzbudzić łagodne ciepło, którego nie czułam od wielu miesięcy. Brakowało mi tego. Ostatnimi czasy byłam napięta jak cięciwa i lampka czy dwie czerwonego wina pozwoliły mi rozwiać niepokój. Może pomogło także to, że na kilka godzin zwolniłam tempo. Niemniej czuję ciężkość w nogach i rękach, także moje oczy przyjemnie się przymykają. Łapacz Snów od czasu do czasu, gdy obok przepływa inna łódź, kołysze się łagodnie, a w otaczającej nas niczym kokon ciszy słychać tylko świergot szykujących się do snu ptaków i uderzanie fal o burtę.

– Pracowałem na giełdzie towarowej – zaczyna Danny. – W City.

– Nie wyglądasz na typowego maklera – komentuję, spoglądając na jego podarte dżinsy i znoszony T-shirt.

Uśmiecha się.

– Przyznaję, że mój strój obecnie mało mnie zajmuje. Wszystkie garnitury od Armaniego oddałem do second-handu. No, oprócz jednego.

Teraz ja muszę się uśmiechnąć.

– Początkowo bardzo mi się tam podobało. Nie przeczę. Londyński gwar, skoki adrenaliny przy podpisywaniu umów i tak dalej. Ale nie było to życie dobre na dłuższą metę. Prawie nie bywałem w domu, pozrywałem przyjaźnie z braku dostatecznej ilości czasu i troski. Pracowałem bez chwili przerwy, zarabiałem więcej, niż potrzebowałem, i nawet nie miałem czasu się tym nacieszyć. – Wzrusza ramionami. – W kółko to samo, aż do znudzenia.

Przerywa, aby się napić wina.

– Głównie współpracowałem z Rosjanami i często tam jeździłem. Częściej, niżbym chciał. Mnożyły się sytuacje, w których nie czułem się swobodnie. Alkohol lał się strumieniami. – Podniósł w górę kieliszek. – Jestem Irlandczykiem. Nie gardzę dobrym trunkiem. Ale to nie wszystko. Pojawiły się narkotyki.

I nie mam tu na myśli okazjonalnego skręta. Mocniejsze rzeczy. Któregoś wieczoru byłem na przyjęciu zorganizowanym przez ważnego partnera, z którym negocjowaliśmy znaczącą umowę. Ludzie, z którymi miałem do czynienia, byli potworni, korzystali ze wszystkiego, co im wpadło w ręce. Przez całą kolację przeciągali strunę tak bardzo, że poczułem się nieswojo. Nie miałem ochoty na wchodzenie w biznesową relację z takimi typami, ale, niestety, coraz częściej okazywało się to normą. Po kolacji wróciliśmy do hotelu. Do tego momentu było w porządku. Ale zamiast zostać w barze, poszliśmy do wynajętego apartamentu. Tam czekały na nas dziewczyny. Prostytutki. Bardzo młode. Zbyt młode. Szef powiedział mi, że dziewczyny zagwarantują dopięcie transakcji. Popatrzyłem po tych tłustych, spoconych, obrzydliwych facetach, a potem rzuciłem okiem na kobiety, dziewczyny, które chcieli wykorzystać. Zrozumiałem wtedy, że nie chcę tam być.

– Nie dziwię ci się.

– Wyłgałem się. Z trudem. Wyszedłem, złapałem taksówkę i pojechałem prosto na lotnisko, żeby pierwszym lotem wrócić do domu. Z hali odlotów napisałem szefowi SMS-a z wypowiedzeniem.

Ze zdumienia otwieram szeroko oczy.

– Naprawdę?

Kiwa głową.

– Co ci odpowiedział?

– Wpadł w furię, rzecz jasna. Byłem jego ulubieńcem. Głównym rozgrywającym. Nie spodziewał się. Ale przecież sam też tego nie planowałem. – Wzrusza ramionami. – Nie podobała mi się strona, w którą zmierzały nasze interesy, ale nie spodziewałem się, że zerwę w ułamku sekundy. Mój szef wrócił następnego dnia i SMS-em powiadomił mnie, że mimo mojego nagłego wyjścia umowa została podpisana. Gdy tylko dotarł do biura, wezwał mnie na spotkanie, żeby się dowiedzieć, dlaczego zrezygnowałem. Był przekonany, że podkupiła mnie konkurencja, ale to nieprawda. Zwyczajnie miałem dość.

Nasze spojrzenia się spotykają.

– Nie jestem święty, Fay – mówi. – Tak naprawdę daleko mi do świętości. Robiłem w życiu zarówno zawodowym, jak i osobistym rzeczy, z których nie jestem dumny. Zawierałem szemrane umowy. Nękałem ludzi tylko dlatego, że mogłem. Zraniłem wiele kobiet. Nie staram się ani być świętszy od papieża, ani udawać lepszego, niż byłem, tamta sytuacja po prostu mną szarpnęła. Została przekroczona pewna granica. Siliłem się na zawodowy profesjonalizm, a finał okazał się parszywy.

– Nie namawiali cię do powrotu?

– Tak, ale straciłem zapał, wtedy, w tym rosyjskim hotelu. To było jak przebudzenie. Poczułem, że jeśli dalej tak pociągnę, zmienię się w osobę, którą nie chciałbym być. Potrzebowałem się od tego odciąć grubą kreską. Szef bał się, że pójdę do prasy i wszystko wyśpiewam dziennikarzom. – Unosi brwi. – Myślałem, że znał mnie lepiej. W końcu skończyło się na tym, że zobowiązałem się do poufności w zamian za sowitą odprawę.

Wstaje i idzie do kuchni po butelkę białego wina. Sięgam po ser i krakersy, aby zniwelować odrobinę działanie alkoholu, bo nie jestem przyzwyczajona do picia takich ilości. Zerknąwszy na zegarek, uświadamiam sobie, że zrobiło się późno. Mam nadzieję, że mama daje radę z Liją. Wtedy uderza mnie myśl, że przez cały wieczór nie pomyślałam o niej, zalewa mnie poczucie winy. Ale nie chcę wracać. Jeszcze nie teraz. Byłam ciekawa dalszego ciągu historii Danny'ego.

Gospodarz dolewa sobie wina, ja jednak zakrywam swój kieliszek.

– Dziękuję. Jeszcze kropla alkoholu i rano nie podniosę się z łóżka.

Danny wraca do swojej opowieści.

– Nie miałem pracy, nawet nie zamierzałem jej szukać, ale miałem pieniądze. Potem poszedłem na pożegnalnego drinka, którego organizował stary kumpel wyjeżdżający na długoletni, zagraniczny kontrakt. Po kilku piwach powiedział, że wystawił na sprzedaż barkę. Miał ją już od dawna, ale prawie z niej nie korzystał. Nie chciał trzymać jej w porcie przez następne trzy lata, bo wiązało się to z opłatami. Wypiliśmy jeszcze po jednym czy dwóch piwach i uściskiem dłoni przypieczętowaliśmy umowę. Następnego dnia zostałem właścicielem Łapacza Snów. Kupiłem go, nawet wcześniej nie zobaczywszy.

Śmieję się.

– Nie pojechałeś choć rzucić okiem?

– Nie. – Kręci głową, wciąż zdumiony własną lekkomyślnością. – Łódź mogła być w kompletnej ruinie. Ale wierzyłem mu. Nie starał się naciągnąć mnie na kasę, a poza tym zobaczyłem w tym szansę na nowe życie. Wcześniej nawet nie rozważałem takiej możliwości. I jak powiedziałem, czasem sprawy tak się układają, że ma się pewność, że decyzja jest słuszna. – Z dumą rozgląda się po barce. – Poczułem całym sobą, że to będzie dla mnie dobre.

– Jesteś odważny.

Uśmiecha się.

– Tak, bo brak mi rozumu.

– Ale tego właśnie chciałeś.

– Nie obyło się jednak bez perturbacji. Utknąłem bez możliwości manewru, bo nie przewidziałem, że zimą wodę skuje lód. Dobrze, że osiadłem w miejscu oddalonym o rzut beretem od Tesco Express.

– Podejrzewam, że życie na łodzi związane jest z masą wyzwań.

– Tak. Ale plusy przeważają.

– My na Ślicznotce Merryweather tylko spędzaliśmy wakacje. Łódź była konikiem taty. Mama niezbyt za nią przepadała. Ja ją uwielbiałam i wciąż uwielbiam. Moim wielkim marzeniem, a nie mam ich zbyt wielu, jest przywrócenie jej do stanu używalności.

– Jeśli mocno tego pragniesz – mówi – tak się stanie. Pewnego dnia.

W myślach pojawia się długa lista rzeczy, które należy zrobić, żeby tak się stało, ale zachowuję to dla siebie.

Danny prostuje plecy.

– Cały czas tylko mówię o sobie. Niezbyt dobrze to o mnie świadczy.

– Skądże – zaprzeczam. – To było bardzo ciekawe.

– Znasz teraz historię mojego życia. A co z twoją, Fay?

Wtedy odzywa się mój telefon. Dostałam wiadomość. Diggery stroszy uszy.

– Przepraszam, ale muszę przeczytać. To może być mama. Została z Liją.

To nie mama, tylko Edie. Wejdź na Skype'a, pisze. To pilne.

Ze smutkiem wskazuję na telefon.

– Oto moja historia – mówię. – Matka i siostra, które nie potrafią się beze mnie obyć. Strasznie mi przykro, ale muszę już iść.

– Nic nie szkodzi – uspokaja mnie Danny. – Miło było cię tu gościć.

Nie pamiętam nawet, kiedy ostatnio słyszałam podobne słowa.

Jestem nie tylko zaniepokojona, ale też lekko wstawiona. Mam nadzieję, że u Edie nie wydarzyło się nic poważnego.

Kiedy Diggery zauważa, że wychodzę, wyskakuje ze swojego legowiska, żebym go pogłaskała. Pochylam się, aby poklepać go po łebku, a kiedy się prostuję, Danny jest tuż koło mnie. Blisko, tak blisko.

Opiera dłonie o moje ramiona i nachyla się lekko. Jego gorące usta i miękki zarost muskają mnie w policzek.

– Chciałbym mieć pewność, że bezpiecznie dotrzesz do domu. Chętnie z Diggerym cię odprowadzimy.

– Dziękuję, ale nie trzeba – odpowiadam. – Naprawdę. Dobranoc.

– W takim razie dobranoc – żegna się. – Do zobaczenia jutro.

– Dziękuję za wino i kolację – mówię. – Było bardzo miło.

Jego czarne oczy przebiegle błyskają.

– Jeśli było miło, Fay – rzuca – czy to znaczy, że jeszcze to kiedyś powtórzymy?

ROZDZIAŁ 21

Wśród gęstniejącego mroku spieszę się, ile sił w nogach, aby jak najszybciej wrócić do domu. Milton Keynes jest skąpane w pomarańczowej poświacie ulicznych latarni, ale u nas, na wsi nad kanałem, panują egipskie ciemności, powinnam była zabrać ze sobą latarkę. Na szczęcie od połowy drogi światła z domu nieco rozjaśniają panującą wokół czerń nocy.

Jest już po północy, kiedy otwieram drzwi. Zazwyczaj w tygodniu kładę się o dziesiątej wieczorem. Nawet w weekendy siedzę góra pół godziny dłużej, i to rzadko. Odpowiadam Edie, że zaloguję się na Skype'a w ciągu kilku minut.

Światło w kuchni jest zgaszone, ale pali się w salonie, oznacza to, że Lija jeszcze nie śpi. Kiedy otwieram drzwi do pokoju, leży wygodnie rozciągnięta na sofie, oglądając jakiś wyciskacz łez.

– Cześć – witam się, wtedy ona podskakuje.

Musiała spać. Jest ubrana w rozciągnięte szorty i top na ramiączkach, a wciąż wygląda jak supermodelka.

– Która godzina? – przeciera zaspane oczy.

– Właśnie minęła północ.

– Czemu tak szybko wróciłaś?

– Edie do mnie napisała. Chce porozmawiać przez Skype'a.

Lija przewraca oczami.

– Napisz jej, że nie możesz, bo jesteś na randce.

– Wiesz, jaka ona jest.

– Jak wrzód na cholernym tyłku – kwituje Lija.

– Masz rację. Ale to moja siostra. A poza tym, małe sprostowanie, nie byłam na żadnej randce.

Lija tylko cmoka z dezaprobatą.

– Idę do łóżka.

Ziewa, przeciągając się, potem wstaje z kanapy.

– Jak mama? Nie za bardzo cię męczyła?

– Stuk, puk, stuk, puk – odpowiada Lija. – O dziesiątej zaniosłam jej kakao. Dosypałam do niego szczyptę trutki. Teraz już śpi.

– Obudzi się rano?

Wzruszenie ramion.

– Prawdopodobnie.

– Dziękuję – mówię. – Naprawdę doceniam, że zostałaś. Szczerze.

– Po to właśnie ma się przyjaciół – stwierdza. – Poza tym wisisz mi teraz dodatkowe dziesięć funtów.

– To były dobrze wydane pieniądze.

Uśmiech, rzadki gość na jej twarzy, rozświetla jej oblicze.

– Masz ochotę na herbatę?

– Zaraz sobie sama zrobię.

Lija wzdycha.

– Czasem ktoś może zrobić coś dla ciebie.

– Przepraszam. Tak, z przyjemnością napiję się herbaty. Dziękuję. Bardzo dziękuję. To miłe.

Stoi, mierząc mnie wzrokiem, z dłońmi wspartymi na biodrach.

– Więc. Mów. Jak było na nierandce?

– Nasz wieczorek zapoznawczy okazał się przesympatyczny.

– Przesympatyczny. – Lija aż chrząka z dezaprobaty.

– Łapacz Snów jest przeuroczy wewnątrz. A z Dannym naprawdę przemiło nam się rozmawiało.

– Przesympatyczny. Przeuroczy. Przemiło. – Lija powtarza po mnie. – Ech. Było jakieś bzykanko?

– Lija. – Posyłam jej karcące spojrzenie, które zbywa. – Wypiliśmy kilka lampek wina i zjedliśmy trochę sera i krakersów.

– Nuda.

– Wcale nie. Było cudownie.

A nawet bardziej, ale brakuje mi słów, żeby to opisać, boję się też, że Lija znów mnie wykpi. W myślach wracam do kanapy Danny'ego na Łapaczu i spostrzegam, że od dawna nie czułam się tak zrelaksowana. Rumienię się.

Lija szeroko się uśmiecha. Nic jej nie umknie.

– Ja bym się z nim przespała – oznajmia.

– Może mam mu to przekazać?

Typowe wzruszenie ramion.

– Może sama mu to powiem.

Dotknęło mnie to, mimo niezachwianej pewności, że tylko żartowała. Przynajmniej taką mam nadzieję. Zresztą nawet jeśli poszłaby prosto na Łapacza Snów ze swoim zestawem awaryjnym w torebce, co mi do tego? Oboje są wolni. Jeśli mieliby na to ochotę, to ich sprawa.

– Zadzwonię do Edie.

– Nie pokazuj jej, że jesteś pijana – radzi mi Lija.

– Bo wcale nie jestem. – Śmieję się. – Masz rację, jestem.

ROZDZIAŁ 22

Ustawiam laptop na stoliku w salonie i chwilę później patrzę na twarz siostry. Jest wyraźnie pijana. Znacznie bardziej niż ja.

– Brandon zagroził, że przestanie mi dawać pieniądze – szlocha od początku połączenia. – Mówi, że nie stać go na utrzymywanie mnie.

– Cześć, Edie – witam się.

– Co ja teraz zrobię?

– Możesz znaleźć pracę.

– Już o tym rozmawiałyśmy.

– Niejednokrotnie.

– To nie takie proste – tłumaczy się.

– Możesz też wrócić do domu i pomóc mi w prowadzeniu cukierni.

– Opiekując się jednocześnie mamą? Nie ma mowy. Za dużo wzięłaś na siebie. Obie wiemy, że nic jej nie jest.

– Jeśli nie możesz tam zostać, to co ci innego pozostaje?

Jestem zbyt zmęczona i wstawiona, aby wykrzesać z siebie tyle współczucia, ile zazwyczaj.

– Nie przyjadę do domu, Fay. Prędzej skoczę z Empire State Building. – Nagle przerywa i bacznie mi się przygląda. – Piłaś?

– Tak, odrobinę.

Posyła mi karcące spojrzenie.

– Gdzie byłaś?

– U przyjaciela.

– U kogo? Ty nie masz przyjaciół.

– Dziękuję, Edie. – Ale trzeźwiejsza część mojej osobowości przeraża się na myśl, że może mieć rację.

– Kim jest ten przyjaciel?

– Pomaga mi teraz w trudniejszych pracach ogrodowych. Poszłam go odwiedzić.

– Spotykasz się z innym facetem? Czy Anthony wie?

– Oczywiście, że wie. I wcale się nie spotykamy. Odwiedziłam go na jego barce, która stoi zacumowana przy naszym pomoście. On mieszka na niej.

– Dobry Boże. – Moja siostra wywraca oczami. – Ty i ten cholerny, smrodliwy ściek. To jakaś obsesja.

– Nieprawda. Po prostu lubię tu mieszkać. Może nie jest to Manhattan, ale to miłe miejsce, Edie.

– Nienawidziłam tego domu, kiedy dorastałam, a teraz moja niechęć tylko wzrosła. Powinnaś zacząć żyć własnym życiem, Fay, wtedy byś mnie zrozumiała.

– Jeśli dzwonisz tylko po to, żeby się wyzłośliwiać, Edie, to chyba się rozłączę.

– Nie, błagam – prosi. – Nie rozłączaj się. Potrzebuję twojej pomocy.

Z ekranu zerkają na mnie sarnie oczy. Ten błagalny wyraz twarzy Edie doprowadziła do perfekcji, kiedy miała trzy lata, a ja wciąż nie potrafię się mu oprzeć.

– Jestem zrozpaczona i nie mam nikogo, do kogo mogłabym się zwrócić. Jesteś dla mnie wszystkim, Fay.

Przeczuwam, co teraz nastąpi.

– Czy nie przesłałabyś mi pieniędzy, siostrzyczko? Chodzi mi o pożyczkę.

– To trudny moment. – Zawsze staram się pomagać Edie, ale są pewne granice moich możliwości. – Płacę teraz Danny'emu za prace, które koniecznie trzeba zrobić.

– Danny'emu?

– Przecież właśnie ci o nim mówię, mieszka na łodzi.

Myślę o spędzonym z nim wieczorze i jak szybko Edie zdołała przegnać cały spokój i zadowolenie, które czułam. Jestem też pewna, że kompletnie już wytrzeźwiałam.

– Co jeśli Brandon nie zapłaci mojego czynszu? – załamuje się i zaczyna płakać. – Skończę na ulicy.

– Nie płacz – uspokajam ją. – Proszę, nie płacz.

Nie cierpię, kiedy jest taka smutna, i ona doskonale o tym wie.

– W takim razie pomóż mi – błaga.

Wygląda na to, że będę musiała sięgnąć do moich skromnych oszczędności przeznaczonych na renowację Ślicznotki.

Poddaję się, podnosząc w górę obie dłonie.

– W porządku. Prześlę ci, ile będę w stanie. W ramach wyjątku. Nie będzie tego za wiele. Nie jestem w stanie cię utrzymywać. Jeśli nie możesz na nim polegać, Edie, spróbuj tak się zorganizować, żeby nie być aż tak zależną od niego.

– Kocham go – odpowiada, jakby to wszystko wyjaśniało. – Tak bardzo go kocham.

Chciałabym, żeby on też ją kochał, ale nie wierzę, że tak jest.

– Muszę kończyć – mówię. – U nas jest już bardzo późno. Jutro zrobię ci przelew.

– Zrób teraz – naciska Edie, osuszając łzy. – Nim się położysz. Kilka tysięcy byłoby ekstra.

– Nie sądzę, abym miała aż tyle.

– Kocham cię ponad życie – grucha.

Wzdycham. Może na tym właśnie polega problem z Edie, ludzie bardzo rzadko jej odmawiają, dlatego uzależniła się od Brandona, który jako jedyny potrafi się jej przeciwstawić, i to z dużą częstotliwością.

– W porządku. Zobaczę, na co mnie stać.

– Kocham cię jak stąd na księżyc i z powrotem – mówi, posyłając mi całusa.

– Też cię kocham. Proszę, zadzwoń do mamy – przypominam jej. – Najlepiej w porze podwieczorku. Desperacko czeka na twój telefon. Nie rozmawiałaś z nią przez ponad tydzień i bardzo się stęskniła.

– Tak, tak – zbywa mnie.

– Dobranoc, siostrzyczko. Też za tobą tęsknię.

Ale jej już nie ma.

ROZDZIAŁ 23

Anthony zachodzi po drodze z pracy do domu. Znów był duży ruch w kawiarni. Fensonowie ponownie przyszli na lunch, bo na pokładzie Dryfującego Raju wydarzyła się kolejna katastrofa – plastikowa reklamówka okręciła się wokół steru strumieniowego, dlatego musieli ukoić nerwy przy ciasteczkach i herbacie. Mnóstwo ludzi kupowało łakocie z pokładu Ślicznotki. Teraz już jednak wszyscy poszli i właśnie kończę ogarniać kuchnię. Lija chciała upiec ciasta na jutro, ale odesłałam ją do domu, bo dziś bardzo ciężko pracowała. Oznacza to jednak, że jutro trzeba będzie zacząć skoro świt.

Anthony jest zgrzany, niespokojny. Także lekko poirytowany. Wciąż ma na sobie garnitur i pomiętą koszulę, ale przynajmniej poluzował krawat.

– Udało mi się urwać wcześniej – mówi.

– Co za miła niespodzianka – cieszę się. – Na pewno znajdzie się dla ciebie kawałek babki cytrynowej, choć dziś poszły prawie wszystkie ciasta.

– Może być – zgadza się.

Nakładam kawałek na talerzyk i podaję mu ciasto. W podziękowaniu całuje mnie w policzek.

– Robiłem dziś inspekcję przybudówki, której wielkość dwukrotnie przekroczyła normy. Nie wiem, jak mogli myśleć, że to się nie wyda.

– Chociaż ładna?

Patrzy na mnie spode łba.

– Ładna? Czy to w ogóle ma jakieś znaczenie? Złamali prawo budowlane.

– Och.

– Kosztowała ich ćwierć miliona funtów. – Przełyka kawałek ciasta. – Teraz będą musieli ją rozebrać.

– Całą? – dziwię się.

– Aż nie ostanie się kamień na kamieniu.

Wierzchem dłoni wyciera usta. Uświadamiam sobie, że są mięsiste. Czy zawsze takie były?

– Nie ma szansy na ugodę?

– Ugodę? – zaśmiewa się. – Nie ma najmniejszych szans!

– Jaka szkoda.

– Prawo jest po to, żeby go przestrzegać, Fay. Jak by wyglądało życie bez reguł?

– Mimo to szkoda mi ich. To w końcu ich dom.

Wzrusza ramionami.

– Trzeba się było dwa razy zastanowić, zanim zadarło się z Bullmore'em.

Pewnie przekroczyli pozwolenie, ale nakaz rozbiórki wydaje mi się strasznym marnotrawstwem pieniędzy i materiałów. Lepszym rozwiązaniem byłaby chyba kara grzywny lub nakaz przebudowy? Gryzę się jednak w język. Nadzór budowlany to domena Anthony'ego.

– Uroczy wieczór – rzucam. – Powinnam szybko skończyć. Moglibyśmy się przespacerować do Cosgrove i zjeść kolację w tamtejszym pubie. Mamie na pewno nic się nie stanie, jeśli zostanie sama przez godzinę.

– Hm – chrząka, dając mi do zrozumienia, że według niego nie jest to najlepszy pomysł. – Dziś wieczorem mamy kolejną próbę zespołu. Muszę tam być na ósmą.

– Och.

– Sama wiesz, jak jest, Fay – tłumaczy wyraźnie poirytowany. – Deborah wciąż nie nadąża za resztą.

– Wydawało mi się, że całkiem nieźle sobie radzi.

Na pewno wprowadziła trochę koloru do zespołu. Jestem przekonana, że nawet zmuszona do włożenia na czas występu nudnej białej koszuli i czarnych spodni wciąż będzie się wyróżniała z tłumu.

Anthony patrzy na mnie, jakby chciał powiedzieć, że nie mam w tej sprawie nic do powiedzenia.

– Możemy też zostać i zjeść w domu. Ugotuję makaron. Moglibyśmy zjeść w ogrodzie. Będzie miło. – Nie chcę go bardziej rozdrażniać.

Anthony podchodzi do tylnych drzwi, aby z zachwytem popatrzeć na ogród. Nagle szeroko rozdziawia usta.

– Jakiś podejrzany typ czai się w ogrodzie. – Anthony popycha drzwi. – Hej! Ty tam! To teren prywatny! Wynocha! Chyba pójdę go pogonić.

Nim zdąży wyjść, staję obok niego, przeczesując wzrokiem ogród w poszukiwaniu intruza.

Kiedy jednak uświadamiam sobie, kogo zobaczył, śmieję się głośno.

– Och, to tylko Danny – wyjaśniam. – Pomaga mi przy pracach ogrodowych. Mówiłam ci o nim.

– Och – zapał Anthony'ego opada. – Och.

Danny odwraca się, wtedy macham do niego. W odpowiedzi podnosi rękę, w której trzyma młotek. Moje durne serce jak zwykle przyspiesza swój rytm. Dobrze byłoby, gdyby wreszcie przestało, to w końcu graniczy z absurdem.

– Naprawił już całe mnóstwo rzeczy – wyjaśniam. – Teraz chyba zajmuje się połamanym trejażem.

– Nie wygląda mi na godnego zaufania – ocenia zdegustowany Anthony.

– Jest naprawdę świetny – sprzeciwiam się. – Naprawił zamek do toalety, zamontował parasole, zawiesił tabliczki – wskazuję je dłonią. – I zrobił tuzin innych drobiazgów. Nie wiem, co bym bez niego zrobiła.

– Wiesz dobrze, że nie mam na to czasu, Fay. – Niezadowolenie Anthony'ego przeradza się w irytację.

Najwyraźniej uderzyłam w czuły punkt. Anthony z rzadka zgłasza się na ochotnika do pomocy, chyba że chodzi o degustację wypieków.

– Mam bardzo absorbującą pracę. – Szybko jednak się poprawia: – Powiedziałbym wręcz, że wyczerpującą.

– Wiem o tym. – Gładzę dłonią klapę jego marynarki, chcąc go udobruchać. – Ale to wszystko samo się nie naprawi. Cieszę się, że mam pomoc. Poza tym Danny jest bardzo miły.

Anthony prycha.

– Wygląda mi na awanturnika, tych przecież nie brakuje na kanale.

Mam na końcu języka, że pozory mylą, ale zachowuję to dla siebie. Zamiast tego proponuję:

– Zagotuję wodę. Zdejmij na chwilę marynarkę.

Słucha się, ale ostentacyjnie grymasi, wreszcie zawiesza marynarkę na oparciu krzesła, prostując jej rękawy. Anthony jest na nieustannej wojnie z pogniecionymi ubraniami.

– Może poszedłbyś przywitać się z mamą? Wstała dziś lewą nogą. Pewnie z powodu poprawy pogody. Zawsze cieszy się, kiedy do niej zaglądasz. Zapytaj, czy nie miałaby ochoty na herbatę?

– Dobrze. – Wchodzi po schodach na górę, słyszę, jak woła: – Witaj, Mirando! Jak się dziś czuje najpiękniejsza z dam!?

Anthony ma świetne podejście do mamy, która z tego powodu uważa go za ósmy cud świata. Choć nie przeszkadza jej to utyskiwać i twierdzić, że nieformalny charakter naszego związku jest źródłem jej wielkiej zgryzoty.

Zabieram się do parzenia herbaty.

Gdy tylko Anthony znika na górze, jego telefon pika. Nowa wiadomość. Sekundę później kolejna. Czekając, aż zagotuje się woda, sięgam do kieszeni marynarki po jego iPhone'a. Naciskam ikonę wiadomości, żeby sprawdzić, czy to nie coś ważnego z pracy.

Pierwsza wiadomość jest od jakiegoś Johna: „Przepraszam za odwołanie golfa w ostatniej chwili. Pt. aktualny?".

To dlatego przyjechał dziś wcześniej, bo golf został odwołany. Jestem rozczarowana, mimo że nie powinnam. Sądziłam, że choć raz przyjechał prosto z pracy tylko dlatego, że się stęsknił za mną.

Otwieram następną wiadomość. To SMS od Deborah. „Do zobaczenia o 20. Nie mogę się doczekać. Buziaczki".

Niesamowite. Gra na dzwonkach musi ją zachwycać. Uśmiecham się do siebie. Są gusta i guściki.

Zostawiam telefon Anthony'ego na stole. Przynajmniej żadna z wiadomości nie daje powodu do niepokoju.

ROZDZIAŁ 24

Mija tydzień za tygodniem, aż wreszcie zmienia się pogoda. Niespodziewanie, jak to bywa w Anglii, temperatura wzrasta do dwudziestu pięciu stopni i codziennie cieszymy się bezchmurnym niebem. Mam wrażenie, że mieszkam nad Morzem Śródziemnym, a nie w okolicy Milton Keynes.

Z Liją bynajmniej się nie nudzimy. Nie mam czasu podrapać się po głowie, nie wspominając już o niczym innym. Ledwie się widuję z Anthonym, który wykorzystuje poprawę pogody na nieustanną grę w golfa. Jeździ też na liczne próby zespołu, bo Festiwal nad Kanałem zbliża się wielkimi krokami. Wiem, że z ich punktu widzenia jest to wielkie wydarzenie, ale słuchając Anthony'ego, ma się wrażenie, że wystąpią na wypełnionym po brzegi Wembley.

Od Wielkanocy z każdym dniem przybywa nam klientów. Wydaje się, jakby wszyscy w okolicy marzyli wyłącznie o podwieczorku i herbacie w naszej kawiarni. Niebawem będę musiała przejechać się na wyprzedaż garażową lub zajść do outletu, żeby kupić kilka dodatkowych piętrowych pater na ciasta i porcelanowych filiżanek oraz talerzyków, bo kilkakrotnie nieomal zabrakło nam zastawy. Ciasta, dżemy i lemoniada z pokładu Ślicznotki sprzedają się na pniu, nie ma chwili, żeby jakaś łódź nie zatrzymywała się przy burcie naszej barki lub Łapacza Snów.

Lija przemieniła się w maszynę do wyrobu ciast, w konsekwencji czego wkłada mniej serca w swoje wypieki, za to krasi je potężną porcją przekleństw.

– Cholerny biszkopt – złowrogo mruczy, wsuwając kolejne ciasto do piekarnika.

– Zaniosę lunch Stanowi – rzucam szybko, umykając jej z drogi, aby fala inwektyw nie popłynęła w moją stronę.

W ogrodzie Stan siedzi pod parasolem zamontowanym kilka tygodni temu przez Danny'ego. Diggery śpi u jego stóp. Z radością zauważam, że piesek stał się, podobnie jak jego pan, stałym punktem naszej kawiarni.

Dziś minestrone.

– Och – cieszy się, oblizując usta. – Moja ulubiona.

Siadam przy jego stoliku i pomagam mu rozłożyć na kolanach serwetę.

– Jak się miewasz, Stan? Chyba przez ostatnie dni nie miałam czasu zamienić z tobą słowa.

– Wybornie – odpowiada. – Po prostu wybornie.

Po raz kolejny zwracam uwagę, jak bardzo różni się od mojej mamy. Jest od niej o kilkanaście dobrych lat starszy i mimo że mógłby znaleźć więcej powodów do narzekań niż ona, nigdy nie pozwala sobie nawet na najmniejszą skargę.

– Dobrze, że interes kwitnie – stwierdza.

– Tak.

Dzięki temu wpływają tak potrzebne nam fundusze; pozornie przeznaczone na remont Ślicznotki, ale większość skapuje, a raczej spływa strumieniami, na konto Edie.

– Młody Danny ma rękę do ogrodu.

Stan kiwa głową w stronę mojego pomocnika, który pracuje nieopodal. Teraz, gdy większość naglących prac została zrobiona, Danny zajmuje się malowaniem i właśnie odświeża ramy okienne w wychodku, które straszliwie ucierpiały na skutek deszczu i mrozu.

– Wszystko aż lśni. Pewnie będzie ci go brakować, kiedy odpłynie.

Jego słowa trafiają mnie niczym obuchem. Odpłynie?

Momentalnie zasycha mi w ustach i z trudem wyduszam z siebie:

– Czy wspominał ci o tym?

Mnie nic na ten temat nie mówił. Ale od czasu przemiłego wieczoru na pokładzie Łapacza Snów prawie nie zamieniliśmy słowa na inny temat niż prace ogrodowe. Nasza szybka wymiana uwag związanych z remontem i naprawami odbywa się zazwyczaj w obecności Lii. Nie zaprosił mnie już więcej do siebie. Może w przeciwieństwie do mnie wcale nie bawił się aż tak dobrze. Zabrakło mi odwagi, żeby zaprosić go na kolację do domu. Poza tym, co by pomyślała sobie mama? A Anthony? Nie wyobrażam sobie nas trojga, Danny'ego, Anthony'ego i mnie miło konwersujących przy stole nad półmiskiem makaronu.

– Wspomniał, że wybiera się do Londynu spotkać się z przyjaciółmi – odpowiada Stan.

– Och.

Wiedziałam, że Danny w końcu wyjedzie. Już niewiele go tu trzyma. Stan ma rację, ogród wygląda jak spod igły. Większość popsutych rzeczy została naprawiona i jeśli nie zaangażuję go do remontu domu, to nie ma powodu, aby go dłużej przetrzymywać. Zresztą naprawy, za które jestem mu wdzięczna, kosztowały mnie niemało i znacznie nadwyrężyły stan mojego konta. Przy uwzględnieniu pomocy finansowej dla Edie teraz ledwie wiążę koniec z końcem. W tym tygodniu przelałam jej kolejny tysiąc funtów, bo jej sytuacja wciąż jest fatalna. Oznacza to, że muszę liczyć się z pieniędzmi.

Podaję Stanowi sztućce. Zaczyna jeść zupę. Łyżka delikatnie drży, kiedy podnosi ją do ust.

– Wieki całe nie byłem w Londynie – rozmarza się. – Wiele lat temu pracowałem dla Muzeum Brytyjskiego, katalogowałem eksponaty z egipskiej kolekcji. Powinniśmy tam się wybrać pociągiem, Fay. Spodobałoby ci się. Z przyjemnością rzuciłbym okiem na ich skarby. Nieraz natrafiałem na prawdziwą perłę.

– Nie wiedziałam.

– Och, mam jeszcze wiele sekretów – śmieje się. – Moje życie było ciekawe, pasjonujące, Fay. Tyle widziałem! Tyle zrobiłem! Gdyby Bóg zechciał mnie zabrać do siebie choćby jutro, niczego bym nie żałował.

– Nie mów tak, Stan.

– To prawda. Nie zmarnowałem ani jednej chwili. Po wojnie pracowałem jako pilot doświadczalny. Brałem udział w ekspedycjach do Nepalu, a raz nawet wyprawiłem się na biegun północny. Występowałem w filmach jako pilot kaskader. Pewnie raz czy dwa widziałaś mnie na ekranie! Dwukrotnie w wakacje tropiłem Nessie.

– Potwora z Loch Ness?

– Uwierzyłabyś?! To był pomysł mojego przyjaciela. Sonar wyłapał kilka niezidentyfikowanych szmerów i na tym się skończyło. Zabawa była jednak przednia. Wypiliśmy morze wybornej whisky.

Zupa spływa mu po podbródku, pomagam mu ją zetrzeć.

Wzdycha i patrzy na mnie z łyżką zawieszoną w pół gestu.

– Tak naprawdę chcę ci powiedzieć, może trochę dookoła, że żyje się tylko raz. Tylko raz się chodzi po ziemi, Fay. Dlatego trzeba czerpać z życia garściami. – Ojcowskim gestem klepie mnie w kolano, co bardzo mnie wzrusza. – Wykorzystałem każdą okazję, która mi się przytrafiła, i dzięki temu zobaczyłem kawał świata. Tego nic nie zmieni.

Stan głośno śmieje się do swoich wspomnień.

– Nie jestem pewna, czy przy prowadzeniu kawiarenki nad kanałem życie zaoferuje mi to, co tobie.

– Czasem okazja puka do naszych drzwi, my jednak wolimy nie słyszeć. – Stan spogląda na Danny'ego, a ja idę w ślad za jego spojrzeniem.

Nie jestem pewna, co przez to rozumie, ale wiem, że nie chcę, żeby Danny wyjechał. Nie mam, niestety, nic w tej kwestii do powiedzenia.

– Uważaj, żeby nie dożyć do mojego wieku z bagażem żalów za zaprzepaszczonymi okazjami – radzi. – To przez to staniesz się stara i zgorzkniała.

Podnoszę się, całuję go w policzek.

– Jesteś najukochańszym i najbardziej żwawym dziewięćdziesięciotrzylatkiem, jakiego kiedykolwiek znałam, dlatego musisz mieć rację.

– Posłuchaj się mnie zatem – odzywa się poważnym głosem. – Weź moje rady do serca.

– Obiecuję – przyrzekam. – Jeśli kiedykolwiek dostanę od życia szansę, to przysięgam, że z niej skorzystam.

Wracam do domu niespokojna i pełna zadumy. Wiodę spokojne życie, w oderwaniu od wielkiego świata. Mówię sobie, że nie jestem niezadowolona. Uwielbiam dom, kawiarnię, klientów. Anthony'ego. Czy to źle?

– Co się stało? – pyta Lija, ścierając mąkę z bladego policzka. – Wyglądasz, jakby na głowę spadły ci wszystkie nieszczęścia świata.

– Właśnie rozmawiałam ze Stanem.

– To wystarczy, żeby popaść w depresję – podsumowuje Lija. – Wojna, wojna, wojna. Opamiętaj się, starcze, świat poszedł do przodu.

Śmieję się.

– Wcale nie jest taki. Powinnaś znaleźć chwilę, żeby z nim porozmawiać, Lijo. Stan miał naprawdę barwne, pełne przygód życie. Gdyby nam było dane przeżyć podobne, spotkałoby nas wielkie szczęście.

– Skąd w takim razie ten smutek?

Ściszam głos.

– Stan mi powiedział, że Danny wyjeżdża. Spodziewałam się, że tak się stanie pewnego dnia, ale muszę przyznać, że lubię, kiedy jest w pobliżu.

– Lubisz? – obrusza się Lija. – Lubisz! Sama siebie tylko posłuchaj. – Mocno szarpie mnie za sweter. – Zrzuć to do cholery i bzyknij go, nim odjedzie. Wygląda na niezłego ogiera.

– Lijo Vilks, przestań namawiać mnie, żebym go bzyknęła! – Ukradkiem rozglądam się, żeby mieć pewność, że Danny'ego nie ma w pobliżu. Biorąc pod uwagę moje szczęście, jest to bardzo prawdopodobne. – Jesteś okropna. Za kogo ty mnie uważasz?

– Za zdesperowaną, starą babę.

– Nie zgadzam się. Nie jestem, co prawda, już młoda, to prawda, ale nawet gdybym była... zdesperowana... Danny jest ode mnie dużo młodszy. Zresztą łączy nas inna relacja! – Nie zważam na galopujące serce. – Jesteśmy przyjaciółmi.

Nie wydaje się ani trochę przekonana.

– Byłby świetny. Znam się na tym. Mam wyczucie w tych sprawach.

Bezwstydna ocena jego męskości wręcz odejmuje mi mowę. Jestem w stanie tylko dorzucić:

– Mam też bardzo sympatycznego partnera.

– Anthony wygląda, jakby miał małego ptaszka – stwierdza Lija.

– A ty masz niezwykle niewyparzony język – oburzam się, zamaszyście kręcąc głową. – Całe szczęście, że potrafisz dobrze piec, bo inaczej już dawno bym cię zwolniła.

W tej chwili, oczywiście, do kuchni wchodzi Danny.

– Lijo, chyba nie sprawiasz żadnych problemów?

– Nie – przeczy z miną niewiniątka. – Staram się jedynie pomóc.

Wstrzymuję oddech, przerażona, że powie Danny'emu, o czym rozmawiałyśmy, ale na widok przestrachu wymalowanego na mojej twarzy na szczęście postanawia mi tego oszczędzić.

– Chciałbym zamienić z tobą słowo – mówi Danny, głową zapraszając do oddalenia się na bezpieczną odległość od nadludzko czułych uszu Lii.

Rzucając jej po raz ostatni ostrzegawcze spojrzenie, wychodzę za nim na werandę. Przy dwóch stolikach ludzie jedzą lunch, a trzy starsze panie przy kolejnym wkrótce będą potrzebować świeżej herbaty, nie mam zatem zbyt wiele czasu. Danny przystaje i opiera się o ścianę w kącie osłoniętym baldachimem wisterii.

Mimo przyjemnej temperatury na zewnątrz, kiedy zatrzymuję się tuż przed nim, aby posłuchać, co ma mi do powiedzenia, czuję, jak przechodzi mnie dreszcz.

– Skończyłem już wszystkie prace ogrodowe, Fay – mówi. – Nie mam już nic więcej do roboty.

– To prawda – zgadzam się. – Świetnie sobie poradziłeś. Wiem, że nie oszczędzałeś się i ogród pięknie teraz wygląda.

Potrzebował zaledwie odrobiny czułej troski. Być może nie tylko ogród. Każdy z nas jej potrzebuje, aby rozkwitnąć.

– To trudne – ciągnie i jestem pewna, że głos mu się lekko łamie. – Trudniejsze, niż się spodziewałem. – Głośno wypuszcza powietrze z płuc. – Czas na mnie, Fay. Wyjeżdżam na chwilę. Jeden z moich przyjaciół żeni się i poprosił, abym został jego drużbą. Wracam do Londynu pomóc mu w przygotowaniach do ślubu. Choć sam nie wiem, co mnie tam czeka. Wybór garnituru i tak dalej, jak sądzę.

– To miłe.

– Nigdy nie byłem w takiej roli, dlatego chciałbym być na miejscu, żeby stanąć na wysokości zadania. Zorganizować wieczór kawalerski i tym podobne. Nie będzie mnie przez kilka tygodni. Może nawet dłużej.

– Ale wrócisz?

Mój głos zdradza niepokój, jest zbyt błagalny. Powinnam dać sobie kuksańca.

– Nie wiem – odpowiada. – Wieczny włóczęga jedzie tam, gdzie los mu każe. Zobaczymy, co się wydarzy. – Zakłopotany, śmieje się. – Nie mogę spędzić reszty życia przycumowany do twojego pomostu.

– No tak.

– Ale nie chciałbym wyjechać bez porządnego pożegnania. – Gdy to mówi, smutek rzuca cień na jego zazwyczaj radosną twarz. – Nie wybrałabyś się ze mną na jednodniową wycieczkę na pokładzie Łapacza Snów? – wyrzuca z siebie niepewny i jakby onieśmielony. – Pomyślałem, że moglibyśmy popłynąć do Leighton Buzzard. Jeśli miałabyś ochotę. W drodze tutaj minąłem kilka fantastycznych miejsc. Rzuciłem okiem na mapę i choć musisz zajmować się mamą, to może moglibyśmy zjeść lunch w pubie i wrócić na wieczór.

– Byłoby cudownie. – Uświadamiam sobie, że zgodziłam się, nim skończył mówić.

– Czy poniedziałek byłby dla ciebie dobry? Wtedy kawiarnia jest zamknięta.

To najprawdopodobniej jedyny dzień, kiedy mogłabym się stąd wyrwać.

– Tak sądzę. Muszę zapytać Liję, czy zajmie się mamą.

– Fay – mówi miękko. – Podobna okazja może się już nie zdarzyć.

Nagle na myśl o tym czuję, że nie mam sił. Nie mogę już dłużej znieść tego wszystkiego.

ROZDZIAŁ 25

– Nie zgadzam się. Nie zostanę pod opieką tej potwornej Łotyszki! – mama podnosi głos. – Jest dla mnie niemiła.

– Ona taka po prostu jest, mamo. Dla każdego.

Kto by pomyślał, że zorganizowanie jednodniowego wyjazdu okaże się aż tak trudne?

– Zwleka, kiedy ją wołam.

– Na pewno nie robi tego celowo. Po prostu jej opieka jest mniej przykładna niż moja.

Lata praktyki sprawiły, że doprowadziłam do perfekcji swoje zdolności opiekuńcze.

Mama odwraca się do ściany. Jeśli chcę w tym domu usłyszeć pochwałę, muszę ją sobie powiedzieć sama.

– Nie wezmę pielęgniarki – przypominam jej. – Pokłóciłaś się z ostatnią, którą miałyśmy.

– Wyglądała na zołzę – stwierdza mama. – Jakby miała ochotę mnie uszczypnąć, gdyby jej tylko na to pozwolić.

– Była miła i bardzo się zasmuciła, kiedy ją wyrzuciłaś za drzwi.

– Ostrożności nigdy za wiele – rzuca mama.

Sprawdzam godzinę.

– Spóźnię się.

– Dlaczego musisz wychodzić? Znowu. Ostatnio ciągle cię nie ma. Wcześniej taka nie byłaś.

– Chcę mieć życie poza tymi czterema ścianami – wyjaśniam jej. – Ty też powinnaś. Jest cudowna pogoda. Ogród wygląda przepięknie. Powinnaś zerknąć na powojnik. Jest zachwycający. Mogłabym ci pomóc zejść po schodach, usiadłabyś sobie na dole.

– Jestem zbyt słaba – broni się.

Wszystko można powiedzieć o mojej matce, ale na pewno nie to, że jest słaba.

– Do zobaczenia wieczorem. Bądź grzeczna i miła dla Lii.

– Nie mów tak do mnie, nie jestem dzieckiem – wzdryga się wyniośle.

Ale się zachowujesz jak dziecko, odgryzam się w myślach.

– Kocham cię. – Całuję ją w policzek. – Włączyć ci telewizor?

– Nie ma nic ciekawego do oglądania.

– Szybko wrócę – obiecuję, choć wiem, że jeśli dobrze pójdzie, wyjadę na cały dzień.

Gdy tylko wychodzę z pokoju, włącza telewizor. Nic jej nie będzie, uspokajam się. Wszystko będzie dobrze.

Na dole instruuję Liję:

– Gotowy lunch jest w lodówce. Wstaw go tylko do mikrofalówki. Pamiętaj jednak, że nie przepada za zbyt gorącym jedzeniem.

– Ani zbyt zimnym.

– Racja.

– Nie robię tego pierwszy raz – mówi Lija, wspierając dłonie na biodrach. – Czy kiedykolwiek mi umarła?

– Nie.

– Dziś też nie umrze.

– Bardzo mnie podniosłaś na duchu.

– Idź już – ponagla mnie. – Bo pojadę z nim zamiast ciebie.

– Masz rację. Pamiętaj o Stanie. Bądź dla niego miła.

Odpowiada mi spojrzeniem, z którego wyczytuję, że przeholowałam. Stan jednak przychodzi codziennie, nawet kiedy jest zamknięte, staram się go nakarmić. Zazwyczaj w poniedziałki zanoszę mu jedzenie do domu, bo nie mogę znieść myśli, że byłby głodny. Mogę polegać na Lii, na pewno o nim nie zapomni, ale nie chciałabym, żeby obsługiwała go z niechęcią. Stan rzadko kiedy je coś więcej niż zupę i kanapkę czy kawałek ciasta na deser, ale przynajmniej mam pewność, że nie chodzi o pustym żołądku.

– Nie zamierzam też uśmiercać śmierdzącego Stana – zapewnia mnie mrukliwie.

– Jak wyglądam?

Włożyłam jedyną letnią sukienkę, jaką mam, a której ze względu na chłodne lata ostatnimi czasy prawie nie nosiłam. Jest w kwiecisty wzór i nieco przylega do ciała, a zazwyczaj unikam takich ubrań. Cieszę się jednak, że wciąż na mnie pasuje. Choć musiałam się nieco namęczyć z suwakiem. Wiruję przed Liją.

Moja pomocnica wzrusza tylko ramionami.

– W porządku.

– Dzięki.

W ustach Lii tak właśnie brzmi najlepszy komplement. Waham się przez sekundę, zagryzam wargę.

– Denerwuję się – przyznaję.

– Pij dużo wódki – radzi mi.

– Zadzwonisz, gdyby cokolwiek złego stało się z mamą?

– Nie. Baw się dobrze. Wszystko, co złe, na pewno na ciebie poczeka.

– Słusznie. Do zobaczenia później.

Przegania mnie ręką, biorę zatem blaszkę z pięknie wypieczonym czekoladowo-imbirowym plackiem i kapelusz, a potem podchodzę do drzwi.

– Nie zapomnij swetra starej panny – mówi Lija.

– Och, nie.

Podaje mi go.

– Chciałam ci oszczędzić ataku paniki.

– Dziękuję.

Zarzucam sweter na ramiona i wychodzę.

Maszerując w dół ogrodu, gdzie stoi zacumowany Łapacz Snów, czuję lekkie mdłości, nie mam jednak pewności, czy bardziej się boję, czy raczej jestem aż tak podekscytowana. Danny, ze względu na jego młody wiek albo swobodny sposób bycia, zawsze sprawia, że czuję się przy nim jak niezdarna nastolatka, której ciągle brakuje słów.

Kiedy zbliżam się do pomostu, wita mnie znajomy tupot łap. Dzisiaj Diggery ma na szyi elegancką czarną apaszkę w białe czaszki i piszczele. Szczeka radośnie na mój widok.

– Witaj, piesku.

Mierzwię mu sierść na uszach, wywołując wybuch prawdziwego entuzjazmu. Gdyby równie łatwo dało się udobruchać mężczyzn.

– Hej.

Danny stoi na dziobie Łapacza Snów, gotowy, aby mnie powitać na pokładzie. Wyraźnie widzę ulgę na jego twarzy, kiedy mówi:

– Obawiałem się, że nie przyjdziesz.

– Nie mogłabym nie przyjść – zapewniam go. – Minęło tak dużo czasu, od kiedy po raz ostatni żeglowałam barką po kanale. Absurdalnie dużo, biorąc pod uwagę fakt, że mieszkam tuż nad wodą.

– Zgadzam się – przytakuje. – Wstawiłem kawę.

– A ja przyniosłam ciasto.

– Dlatego właśnie cię kocham – rzuca, po czym wymieniamy zawstydzone spojrzenia.

Wchodzimy do kajuty, dając przykład wielkiej uprzejmości, bo przepuszczamy siebie nawzajem, aż wreszcie stajemy w kuchni i Danny nalewa nam kawy. Stawiam blaszkę na blacie i wtedy zaczynamy pokraczne pląsy, kręcąc się wokół siebie w tej ograniczonej przestrzeni. W obliczu jego bliskości czuję się tak dziwacznie, że wszystko zaczyna mi lecieć z rąk. Niezdarnie potykam się o sprzęty. Zazwyczaj się tak nie zachowuję. Nieomal upuszczam kubek, który mi podaje, ale udaje mu się w porę go złapać.

– Przepraszam – mówię. – Przepraszam.

– Chodźmy z kawą na zewnątrz, jest dziś przepięknie. W internecie znalazłem fajny pub z ogródkiem. Wszystko zależy od przepraw przez śluzy, ale powinniśmy dopłynąć tam w porze lunchu.

– Świetnie.

– Fay, chciałbym, żebyś dziś się zrelaksowała. Łapacz Snów pochłonął całe moje oszczędności i naprawdę mi pomogłaś w ostatnim czasie. Dlatego chciałbym ci w ten sposób podziękować.

– To bardzo miłe.

Przechodzimy na rufę, Danny po drodze ściąga liny. Diggery drepcze naszym śladem. Tak dawno nie płynęłam łodzią, że niemal zapomniałam, co należy robić. Na tyle Łapacza Snów jest wystarczająco dużo miejsca, żebyśmy stali, nie wadząc sobie nawzajem, ale wciąż jesteśmy bardzo blisko siebie. Stawiamy kubki na pokrywie włazu i Danny odpala silnik. Potem zeskakuje, żeby zwinąć ostatnią linę.

– Za mną, Digs! – woła i piesek wskakuje wraz z nim na pokład, a potem zatrzymuje się przy naszych nogach, węsząc w powietrzu.

Czuję się zażenowana, kiedy tak stoję u jego boku wystrojona w sukienkę, kapelusz i, rzecz jasna, sweter, przedmiot nieustannych drwin i szyderstw. Danny jest ubrany dużo swobodniej i stosowniej do sytuacji niż ja. Może trzeba było poprosić Liję o pomoc w wyborze ubrania. Ma na sobie szary, rozciągnięty T-shirt i rozdarte jasne dżinsy. Na nogach zasznurował swoje ciężkie, czarne buty. Tęsknię za widokiem jego bosych stóp, które podziwiałam podczas mojej ostatniej wizyty na Łapaczu Snów. Dlaczego sama nie włożyłam dżinsów? Sukienka jest lekką przesadą. Ale rzadko miałam okazję się stroić, dlatego nie powinnam żałować.

– Wspaniale wyglądasz – mówi, jakby czytał w moich myślach.

– Dziękuję – rumienię się, nieprzyzwyczajona do komplementów. – To stara sukienka.

Czuję się jak idiotka, trzeba było ugryźć się w język.

Danny otwiera przepustnicę i odsuwamy się od brzegu, czuję, jak przechodzi mnie dreszcz.

– To ekscytujące – mówię.

Uśmiecha się do mnie, aż mi serce podskakuje w piersi.

– W każdej chwili możesz przejąć ster, jeśli tylko masz ochotę.

– Całe lata nie sterowałam łodzią.

– To jak jazda na rowerze – zapewnia mnie. – Błyskawicznie sobie przypomnisz.

Oddalamy się od kawiarni, zostawiając w tyle Ślicznotkę Merryweather. Powietrze jest rześkie, choć zapowiada się gorący dzień. Kiedy prujemy przez wodę, czuję, jak bryza owiewa mi włosy. Wypływamy z wioski, mijając ogrody, które na wzór mojego podchodzą pod sam brzeg kanału. Płaczące wierzby chylą się nisko, muskając liśćmi taflę wody. Obok nas przepływa stado kaczek, na których widok Diggery reaguje entuzjastycznym szczekaniem.

Niebawem z obu stron otaczają nas tylko szczere pola. Łagodny krajobraz Buckinghamshire ciągnie się aż po horyzont. W panującej wokół ciszy słychać tylko chrapliwy warkot silnika.

Wzdłuż brzegu stoją zacumowane ładne barki, myślę wtedy, jak to wspaniale, że niegdysiejsze drogi przemysłowe są dziś tak cenioną częścią naszego dziedzictwa. Dla wielu ludzi kanały wciąż stanowią sposób na życie.

O tej porze jesteśmy jedyną łodzią, która płynie, i na tym odcinku kanału nie ma też żadnych śluz, dlatego szybko posuwamy się naprzód. Jednak istota żeglugi kryje się w zwolnionym tempie. Podróż barką zmusza do zaprzestania codziennej bieganiny.

– Nie ma chyba nic bardziej odmiennego od życia, które prowadziłeś w wielkim mieście – mówię do Danny'ego.

– Racja. Cieszę się z tego. – Delikatnie manewruje sterem, gdyż zbliżamy się do zakola. – Dopiero od niedawna tak żyję, ale uwielbiam to.

– Pewnie już ci wspominałam, że mój kochany tata marzył o życiu na łodzi – mówię, obiema dłońmi obejmując kubek kawy. – Tak wyobrażał sobie niebo. Nigdy nie czułam się bardziej szczęśliwa niż podczas rodzinnych wakacji na Ślicznotce, ale ani moja młodsza siostra Edie, ani mama nie przepadały za żeglowaniem. Szczególnie mama. Z braku innego wyjścia zmuszała się do tygodniowej wyprawy, ale wolałaby spać w hotelu.

– Nie wiem, co bym zrobił, gdyby moja partnerka miała tak odmienny styl bycia. – I szybko dorzuca: – Choć na razie nie planuję wiązania się z nikim.

– Nie uważasz, że przyjemnie byłoby dzielić się tym z drugą osobą?

– Tak, pewnie masz rację – wzdycha. – Prawdopodobnie w ostatnich latach stałem się zbyt samowystarczalny. A może raczej samolubny.

– Wcale mi na takiego nie wyglądasz.

– Większość kobiet, z którymi się spotykałem, była dość płytka. Należały do gatunku poszukiwaczek dużych pieniędzy i dobrej zabawy. Zresztą nie różniłem się od nich zbytnio – przełyka ślinę. – Teraz interesuje mnie inna, głębsza relacja.

– Gusta zmieniają się z wiekiem. – Nawet nie mam odwagi popatrzeć mu prosto w oczy. – Innych rzeczy oczekujemy od partnera, kiedy mamy dwadzieścia lat, a innych dekadę później.

– A co z tobą? – pyta ze wzrokiem utkwionym na wodzie. – Czy Anthony w ogóle planuje oświadczyny?

– Nie wiem – odpowiadam szczerze. – Jesteśmy ze sobą od tak dawna, że chyba przegapiliśmy odpowiedni moment.

– Małżeństwo to zresztą tylko świstek papieru.

– Zgadza się – przytakuję.

Naprawdę? Wciąż wierzę we wszystko, co kryje się za tym świstkiem. Gotowość do dzielenia życia z drugą osobą. Dopóki śmierć nas nie rozłączy. Czy jednak w głębi serca marzę o małżeństwie z Anthonym?

Nabraliśmy przyzwyczajeń wynikających z długiego bycia razem, ale czy naprawdę chcemy związać się na całe życie? Czy jest dla mnie odpowiednim partnerem z tym swoim nadzorem budowlanym, golfem i cholernymi dzwonkami bim-bam-bom? Oboje z Anthonym wiedziemy spokojny żywot starego dobrego małżeństwa, ale patrząc na stojącego u mego boku młodego przystojniaka, nie mam pewności, czy mimo wszystko jestem już na to gotowa?

ROZDZIAŁ 26

Słońce wznosi się na niebie. Jest na tyle ciepło, że ośmielam się ściągnąć mój ukochany, ciepły i wygodny sweter, aby wystawić nieprzywykłe do słońca nagie ramiona na pieszczotę jego gorących promieni. Naciągam delikatnie kapelusz, aby osłonić oczy. Danny zakłada okulary przeciwsłoneczne, w których wygląda jeszcze bardziej pociągająco, jeśli to w ogóle możliwe. Wspaniale się prezentuje u steru łodzi. Stylowy facet pośród gromady, cytując słowa Anthony'ego, pociesznych emerytów i niechlujnych typków z dredami, których zazwyczaj nie brak na kanale. Staram się nie wpatrywać w niego zbyt nachalnie.

Zwinięty w kłębek Diggery usnął na słońcu, jego przednie łapy od czasu do czasu podrygują. Na niebie nie ma ani jednej chmurki, a na nadbrzeżnej ścieżce pojawia się coraz więcej rowerzystów, joggerów i ludzi wyprowadzających psy na spacer.

– Trzymaj, Fay – mówi Danny. – Przejmujesz ster.

– Oj. Boję się.

– Dasz sobie radę. Pomogę ci.

Zwalnia mi miejsce i ostrożnie staję przed nim. Wtedy kładzie dłoń na mojej talii. Chwytam ster. Czuję suchość w ustach.

– Staraj się zawczasu planować kolejne ruchy – radzi. – Steruj powoli i pewnie.

Przód łodzi natychmiast zaczyna skręcać, kładzie mi zatem jedną rękę na ramieniu, a drugą chwyta za moją dłoń, żeby nią pokierować. Kiedy mnie dotyka, czuję ciepło jego skóry.

– Powoli – mruczy mi do ucha.

Mówiąc szczerze, w tym momencie ledwie jestem w stanie utrzymać się na nogach. Drży każda cząstka mojego ciała. Podejrzewam jednak, że niespokojne mrowienie wcale nie jest wynikiem sterowania łodzią, choć wolałabym, żeby tak było. Stoi tak blisko mnie, czuję jego silne ciało. Zamiast patrzeć przed siebie, rzucam okiem na napinające się mięśnie jego ramion.

– Skoncentruj się, Fay – mówi. – Niebawem dotrzemy do śluzy i chciałbym, żebyś przejęła ster, podczas gdy ja zajmę się wrotami.

– Dobrze – zgadzam się. – W porządku.

Skup się, Merryweather, skup się.

Danny śmieje się.

– Wyglądasz na przerażoną.

– To wcale nie przypomina jazdy na rowerze. – Choć na szczęście moje umiejętności sternika przewyższają o oczko Fensonów. – Wszystko zapomniałam.

Dlatego Danny zostawia swoje dłonie tam, gdzie są, i razem ostrożnie i powoli sterujemy Łapaczem Snów.

ROZDZIAŁ 27

Kiedy docieramy do pierwszej śluzy, Danny chwyta za linę i kołowrót, żeby otworzyć wrota.

– Dasz sobie radę?

– Będzie dobrze – zapewniam go. – Nie jestem już wcale kłębkiem nerwów. Możesz bezpiecznie powierzyć mi swój dom i cały dobytek.

Mruga do mnie i zeskakuje na brzeg. Diggery budzi się i rusza w ślad za nim.

– Jesteś mistrzynią – mówi. – Tylko pamiętaj, nie spiesz się.

Otwiera wrota, a ja z mokrymi od potu dłońmi i z sercem niespokojnie walącym w piersi wprowadzam łódź do śluzy. Pod nosem powtarzam sobie:

– Nie uderz w ścianę. Nie uderz w ścianę.

To tylko pokazuje, jak dawno tego nie robiłam, kiedyś mogłabym sterować Łapaczem Snów z zamkniętymi oczami.

Danny zamyka za mną wrota i powoli otwiera górny przepust śluzy, pozwalając wodzie wypełnić komorę. Łapacz Snów spokojnie unosi się na pieniącej się wodzie. Chwytam za ster, żeby nie dopuścić do uderzania burt o ściany, ale z ulgą zauważam, że po bokach wisi dostatecznie dużo odbijaczy.

Kiedy woda osiąga właściwy poziom, Danny otwiera przednie wrota. Potem macha do mnie, dając znak, żebym ruszała, zatem wyprowadzam Łapacza Snów z komory. Po chwili nerwowych manewrów udaje mi się przybić do brzegu i Danny z Diggerym wskakują na pokład.

Uśmiecha się do mnie.

– Nie było tak źle, prawda?

– Było świetnie – przyznaję.

Woda to mój żywioł, czuję ją głęboko w trzewiach. Przy okazji uświadamiam sobie, jak bardzo mi jej brakowało.

Wciąż trzymam ster. Danny schodzi do kajuty dolać nam kawy, a Diggery, najwyraźniej cierpiąc na lęk separacyjny, szuka ukojenia, wtulając się w moje stopy. Obserwuję łódź, która gładko sunie naprzód, nieznacznie tylko marszcząc taflę wody. Ludzie na ścieżce machają do nas. Wstęga wody przecinająca Anglię jawi się niczym zielony korytarz spokoju. Czuję taką wewnętrzną harmonię i radość, że sama się dziwię, czemu tak długo sobie tego odmawiałam.

Moje życie stało się tak banalne, tak monotonne. Nieustanne zaspokajanie zachcianek mamy, pocieszanie Edie, dogadzanie Anthony'emu, prowadzenie cukierni wypełniają mi czas tak ściśle, że zapominam o sobie, o swoich pragnieniach. Dopiero dziś uświadamiam sobie, że straciłam z oczu siebie, swoje sny i marzenia.

Na tym odcinku kanału jest tylko kilka śluz, dlatego wciąż mamy dobry czas. Przepłynęłam przez każdą z nich bez najmniejszego błędu – stworzyliśmy z Dannym świetny zespół – i powoli wraca mi pewność siebie. Cumujemy przy nadbrzeżnej ścieżce obok najwyraźniej bardzo popularnego pubu, nim jeszcze zaczyna się w nim na dobre okołolunchowy ruch. Od dawna chciałam tu przyjść. To jest elegancki lokal z dobrą kuchnią i na samą myśl o jedzeniu aż burczy mi w brzuchu.

Przed nami widać ciąg śluz. W weekendy w okolicy panuje ścisk, turyści zajmują stoliki na zewnątrz, aby obserwować przepływające łodzie. Dziś jednak w poniedziałek większość zwiedzających jest w pracy i miejsce świeci pustkami aż miło. Przepływanie przez śluzy na oczach krytycznej publiczności zawsze wiąże się z podniesionym ciśnieniem.

Wyskakuję razem z Dannym, każde z nas bierze jedną linę i razem przywiązujemy Łapacza Snów do brzegu. Diggery śmiga tam i z powrotem między nami, sprawdzając, jak nam idzie. Potem razem ruszamy, choć pies wyprzedza nas o kilka kroków, przechodząc nad śluzą, aż wreszcie wchodzimy do ogrodu otaczającego pub. Zajmujemy stolik tuż nad wodą, w pełnym słońcu. Danny nalewa świeżej wody z kranu do metalowej miski stojącej na ziemi dla Diggery'ego, a ja studiuję menu. Wspólnie spędzony poranek sprawia, że czuję się w towarzystwie Danny'ego znacznie bardziej na luzie. Moje hormony pod wpływem jego bliskości przestały dziwacznie buzować. Choć może nie do końca.

Decyduję się na sałatkę Cezar, a Danny na lasagne. Kiedy idzie złożyć przy barze zamówienie, bo upiera się, że on stawia, czekam zrelaksowana, napawając się lenistwem. Zazwyczaj w poniedziałki sprzątam, szoruję i jeżdżę do hurtowni po zapasy – generalnie nadrabiam zaległości. Dzisiejszy dzień jest więc pożądaną odmianą. Z trudem zwalczam odruch zatelefonowania do Lii, aby sprawdzić, co z mamą. Nic się jej nie stanie. Wszystko będzie dobrze.

Do stolika obok podeszła para młodych ludzi. Zamiast usiąść naprzeciwko, zajmują miejsca obok siebie, tuląc się jedno do drugiego tak mocno, że nie można by wcisnąć między nich kartki papieru. Kobieta opiera głowę o ramię mężczyzny i razem przeglądają menu. On bawi się kosmykami jej włosów, szepcząc jej coś ucha. Jego słowa sprawiają, że ona rumieni się, śmiejąc się seksownie. Pod stołem splatają nogi, jakby nie mogli znieść sekundy rozłąki. Kiedy mężczyzna patrzy na kobietę, oczy mu lśnią.

Czy kiedykolwiek byłam tak zakochana? Zastanawiam się. Czy kiedykolwiek moja stopa szukała pod restauracyjnym stolikiem nogi Anthony'ego? Nie jestem w stanie sobie przypomnieć. Pewnie obruszyłby się, besztając mnie za brak wychowania. Czy kiedykolwiek zdarzyło mi się zapragnąć przylgnąć mocno całym ciałem do niego, bo dystans choćby milimetra zdawał się zbyt wielki? Nie. Nie sądzę. Ciekawe, jakie to uczucie być tak pożądaną, tak uwielbianą.

Danny przynosi mi kieliszek schłodzonego białego wina, mimo że nie poprosiłam o nic do picia. Lepiej nie mógł wybrać, opieram się wygodnie na krześle, rozkoszując się napojem. Danny pije peroni prosto z butelki. Wyciąga długie, odziane w dżinsy nogi i wystawia twarz do prażącego słońca. Patrzę na krople piwa zbierające się na powierzchni zielonego szkła, kiedy przyssany do szyjki łapczywie gasi pragnienie. Jego policzki porasta niewielki zarost, jakby nie golił się od kilku dni, ponad jego ustami rysuje się lekka linia ciemnych wąsów. Włoski wydają się miękkie. Próbuję sobie wyobrazić, jak by się całowało mężczyznę z wąsami łaskoczącymi po twarzy. Anthony goli się z religijną wręcz gorliwością dwa razy dziennie, dlatego często jego skóra jest szorstka, zaczerwieniona i upstrzona maleńkimi strupkami zaschłej krwi. Nie przypuszczałam, że spodobałby mi się kilkudniowy zarost, ale okazuje się, że tak właśnie jest.

Czekamy na jedzenie, a pub z wolna wypełnia się klientami.

– To było cudowne przedpołudnie – mówię. – Kocham żeglowanie.

– Ja też. Nie mogę się doczekać, kiedy wreszcie ruszę z miejsca – przyznaje. Potem przepraszająco wzrusza ramionami i dodaje: – Rozumiesz, co chciałem powiedzieć.

– Tak, doskonale cię rozumiem. Nawet trochę ci zazdroszczę.

– Dużo robisz dla innych, Fay.

– Nie tak znów dużo – protestuję. – Głównie zajmuję się mamą. I Edie. Przechodzi teraz trudny moment w związku. Po to jednak ma się rodzinę, prawda? Rodzina powinna sobie pomagać.

– Ja nie mam już rodziny – mówi Danny. – Żadnych więzi. Moja mama zmarła jakieś pięć lat temu, a z ojczymem straciłem kontakt. Nigdy za sobą nie przepadaliśmy. Po jej śmierci przestaliśmy udawać.

– To przykre.

– Czasem najbliższa rodzina najbardziej nas rani – zauważa.

– Mnie nie musisz tego mówić.

– Kto się dziś zajmuje twoją mamą?

– Lija – odpowiadam z lekkim grymasem.

Śmieje się.

– To wspaniała dziewczyna – ciągnę. – Uwielbiam ją. Ale żyje po swojemu.

– To prawda – zgadza się, a potem jego twarz łagodnieje: – Też ją lubię.

Podnoszę na niego wzrok, może zbyt gwałtownie. Czuję ukłucie zazdrości. Nie jestem do tego przyzwyczajona. Jak bardzo ją lubi? Zastanawiam się. Gdyby został, to czy zaprosiłby do siebie Liję z jej awaryjną parą czystych majtek i szczoteczką do zębów? Jest bardziej w jego kategorii wiekowej. Bardziej w jego stylu.

– Skąd ten grymas?

– Nic takiego – zawstydzam się. – Naprawdę.

Odpędzam od siebie natrętne myśli. Nie zamierzam psuć sobie dzisiejszego dnia.

– Chciałem cię jeszcze raz zaprosić na Łapacza Snów – przyznaje. – Siedziałem sam co wieczór, marząc, że wpadniesz dotrzymać mi towarzystwa.

– Nic nie mówiłeś.

– Pomyślałem, że tylko wprowadzę zamęt do twojego życia, a masz dostatecznie dużo na głowie.

– Szkoda, chętnie bym przyszła – wyznaję.

Czy mogę mu powiedzieć, że po zamknięciu kawiarni, zaopiekowaniu się mamą i wyprawieniu Anthony'ego do domu siedziałam równie samotnie jak on?

Patrzy na mnie, ale nie jestem w stanie nic wyczytać z jego oczu, bo ma na sobie okulary przeciwsłoneczne.

– Ja także bym się z tego ucieszył.

Wtedy przynoszą nasz lunch, który jest przepyszny. Pochyleni nad talerzami, przechodzimy do bezpieczniejszych tematów. Rozmawiamy o książkach i filmach. Słucham wspomnień z jego podróży, relacji z jego przygód, uświadamiając sobie, że sama nigdzie nie byłam, nic nie przeżyłam. Danny przynosi mi kolejny kieliszek wina, czuję, że mnie rozpieszcza.

Kiedy kończymy, nie mamy dłużej pretekstu, żeby tam zostać, dlatego ruszamy do wyjścia.

– Dziękuję ci, Danny. Zazwyczaj nikt tak o mnie nie dba ani mnie tak nie rozpieszcza. – Już na pewno nie Anthony. – To bardzo miłe. Mogłabym się przyzwyczaić.

– Zasługujesz na to.

– Pewnie masz rację – chichoczę. – Mój Boże, dwa kieliszki wina i już mi się kręci w głowie. Muszę ostrożnie stawiać nogi, bo jeszcze skończę w wodzie.

– Czy kawiarnia i sklep to twój plan na życie?

– Chyba tak. Niejako jestem w to uwikłana przez mamę, choć wolałabym, żeby było inaczej. Poza tym wcześniej, nim powstała cukiernia, byłam na etacie w urzędzie i szczerze mówiąc, nienawidziłam swojej pracy. Teraz czuję to samo co ty, nie chcę wracać za biurko. Prowadzenie cukierni sprawia mi radość. Uwielbiam też dom. Mieszkam w nim od zawsze i żeby go nie stracić, muszę pracować. Kawiarnia nie uczyni mnie milionerką, ale zaspokaja moje potrzeby.

– Czy tego pragniesz? Zostać milionerką?

– Nie – śmieję się. – Tak naprawdę to nie. Po prostu chciałabym być szczęśliwa.

Danny podnosi oczy znad okularów i nasze spojrzenia spotykają się. Ciemna głębia jego wzroku jest nieprzenikniona.

– Czy w takim razie jesteś teraz szczęśliwa, Fay?

Niespodziewanie czuję łzy w oczach i ściska mnie w gardle.

– Tak – wyduszam z siebie. – Jestem bardzo szczęśliwa.

Jednak w jego oczach i w moim sercu rozbrzmiewa identyczne pytanie. Czy aby na pewno?

ROZDZIAŁ 28

Danny Wilde ma na mnie zły wpływ. Kiedy wchodzimy na Łapacza Snów, czuję, że miękną mi kolana, jestem bardziej niż wstawiona.

Razem odwiązujemy liny i Danny włącza silnik. Tym razem wskakuję na pokład jako druga. Trzymam ster przy przepływaniu przez pierwszą śluzę, potem Danny zajmuje moje miejsce, a ja staję u jego boku.

– Chciałem tu zamontować ławkę – mówi Danny. – To pierwszy punkt na liście rzeczy do zrobienia. Nieczęsto mam jednak gości. To znaczy nigdy – poprawia się. – Mógłbym także zainwestować w przeciwdeszczowy namiot na rufę. Choć ludzie twierdzą, że to uwłacza prawdziwym żeglarzom. Ale myślę, że w zamian za odrobinę wygody zniósłbym podobną ujmę na honorze. – Posyła mi szeroki uśmiech. – Wciąż wewnątrz mnie drzemie wygodnicki chłoptaś z City. Nie zrozum mnie źle, lubię walkę z żywiołami, ale już zbyt często zdarzało mi się sterczeć tu podczas nawałnicy i nie mam ochoty na więcej.

– Rozumiem doskonale.

Dziś jednak nie zapowiada się na deszcz. Słońce wisi wysoko na niebie i mocno grzeje, jest bardzo przyjemnie. Zasiedzieliśmy się w pubie i jest znacznie później, niż zakładałam. Wcześnie dziś wstałam i sennie ciążą mi powieki. Rozleniwiona ziewam.

Danny patrzy na mnie.

– Może się zdrzemniesz przez godzinkę? – proponuje. – Wyglądasz na śpiącą.

– Bo jestem – przyznaję.

– Możesz położyć się na łóżku w kajucie, chyba że wolisz drzemkę na słońcu, wtedy musisz sobie przynieść poduchy z sofy i rozłożyć je na pokładzie.

Nie jestem pewna, czy dałabym radę spać w sypialni Danny'ego, w jego łóżku.

– Jeśli nie miałbyś nic przeciwko temu, ulokowałabym się na dziobie.

– Zatrzymam się. Jesteś pod wpływem i przejście przez nadburcie wiąże się ze zbytnim ryzykiem – droczy się.

Mimo figlarnego tonu ma rację. Podpływa do brzegu, wtedy wyskakuję z łodzi.

– Zdrzemnę się chwilę, a potem zrobię nam herbatę i zjemy po kawałku ciasta od Lii.

– Wyśmienity plan – zgadza się. – Masz ochotę na towarzystwo Diggery'ego?

– Świetny pomysł.

– Śmiało Digs, idź z Fay.

Pies posłusznie zeskakuje z łodzi i drepcze za mną, a potem razem wchodzimy na dziób.

Na pokładowych ławkach już leży kilka wygodnych poduch. Na wypadek niekorzystnych warunków pogodowych są przykryte folią, która dziś jednak nie jest przydatna, bo słońce mocno grzeje. Zrzucam buty, biorę poduszki z angielską flagą z sofy w kajucie i moszczę się wygodnie na ławce. Wyciągam nogi, opierając stopy na burcie.

Diggery układa się na podłodze obok mnie i opierając łeb na przednich łapach, natychmiast zasypia.

Na brzegu stoi smukła czapla i lustruje mętną wodę w poszukiwaniu jedzenia. Kiedy Łapacz Snów zbliża się, ptak szeroko rozkłada skrzydła i jakby patrząc na nas spode łba, majestatycznie wznosi się w górę.

Naciągam kapelusz na twarz, zamykam oczy i czując obezwładniającą ciężkość w ciele, zapadam w sen. Szkoda, że nie mogę ściągnąć z siebie ubrania i wystawić nagiej skóry na pieszczotę promieni słonecznych i wiatru. Zaskakuję samą siebie. Nie rozumiem, co się ze mną stało po wejściu na pokład tej łodzi. Nachodzą mnie dziwaczne myśli. Biorą we mnie górę dziwaczne emocje. Może łódź jest prawdziwym łapaczem snów, który odciągając koszmary i dołujące myśli, zostawia same przyjemne doznania. Na pewno czuję się tutaj, w towarzystwie Danny'ego, prawdziwie sobą, a z nikim innym i nigdzie indziej tego nie doświadczam.

Odpływam w sen, ledwie świadoma warkotu silnika czy kręcącego się u mego boku Diggery'ego.

Po przebudzeniu mam wrażenie, że minęła zaledwie chwila, ale spojrzawszy na zegarek, uświadamiam sobie, że spałam całą godzinę. Dochodzi piąta po południu. Dzień chyli się już ku końcowi. Nie pamiętam, kiedy ostatnio równie leniwie spędziłam czas. Zrelaksowałam się, choć wciąż jestem lekko zaspana. Diggery też się obudził i teraz muska nosem moją dłoń. Podnoszę się, aby rzucić okiem na Danny'ego, który wciąż stoi u steru. Macham do niego. Daje znać, że będzie dobijał do porośniętego trawą brzegu, potem układa ręce w gest picia z kubka. Unoszę w górę kciuk i schodzę do kuchni, żeby nastawić czajnik.

Kiedy łódź zbliża się do brzegu, zeskakuję na ląd, aby pomóc przy cumowaniu. Jesteśmy prawie na miejscu, zatrzymaliśmy się przy parku otaczającym posiadłość ziemską w Great Lonford. Za godzinę powinniśmy być w domu.

– To jedno z moich ulubionych miejsc – mówię, czując, jak moje stopy opadają w miękką i gęstą trawę. – Cieszę się, że właśnie tu robimy postój.

– Kiedy przepływaliśmy tędy rano, okolica zrobiła na mnie dobre wrażenie. Nigdy bym nie przypuszczał, że jesteśmy w sąsiedztwie Milton Keynes. Oczywiście, twierdzę tak na podstawie zasłyszanych plotek.

– Miasto cieszy się złą sławą, choć okolica obfituje w całkiem sporo uroczych zakątków.

– Będzie mi tego brakowało. To piękne miejsce.

Patrzy na park, śliczny kościółek i ziemski dworek z jasnego kamienia, który onegdaj był wiejską rezydencją lorda burmistrza Londynu, i spokojnie kiwa głową.

– Dobrze się tu czułem, Fay.

Z lekkim wahaniem przyznaję:

– Dobrze było cię mieć w pobliżu.

Wtedy pyta:

– Zdrzemnęłaś się?

– Tak. Dziękuję. Tego było mi trzeba. Chyba za dużo wypiłam podczas lunchu.

– Czasem trzeba.

– Powinnam częściej organizować sobie sjestę.

Choć nikłe mam na to szanse.

Czajnik gwiżdże i podczas gdy Danny z Diggerym wyciągają się na trawie, parzę herbatę. Ukrawam nam obojgu po kawałku ciasta od Lii, czując się paskudnie na myśl, że zostawiłam ją samą w kawiarni na tak długo. Piszę jej SMS-a, informując, gdzie jesteśmy, i dodając, że wkrótce przypłyniemy na miejsce.

Odpowiada, że mama wciąż żyje, ale nie smakuje jej herbata.

Uśmiecham się.

Dziękuję Lijo, odpowiadam.

Danny rozłożył koc w cieniu starego dębu, podaję mu z pokładu kubki z herbatą. Sama biorę ciasto i wychodzę na ląd.

Kładziemy się na kocu i mimo że zjedliśmy solidny lunch, błyskawicznie pochłaniamy ciasto od Lii. Biedny Diggery ledwie ma okazję polizać kilka okruchów.

– Tutaj właśnie co roku jest organizowany Festiwal nad Kanałem – mówię. – Dla miejscowych to duże wydarzenie. Mnóstwo ludzi przypływa łodziami na weekend. Jest kiermasz i różnorodna muzyka.

Nie wspominam jednak ani słowem o występie zespołu Anthony'ego ani o jego dzwonkach z powodów, nad którymi nie zamierzam się jednak zbyt długo rozwodzić. Przez cały dzień zresztą unikam wspominania o nim.

– Zapowiada się ciekawie.

– Powinieneś wpaść.

Danny przekręca się na brzuch i patrzy na mnie. Najwyraźniej szuka odpowiednich słów, szykuję się zatem na nieuniknione.

– Najprawdopodobniej jutro z samego rana odpłynę, Fay.

– Och.

Nie jestem zaskoczona. Spodziewałam się tego. Ale to wcale nie oznacza, że jest mi łatwiej.

– Ale jeszcze do nas wrócisz?

– Na pewno – pospiesznie mnie zapewnia. – Oczywiście. Przyjadę zobaczyć się z tobą.

Śmieje się, ale na siłę, co nie wychodzi mu zbyt naturalnie.

– Przyjadę po swoją działkę ciasta.

– Będziemy na ciebie czekać – mówię i wtedy zdradziecka łza spływa mi po policzku.

Danny marszczy brwi, nie jestem w stanie odszyfrować emocji malujących się na jego twarzy. Kciukiem wiedzie po mokrym śladzie, który łza zostawiła na moim policzku, wtedy tracę siły, zamykam oczy i poddaję się.

Mówi tylko:

– Och, Fay.

ROZDZIAŁ 29

Danny cumuje Łapacza Snów obok Ślicznotki Merryweather, pomagam mu przy wiązaniu lin, potem pospiesznie zakładam buty, kapelusz, narzucam na ramiona sweter starej panny. Pochylam się jeszcze, żeby pogłaskać Diggery'ego. Mierzwię jego miękką sierść, starając się zdusić łzy napływające do oczu.

Przez ostatnią godzinę żeglugi jestem nieco przygaszona. Wszystkim popsuł się nastrój, nawet psu. Od początku wiedziałam, że Danny zatrzymał się tu tylko na chwilę, że zawitał do nas tylko przejazdem. Dlaczego zatem jest mi tak przykro?

On stoi na brzegu, kiedy schodzę z łodzi.

– Tak. To był cudowny dzień. – Czuję, jak nadmiar smutku ściska mi serce. – Dziękuję.

– Cieszę się, że udało nam się spędzić go razem.

– Ja też – silę się na radosny ton, choć wychodzi mi to dość sztucznie. – To był świetny pomysł. Naprawdę.

– Nie żegnamy się na zawsze – mówi.

Jego słowa są jak cios w samo serce.

– Jestem o tym przekonany – dodaje.

– Wspaniale byłoby się jeszcze spotkać – staram się nadać lekki ton moim słowom. – Jeśli zjawisz się w okolicy.

– Za rok na pewno trzeba przyciąć powojnik.

Za rok. Szmat czasu.

– Tak. – Próbuję się roześmiać. – Tak, to prawda. Poczekam z tym specjalnie na ciebie.

– No myślę – żartuje. – Niech nikt mi się do niego nie zbliża z sekatorem.

– Obiecuję.

Potem zapada niezręczne milczenie.

– Powinnam iść już do mamy. Pewnie umiera z niepokoju.

– Jasne.

Jednak żadne z nas się nie rusza.

– Nie przypuszczałem, że będzie mi tak ciężko – mówi łamiącym się głosem.

Wzdycha.

– Życie nomady ma, niestety, też minusy.

– Pewnie tak.

– Mogę cię przytulić?

Mam ochotę odmówić. Z jakiegoś durnego powodu chcę mu powiedzieć, że ledwie się trzymam i jeśli mnie przytuli, to rozpadnę się na drobne kawałeczki. Chcę mu powiedzieć, że choć nie znamy się długo, to stał się dla mnie bardzo ważny. Dzięki niemu bowiem zaczęłam zastanawiać się, kim jestem i czego chcę od życia.

Ale nie robię tego. Oczywiście, że nie.

Po prostu stoję nieruchomo, podczas gdy on podchodzi i obejmuje mnie ramionami. Jego uścisk jest mocny i kojący, tak jak podejrzewałam. Z całych sił wtulamy się w siebie.

Kołysze mnie, potem przytula mocno, słyszę, jak wciąga powietrze. Odwzajemniam uścisk, gładząc dłońmi jego plecy, i chwilę stoimy wtuleni jedno w drugie. Nagle odsuwa się gwałtownie, najwyraźniej zmieszany.

– Nie wiem, czy to pomaga któremukolwiek z nas.

Wciąż czuję na skórze ciepło bijące z jego ciała, które przenika nawet pod sukienkę.

– Nie będę wchodził do domu – mówi. – Pożegnaj ode mnie Liję.

– Miłego wesela.

– Dzięki.

Możliwe, że spotka tam kogoś. Młodszą, błyskotliwą kobietę niezwiązaną niczym i z nikim, która pożegluje przy jego boku ku odległym horyzontom. Może będzie jedną z druhen. Czy nie tak to właśnie bywa w życiu?

– Trzymaj się.

Zbyt lekko. Zbyt beztrosko. Moja uśmiechnięta twarz jest maską skrywającą obolałe od smutku wnętrze.

Schodzę z pomostu, Diggery truchta za mną.

Pochylam się, żeby go pogłaskać.

– Do widzenia, Digs.

Ruszam dalej, a pies wciąż biegnie za mną.

– Diggery! – woła Danny. – Zostaw Fay. Odpływamy stąd.

Pies ze zwieszoną głową wraca do swojego pana. Mój Boże, obaj wyglądają na takich samotnych. Zagryzam wargę.

Na koniec macham do nich dziarsko, zmuszając się do promiennego uśmiechu. Potem zdecydowanym krokiem przechodzę przez ogród, nie ośmielając się odwrócić głowy.

Słyszę, jak Danny gwiżdże, a potem dochodzi mnie głuchy łoskot, kiedy Diggery wskakuje na łódź. Kiedy wydaje mi się to bezpieczne, rzucam okiem za siebie i tak jak myślałam, obaj już zniknęli pod pokładem. Skręcam wtedy na bok, chowając się za starą jabłonią w kącie ogrodu. Opadam na trawę, opierając plecy o chropowaty pień, i płaczę, czując, jak serce pęka mi na pół.

ROZDZIAŁ 30

Zbieram się w sobie, wycieram twarz w sukienkę i wracam do domu.

W kuchni Lija wyciska sok z cytryn. Cudowny, ostry aromat cytrusów wypełnia powietrze, pewnie uznała, że kończą nam się zapasy domowej lemoniady, która cieszy się dużą popularnością. Na blacie stoją jeszcze ciepłe babeczki i dwa placki. Mimo opiekowania się mamą, ciężko pracowała w kuchni, podczas gdy ja beztrosko włóczyłam się z Dannym Wilde'em.

– Cześć – witam się, próbując brzmieć radośniej, niż się czuję.

Marszczy brwi na widok mojej miny. Choć u Lii zmarszczone brwi to norma.

– Dobrze się bawiłaś?

– Tak, cudownie.

Zdradza mnie wymuszony uśmiech. Czuję się koszmarnie. Opieram się o stół.

– Jak się czuje mama?

– Podle – odpowiada Lija ze śmiertelnie poważnym wyrazem twarzy. – To prawdziwa wiedźma.

– Lija, mówisz o mojej matce.

– Lijo, to za gorące. Lijo, to za zimne. Lijo, tak nie może być – naśladuje głos mojej matki. Potem wzrusza ramionami. – Nie zamordowałam starej jędzy, ale byłam bliska.

– Jesteś wspaniała – dziękuję jej. – Naprawdę doceniam to, co zrobiłaś dla mnie, i dla niej. Bez ciebie nie dałabym rady.

I niespodziewanie szlocham, zanosząc się łzami.

– Co? – pyta. – Co się stało?

Nie jestem jednak w stanie jej odpowiedzieć. Lija cmoka, wyciera ręce w koszulkę i podchodzi przytulić mnie do swojego kościstego, twardego ramienia, a moje ciało drga targane rozpaczą.

– Jestem taka głupia – chlipię, ledwie dysząc. – Taka niemądra.

– Co się dzieje? – rzuca mi gniewne spojrzenie. – Czy to dlatego, że nazwałam starą jędzę prawdziwą wiedźmą?

– Nie, nie. – Wycieram nos o sweter. – Danny jutro odjeżdża. A tak dobrze się bawiliśmy.

Kolejny szloch.

– Dlaczego wciąż tu jesteś? – pyta. – Idź do niego.

– Nie mogłabym.

– Idź – każe mi, jakby to była najłatwiejsza do zrobienia rzecz na świecie. – Zmykaj.

Kręcę głową.

– Naraziłabym się na śmieszność. Sama nie wiesz, co mi radzisz.

– Masz czas do jutra. Wykorzystaj go.

– Muszę zająć się mamą.

– To tylko wymówka. Zostanę. Pozwolę sobą dalej pomiatać.

– Nie, nie, nie – żałośnie kręcę głową. – Nie mogłabym cię o to prosić.

– O nic mnie nie prosisz. Po prostu zostaję.

Lija podaje mi kawałek papierowego ręcznika do otarcia oczu.

– Zaraz mi przejdzie – wściekle trę zapłakane oczy. – Sama nie wiem, dlaczego tak się zachowuję.

– Bo go kochasz.

Śmieję się. Histerycznie.

– Oczywiście, że nie.

Lija przewraca oczami.

– Czasem jesteś taka głupia.

– Kocham Anthony'ego. – Powtarzam to jeszcze raz, żeby się w tym utwierdzić: – Kocham Anthony'ego.

Moja pomocnica pogardliwie prycha.

– Naprawdę. – Biorę kilka głębokich wdechów. Czuję kłucie w klatce piersiowej. Całe ciało sprawia mi ból. Oczy pieką. – Co tak naprawdę widzę w Dannym? Jest młody, niezależny, wolny. Dziś tu, jutro tam. – Kolejny szloch. – Pociąga go wieczna włóczęga, życie bez zobowiązań, bez więzów. Nie winię go. – Ocieram oczy, ale łzy nie przestają płynąć. – A co on może widzieć we mnie? Jestem stara. Stara i styrana życiem. Jestem odpowiedzialna za rzeczy, za ludzi, o których się troszczę. Tu jest moje miejsce. Nie mogłabym stąd wyjechać. Muszę opiekować się mamą, kawiarnią, Anthonym.

Grymas wykrzywia twarz Lii.

– Poza tym jestem szczęśliwa. Najprawdziwiej szczęśliwa.

– Widzę. – Lija krzyżuje ręce i patrzy mi prosto w oczy. – Wręcz tryskasz entuzjazmem.

ROZDZIAŁ 31

– Mam nadzieję, córko, że twój dzień należał do udanych – mówi mama.

– Tak, dziękuję.

Dwa kubki mocnej herbaty i miażdżące spojrzenia Lii pozwoliły mi zapanować nad moimi żałosnymi emocjami. Podnoszę tacę z kolan mamy.

Moja kochana Lija przyrządziła jej na kolację domowy rosół i widzę, że na talerzu nie została nawet kropelka.

– Zupa była paskudna. – Wskazuje palcem na pusty talerz. – Zostałam tu na cały dzień bez możliwości ruchu z tą niewychowaną dziewuchą.

Nim ta niewychowana dziewucha poszła do domu, wcisnęłam jej do torebki, jako wyraz wdzięczności, dodatkowe dwadzieścia funtów.

– Nie musisz tu tkwić cały dzień – mówię. – Jutro mogę ci pomóc wstać, jeśli tego sobie życzysz. Pogoda jest fantastyczna. Ogród wygląda przepięknie. Wypoczynek na leżaku w cieniu wiśni na pewno ci nie zaszkodzi.

Mama włącza telewizor. Zmienia kanał, właśnie zaczyna się *Szpital Holby City*. Oznacza to, że audiencja skończona. Ruszam w stronę drzwi.

– Zawołaj mnie w razie czego.

– Rozmawiałam dziś z twoją siostrą.

– Z Edie?

– A masz inną?

– Czy u niej wszystko w porządku?

– Tak – odpowiada mama. – Rzecz jasna bardzo się o mnie niepokoi. Jest przekochana.

Rzuca mi złowieszcze spojrzenie.

Nie mogę zapytać, czy znalazła pracę, bo mama żyje w przekonaniu, że jej młodsza córka samodzielnie kieruje całą Ameryką i wcale nie jest zależna finansowo od zaborczego, żonatego kochanka.

– Prosiła, żebyś do niej zadzwoniła.

Patrzę na zegarek. Wcześnie jak na Edie. Mam nadzieję, że nie wydarzyła się żadna katastrofa.

– Wywołam ją na Skypie teraz.

Schodzę na dół, piszę do Edie SMS-a, że jestem w domu, i ustawiam laptopa w salonie. Chwilę później patrzy na mnie z ekranu.

– Mama skarżyła się, że nie było cię cały dzień – rzuca, nawet nie kłopocząc się, żeby się ze mną przywitać.

– Tak.

– Znowu?

Ma przeszklone oczy. Chciałabym winić za to słabe połączenie internetowe, ale mówiąc szczerze, sądzę, że jest pijana i upalona.

– Wyszłam z przyjacielem.

– Wciąż z tym samym kolesiem?

– Tak.

Nie jestem w nastroju na rozmowę o Dannym z Edie czy kimkolwiek innym. Dlatego mocno zbieram się w garść i pytam, chcąc przerwać to przesłuchanie:

– Mama powiedziała mi, że dziś się do niej odezwałaś.

– Nie ja się odezwałam – poprawia mnie Edie. – Mama kazała tej cholernej, pyskatej gotce, która dla ciebie pracuje, zalogować się na Skypie.

– Och.
– Nie rozumiem, dlaczego wciąż u ciebie pracuje.
– Bo jest świetnym pracownikiem i pomaga mi przy mamie.
– Mama jej nie trawi.
– Mama nikogo nie trawi.
Z wyjątkiem Edie, rzecz jasna.
– Ta dziewczyna wygląda jak z horroru. Musi ci odstraszać połowę klienteli.
– Klienci ją uwielbiają.
Myślę jednak, że Lija chyba naprawdę płoszy klientów, ale nie chcę dawać Edie tej satysfakcji.
– Posłuchaj – zaczyna Edie. – Mam mały problem.
Jak zawsze.
– Co tym razem?
Choć wcale nie muszę pytać. Spędziłam cudowny dzień z Dannym i mam zamiar tego się trzymać, bo inaczej znów się rozkleję. Naprawdę nie chcę dać się zdołować Edie.
– Dziękuję za przelew. Bardzo dziękuję. Naprawdę – mówi pełnym żałości dziewczęcym głosikiem. – Nie wiem, co bym bez ciebie zrobiła, Fay.
Ciekawe, czy tak samo zachowuje się w towarzystwie Brandona. To musi być dla niego wyczerpujące. Może nie bez powodu się nią zmęczył. Wtedy besztam się, bo to było podłe. Miłość nie wybiera. Kiedy tak myślę, od razu chce mi się płakać.
– Wszystko już wydałam, niestety – ciągnie Edie. – Co do centa.
Jej twarz na ekranie wyraża skruchę. Jest w tym świetna.
– Edie, wysłałam ci tysiąc funtów.
– Wiem. Życie tu jest bardzo drogie.
– Może powinnaś się stamtąd wyprowadzić.
– To twoja rada na wszystko – odgryza się.

– Wydaje mi się całkiem uzasadniona i najprawdopodobniej nie masz innego wyjścia – ripostuję. – Cóż innego mogłabym ci zaproponować?

Moje słowa ją zaskakują. Nie mam ochoty na kłótnię z Edie. Na pewno nie teraz.

– Przyjedź do domu – przybieram miły ton głosu, choć to mój stały tekst. – Może gdy wyjedziesz, Brandon zatęskni. Rozłąka czasem ludziom dobrze robi.

– A może ucieszy się, że ma problem z głowy. – Bawiąc się włosami, przymila się: – Po prostu wyślij mi jeszcze trochę pieniędzy, Fay. Ile dasz radę. Jutro mam rozmowę o pracę. Wszystko może się zmienić. Gdy tylko zacznę pracować i poukładam sprawy z Brandonem, przyjadę do domu. Na krótki urlop.

– Nie jestem w stanie cię utrzymywać, Edie.

– Kocham cię. – Robi słodkie minki. – Potrzebuję twojej pomocy. Ostatni raz.

Czy mogę ją zawieść? Widzę, że bardzo jej zależy. Nie potrafię patrzeć na jej cierpienie. Ulegam jak zwykle, Edie doskonale wiedziała, że tak to się skończy.

– Ostatni tysiąc. Potem koniec, Edie. Wyciskasz ze mnie ostatnie pieniądze.

– Prześlij je już teraz – prosi już w większą werwą. – Muszę zapłacić czynsz.

– W porządku, Edie. Dobranoc.

– Dobrej nocy, siostrzyczko. Kocham cię!

Zamykając laptop, czuję, jak opuszczają mnie siły. Fundusz remontowy na Ślicznotkę znów zeszczupleje. Patrzę na zniszczoną, zapadającą się kanapę. Pieniądze, które wysyłam Edie, bardzo by się przydały w domu. Nieważne. Edie ma większe potrzeby. Przynajmniej pilniejsze.

Przelewam pieniądze. Jednym kliknięciem przesyłam tysiąc funtów za ocean. Serce mi pęka, kiedy pomyślę, ile musiałam się napracować, natrudzić, aby je zarobić. Jednak trzeba sobie pomagać w trudnych chwilach. Po to w końcu ma się rodzinę.

Jest późno, nawet nie włączam telewizora. Wchodząc na górę do sypialni, czuję się wyczerpana, przede wszystkim psychicznie.

Przechodząc obok pokoju mamy, zauważam, że zasnęła przy włączonym telewizorze, więc na paluszkach podchodzę, żeby go wyłączyć. Mama we śnie wygląda znacznie młodziej i pogodniej. Głębokie zmarszczki wokół jej ust przybierają jakby łagodniejszy wyraz. Mam nadzieję, zwłaszcza ze względu na nią samą, że obudzi się równie spokojna.

W sypialni nie zapalam światła. Podchodzę do okna i wyglądam na zewnątrz. Jasny księżyc świeci wysoko na niebie. Kiedy moje oczy przyzwyczajają się do ciemności, spoglądam w dół ogrodu, na kanał. Widzę, że na Łapaczu Snów wciąż pali się światło. Wytężam wzrok i dostrzegam, że Danny siedzi na pokładzie. Brzdąka w trzymaną na kolanach gitarę. Obok niego stoi butelka, chyba jacka danielsa.

Bardzo ostrożnie, po cichutku otwieram okno. Kiedy Diggery to słyszy, podnosi głowę i merda ogonem, Danny jednak nie patrzy w moją stronę. Teraz słyszę, co gra. *The Man Who Can't Be Moved*. Dzięki Lii rozpoznaję melodię. Danny cicho śpiewa, ma dobry głos i choć nie znam się na muzyce, to radzi sobie całkiem nieźle. Osuwam się na podłogę, opieram głowę o parapet i przez chwilę tkwię tak zasłuchana.

Mogłabym pójść do niego, myślę. Napilibyśmy się razem. Posłuchałabym, jak gra na gitarze. Tylko tyle.

Wtedy myślę sobie, że od powrotu do domu nie zadzwoniłam do Anthony'ego. Tak naprawdę to nawet raz o nim nie pomyślałam, aż do teraz.

Oczami wyobraźni patrzę na siebie z boku. Wyglądam, jak nieszczęśliwie zakochana nastolatka. To absurdalne. Mam kochającego partnera, który nieprzerwanie od lat darzy mnie uczuciem. Podnoszę się i zamykam okno. Nagle Danny urywa piosenkę i patrzy w górę. Wzrokiem świdruje ciemność, ale nie sądzę, żeby mnie zauważył. Zdrajca Diggery szczeka. Zaciągam zasłony.

Danny jutro odpłynie i wszystko wróci do normy.

ROZDZIAŁ 32

Danny odpłynął, a życie toczy się dalej. Bez niego jest może ciut mniej radośnie, ale w gruncie rzeczy nic się nie zmienia. Mama wciąż marudzi. Edie wciąż wyłudza ode mnie pieniądze. Lija wciąż piecze bajeczne ciasta. A Stan wciąż przychodzi codziennie na lunch.

Zmienia się tylko mój stosunek do Anthony'ego. Staram się być dla niego jeszcze milsza. Z nim wiąże się moja przyszłość, dlatego zwracam uwagę tylko na pozytywne aspekty naszego związku. W każdej długoletniej relacji łatwo jest zboczyć ze wspólnej ścieżki. Koniec z dryfowaniem, postanawiam. I wybaczcie porównanie, ale od tej pory zamierzam mocno dzierżyć ster w dłoni. Ze wszystkich sił staram się odpędzać myśli o Dannym Wildzie. Jestem pewna, że z czasem zapomnę o nim. Już zresztą zapominam. Przysięgam.

Anthony jest na swój własny sposób uroczy i ma wiele zalet. Na nich się koncentruję. Nawet rozważam wstąpienie do zespołu i naukę gry na dzwonkach. Wiem, że to obłęd. Ale czy ludzie tak właśnie nie robią? Dzielą wspólne hobby. Może gdybym rozwinęła w sobie pasję do dzwonków, to wróciłaby ona do innych aspektów naszego pożycia. Wspólne zainteresowania cementują związek, prawda? Nawet jeśli to gra na dzwonkach. Jeszcze nie wspominam o tym Anthony'emu, ale jestem pewna, że będzie zachwycony. Mogłabym też nauczyć się grać w golfa. Wszystko jest możliwe. Przy odrobinie wysiłku.

Anthony ma wpaść wieczorem i zaplanowałam, że wyjdziemy gdzieś razem. Dlatego nie przyszykowałam kolacji. Niedaleko znajduje się sympatyczny pub Dwie Barki, położony tuż nad kanałem, bardzo blisko od domu. Wiem, że Anthony po całym dniu pracy jest zmęczony, ale liczę na aplauz z jego strony. Zmiana zwyczajów jeszcze nikomu nie zaszkodziła. Czyż nie?

Jesteśmy w pełni lata i pogoda zachwyca. W Anglii to zawsze gratka. W cukierni jest duży ruch, co oznacza, że w ciągu dnia brakuje okazji, żeby nacieszyć się słońcem, dlatego nie chcę spędzać wieczoru przed telewizorem. Mam teraz kilka godzin wolnego i marzy mi się wyjście, a także odrobina dobrej zabawy.

Właśnie schodzę z góry, bo zaniosłam mamie herbatę, kiedy przyjeżdża Anthony. Mama znów jest bledsza, ale nie marudzi bardziej niż zazwyczaj, zatem uznaję, że nie ma powodów do obaw.

Anthony wygląda na wycieńczonego, jak zawsze.

– Co za dzień – narzeka. – Co za dzień.

Obejmuję go i całuję.

– Myślę, że moglibyśmy wyjść dziś wieczorem. Dla odmiany.

Włożyłam spódnicę i zawczasu przypudrowałam nos.

Wzdycha.

– Musimy? Jestem wykończony. Czasem chyba nie rozumiesz, pod jak wielką presją muszę pracować.

– Pewnie nie – grzecznie się z nim zgadzam. – Dlatego miło będzie się zrelaksować przechadzką nad kanałem do pubu, gdzie wypijemy po kieliszku wina.

Wyraz twarzy Anthony'ego łagodnieje.

– Ja stawiam – dodaję.

To działa jeszcze lepiej.

– Będę musiał iść w takim stroju – mówi.

Ma na sobie swój drugi ulubiony garnitur, który jest już stary i nieco przetarty.

– Wyglądasz świetnie.

– Ale musimy wcześnie wrócić – stawia warunek. – Nawet nie wiesz, co mnie jutro czeka.

– Dobrze, nie będziemy zbyt długo siedzieć.

– Co z Mirandą?

– Nic jej się nie stanie. To tylko kilka godzin. Upewnię się tylko, że ma telefon pod ręką. Gdyby coś się stało, będziemy z powrotem w kilka minut.

Rzuć mi kłodę pod nogi, a ja ją gładko przeskoczę.

– W porządku. – Podnosi w górę obie dłonie na znak, że się poddaje. – Niech będzie. Idziemy do Dwóch Barek.

Wygląda raczej na zrezygnowanego niż uradowanego, ale postanawiam się nie przejmować.

– Świetnie. Będę gotowa w dwie minuty.

Biorę sweter, szybko całuję i żegnam mamę, która nie pozwala sobie nawet na słowo skargi, bo przecież tym razem wychodzę z Anthonym. Schodzimy uliczką do mostu, który przecina kanał, a potem ruszamy nabrzeżną ścieżką. Kiedy idziemy, ujmuję Anthony'ego pod ramię.

Pogoda jest zachwycająca i na ścieżce nie brakuje ludzi: biegają, jeżdżą na rowerach czy, podobnie do nas, spokojnie spacerują w kierunku pubu. Wzdłuż brzegu cumuje ciąg barek. Na brzegu ludzie rozpalają grille – w powietrzu niesie się zapach pieczonego mięsa i kiełbasek, wszyscy czekają na rozłożonych leżakach, aż jedzenie będzie gotowe. Prawdziwa idylla. Cieszy mnie myśl, że pewnego dnia razem z Anthonym wsiądziemy razem na Ślicznotkę Merryweather i pożeglujemy sobie w poszukiwaniu spokoju i wytchnienia. Mój partner ma przed sobą jeszcze piętnaście lat pracy, co wcale nie wydaje się aż tak długo, nieprawdaż?

Rodzina z dwójką małych dzieci piknikuje przy śluzie, obserwując przepływające łodzie. Za kilka tygodni na tym odcinku kanału zrobi się ciasno od barek, każdej wielkości i sortu, z powodu Festiwalu nad Kanałem, a w mojej kawiarni zaludni się od klientów.

Podczas spaceru Anthony milczy pogrążony we własnych myślach. Nie przejmuję się. To nawet miłe. Jesteśmy razem od tak dawna, że czasem nie musimy nic mówić. Przytulam się do jego ramienia.

– A to za co? – pyta.

– Za nic. Po prostu lubię, jak razem wychodzimy. Nie zdarza nam się to zbyt często.

– To prawda – przytakuje roztargniony.

Napięcie w pracy daje mu się mocno we znaki. Nie należy do osób, które zostawiają zawodowe problemy za drzwiami biura, podziwiam jego oddanie i zapał. Anthony nigdy by nie rzucił pracy z dnia na dzień ani nie kupił pod wpływem chwili łodzi, wcześniej jej nie zobaczywszy. Wtedy łapię się, gdzie mogą mnie zaprowadzić podobne myśli. Szybko je przeganiam.

Pub Dwie Barki jest przyjemnym lokalem w starym stylu, w którym nie ma modnych czarnych tablic z wypisanym na nich kredą menu ani drewnianego parkietu. Położona w latach osiemdziesiątych wykładzina w niebieski wzorek wciąż tam służy. Jedzenie podają jednak pyszne, specjalizują się w klasycznych daniach kuchni angielskiej, toteż w ich menu próżno szukać kuskusu czy polenty. Główną atrakcją pubu jest schodzący aż do brzegu kanału ogródek, który ubóstwiają wszyscy goście.

Dobrze znam dawnych właścicieli, którzy jednak przeszli już na emeryturę i po latach spędzonych, podobnie do mnie, na tęsknym wpatrywaniu się w wody kanału, zdecydowali się na zamieszkanie na łodzi. Teraz pub prowadzi para młodych ludzi, którzy wciąż zdobywają szlify w tym zawodzie i nie poświęcają czasu na pogaduszki z klientami. Mam nadzieję, że nie planują zrywania wykładziny.

Chcę usiąść w ogrodzie, bo dostrzegam jeden wolny stolik tuż nad wodą, ale Anthony twierdzi, że jest zbyt wietrznie. W ramach kompromisu siadamy tuż przy wyjściu do ogródka. Anthony kuli się w kącie, a ja rozsiadam się na wprost otwartych drzwi, radośnie wdychając świeże powietrze. Anthony zdejmuje marynarkę, którą odwiesza na oparciu krzesła. Luzuje krawat. Niespiesznie przeglądamy menu, zastanawiając się, co chcemy zjeść. Anthony decyduje się na stek z frytkami, a ja mam ochotę na lasagne.

– Może ty zamówisz – proponuje. – Muszę sprawdzić pocztę.

Podchodzę do baru, żeby złożyć zamówienie, proszę też o dwa kieliszki czerwonego, stołowego wina. Kiedy wracam do stolika, Anthony właśnie wsuwa telefon do kieszeni.

– Wszystko w porządku?

– Tak – odpowiada. – To może poczekać do jutra.

– Czym się teraz zajmujesz w pracy?

– Mnóstwem spraw – zbywa mnie. – To nigdy nie ma końca.

Najwyraźniej nie jest w nastroju do rozmowy o pracy.

– Planujesz golfa w weekend?

Moje pytanie jest niedorzeczne, bo Anthony zawsze tak robi, chyba że w prognozie zapowiadają wichury lub ulewne deszcze, a w nadchodzących tygodniach raczej nam to nie grozi.

– Tak – odpowiada. – W sobotę i w niedzielę.

– Och.

– Planujemy też w najbliższym czasie małą wycieczkę. Kilku chłopaków zaproponowało wyjazd w okolice Belfry. Na kilka dni.

– Brzmi sympatycznie.

– Nic nie jest jeszcze potwierdzone – zastrzega. – To na razie tylko pomysł.

– Ale wydaje się całkiem dobry. Może będzie można zabrać osobę towarzyszącą? Wieki całe nie spotykaliśmy się razem z chłopakami z klubu i ich żonami.

Minęło tyle lat, że pewnie zapomnieli, kim w ogóle jestem.

– Czy to nie stałoby się źródłem problemów? – pyta. – Chodzi mi o kawiarnię i twoją mamę.

– Wszystko zależałoby od terminu. Nie będzie to proste, ale na pewno mogłabym się zorganizować, jeśli uprzedziłbyś mnie odpowiednio wcześniej.

Choć pomysł wysłania mamy na kilka dni do domu opieki Słoneczna Jesień już przecież raz spalił na panewce.

– Mogłabym poprosić o pomoc Liję i jej przyjaciółki.

Anthony, wpatrując się w swój poluzowany krawat, cmoka z dezaprobatą.

– Najlepiej jednak byłoby zostać przy formule męskiego wypadu za miasto.

Kończą nam się tematy do rozmów, zapada niezręczne milczenie i siedzimy w ciszy, czekając na posiłek. Liczyłam na inny przebieg wieczoru. Miałam nadzieję, że zrelaksujemy się razem, ale z niewiadomych mi przyczyn klimat między nami się popsuł.

Kiedy tak siedzę, rozglądając się dokoła, do pubu wchodzi Deborah z zespołu Anthony'ego.

– Popatrz – rzucam, uradowana, że pojawił się temat do rozmowy. – To twoja nowa, młoda adeptka gry na dzwonkach.

Podejrzewam, że w rzeczywistości ma kilka lat więcej niż ja, ale w porównaniu z resztą pań jest zdecydowanie młodsza.

– Co? – Anthony aż podskakuje, a na widok Deborah mina mu rzednie. – Co ona tutaj robi?

– Pewnie przyszła zjeść kolację – rzucam na nią okiem. – Hm. I to w przystojnym towarzystwie. – Nachylam się do Anthony'ego. – Czy to jej mąż?

– Nie – Anthony rzuca mi złowieszcze spojrzenie. – Dopiero go poznała. Nawet ze sobą nie chodzą. Skontaktowali się przez internet.

– Nieźle. Szczęściara. Trafiło jej się.

– Tylko ją rozprasza i przeszkadza w grze – gorzko kwituje mój partner. – Festiwal już za kilka tygodni, a ona wciąż ma problem z wyciszaniem dzwonka.

W oczach Anthony'ego jest to widać najgorsza z możliwych zbrodni.

– Może się do nas dosiądą, jeśli masz ochotę.

Z przykrością uświadamiam sobie, że przyjemnie byłoby mieć towarzystwo, a Deborah wyglądała na rozrywkową osobę.

– Nie, nie, nie. – Mój pomysł najwyraźniej przeraża Anthony'ego, choć wydawało mi się, że ją lubi.

Deborah nas zauważa i macha radośnie w naszym kierunku. Pozdrawiam ją gestem dłoni.

– Przestań – rzuca Anthony.

Mimo że już zamówiliśmy, udaje, że wciąż przegląda menu.

– Dlaczego? Z przyjemnością ją poznam.

Niebawem możemy przecież zostać koleżankami z zespołu.

Mimo nieporadnych wysiłków Anthony'ego wtykającego nos w kartę i udającego, że go tam nie ma, Deborah bez chwili wahania podchodzi do naszego stolika. Wygląda prześlicznie. Cała promienieje. Podejrzewam, że w Dwóch Barkach nigdy wcześniej nie doszło do emanacji podobnego splendoru. Jest ubrana w obcisłą, różową sukienkę, do której pod kolor dobrała buty, szminkę i lakier do paznokci. Strój podkreśla jej kształty. Bardzo bym chciała roztaczać wokół siebie tyle czaru.

– Hejka – świergocze. – Fajnie, że się spotykamy.

Anthony zaciska usta.

– Tak, fajnie.

– Wspaniale wyglądasz – chwalę ją.

Zawstydzona dotyka dłonią włosów.

– Dzięki.

Potem spod sztucznych rzęs rzuca okiem na swojego wytwornego towarzysza. Wydaje się od niej młodszy i ma na sobie modny blezer.

– To jest Ed.

– Jestem Fay – przedstawiam się.

– Cześć – wita się Ed, podając mi dłoń.

Anthony wpatruje się w niego z rozdziawionymi ustami, jakby miał w nosie zasady dobrego wychowania. Z trudem powstrzymuję się przed kopnięciem go pod stołem. Czemu się tak zachowuje? Zazwyczaj jest wzorem dobrych manier.

Kiedy milczy, przedstawiam go:

– To jest Anthony.

Ed z werwą ściska dłoń mojego partnera.

Teraz następuje dobry moment na poproszenie ich, żeby się do nas dosiedli. Przy naszym stoliku jest dość miejsca dla czterech osób, ale Anthony wciąż się nie odzywa.

Nim jednak zrobi się niezręcznie, przynoszą nasze zamówienie.

– O, nasze jedzenie – rzuca teatralnym tonem Anthony.

– W takim razie – Deborah jest wyraźnie zbita z tropu – życzymy smacznego.

– Miło było się spotkać – mówię. – Może wkrótce będziemy miały więcej okazji, bo na poważnie rozważam wstąpienie do zespołu.

– Co? – Anthony obraca w moją stronę posępną twarz.

Zaskakuje mnie tym.

– Tak tylko myślałam.

– Świetnie. Dobrze nam zrobi napływ młodej krwi – odpowiada Deborah. – Nie sądzisz, Anthony?

Mój partner nie wygląda na zadowolonego z faktu, że zgodnie decydujemy o losie jego zespołu.

– Zobaczymy – rzuca pełen najgorszych przeczuć, a potem z werwą podnosi nóż i widelec. Trzyma sztućce w pełnej gotowości.

– Do zobaczenia na próbie, Anthony. – Deborah w dość zaborczy sposób ujmuje ramię Eda i rzucając nam promienny uśmiech, odchodzi do stojącego nieopodal stolika.

– Mogli z nami usiąść – mówię.

– Chciałaś spędzić wieczór we dwoje. – Anthony nożem kroi stek. – Ciesz się zatem tym, co chciałaś.

– Cieszę się.

– To nie zaczynaj.

– Nie chciałbyś, żebym nauczyła się grać na dzwonkach?

– Nie wydaje mi się, abyś miała do tego talent.

Ze zdziwienia szeroko otwieram oczy.

– To wymaga cierpliwości – ciągnie Anthony. – Mnóstwa cierpliwości.

Wydaje mi się, że tej cechy akurat mi nie brakuje. Mam też białą bluzkę. Poza tym czy to jest aż tak trudne? Oczywiście zachowuję powyższe myśli dla siebie i zaczynam jeść lasagne.

Z przeciwległego kąta sali dobiega nas śmiech i równocześnie z Anthonym podnosimy głowy. To Deborah, która najwyraźniej wybornie bawi się ze swoim towarzyszem.

– Wygląda na to, że nieźle im razem – komentuję.

– Nic o nim nie wie – komentuje posępnie Anthony. – Może się okazać seryjnym mordercą.

– Bardzo ujmującym i eleganckim.

– Wystarczy młodszy facet ze śliczną buźką i od razu straciła głowę.

Zalewa mnie fala poczucia winy.

– Opuściła jedną próbę w tym tygodniu – ciągnie Anthony. – Zna go ledwie pięć minut i już jest gotowa skoczyć za nim w ogień. – Kręci głową z dezaprobatą, myśląc o nowej członkini swojego zespołu. – Zamówię nam jeszcze po winie, dobrze?

Nim mam szansę cokolwiek odpowiedzieć, już jest w drodze do baru z naszymi pustymi kieliszkami w dłoni.

ROZDZIAŁ 33

Kiedy ramię w ramię wracamy nadbrzeżną ścieżką do domu, Anthony jest znacznie mniej sztywny. Najwyraźniej soczysty stek i trzy kieliszki wina zadziałały jak należy.

Teraz z wielkim entuzjazmem opowiada o ostatniej rundzie golfa, którą rozegrał dzień wcześniej.

– Gdybym nie zmarnował dwóch uderzeń – mówi – zdobyłbym ten dołek szybciej.

Mówiąc szczerze, to najprawdopodobniej usłyszałam więcej o tej jednej rundzie, niż ktokolwiek by dał radę znieść. Relacjonował mi jej przebieg, uderzenie po uderzeniu, podczas kolacji. Wcześniej usłyszałam równie drobiazgową opowieść o ostatniej próbie zespołu. Melodia *Bridge Over Troubled Water* sprawia paniom wyjątkową trudność. Im bardziej o tym myślę, tym mocniej utwierdzam się w przekonaniu, że gra na dzwonkach nie jest dla mnie. Wspólne hobby to jednak nie najlepsza recepta na szczęśliwy związek.

Ludzie na łodziach zacumowanych przy brzegu szykują się do snu. Pod pokładem zapalają się światła. Moje niesforne myśli dryfują ku Danny'emu. Ciekawe, gdzie jest teraz. Czy zatrzymał się już na noc i szykuje się do snu z Diggerym przy boku, a może jest z nim ktoś jeszcze? Przypominam sobie wieczór, który spędziliśmy razem na Łapaczu Snów. Byliśmy sobie obcy, a tak miło nam się razem siedziało. Z wolna zapada zmrok, patrzę na Anthony'ego, uświadamiając sobie, że między nami coś się popsuło. Nie dziwi mnie to jednak, bo przecież moje myśli nieustannie odpływają ku innemu mężczyźnie. Szkoda, że nie mogę wypucować mózgu wybielaczem, aby usunąć wszystkie ślady po Dannym Wildzie. Co dobrego przynosi mi nieustanne wracanie do niego w myślach?

Wracamy po śladach, najpierw przez most, potem uliczką. Szkoda, że nie zabrałam ze sobą latarki, przydałaby się. W domu Stana światła są zgaszone. Musi już leżeć w łóżku.

Mimo że jest dopiero kilka minut po dziesiątej, kiedy otwieram drzwi, dom też jest pogrążony w ciemności.

– Mama musiała zasnąć.

– Wstaw wodę – rzuca Anthony, sadowiąc się na kanapie, a nie, jak ma w zwyczaju, na fotelu. – Zobaczę, co jest w telewizji.

Posłusznie robię, co mi kazano, i czekam, aż zagotuje się woda. Z salonu dobiega mnie śmiech Anthony'ego, ciekawe, co ogląda.

Otwieram tylne drzwi, opieram się o framugę i patrzę na kanał. Skąpana w poświacie księżyca woda iskrzy się, a rosnące na brzegu drzewa cicho szumią na wietrze. Mam wrażenie, że podmuch niesie imię Danny'ego. Jestem o tym przekonana. Głęboko wdycham powietrze i z wydechem próbuję oddalić od siebie myśli o nim. Natrętnie jednak wracają. Może wciąż jest w Londynie, gdzie dobrze się bawi w towarzystwie młodszych znajomych, którzy są bardziej ode mnie na czasie. Może już zapomniał o tygodniach spędzonych w Cukierni Fay. Gdziekolwiek jest, mam pewność, że nie marnuje wieczoru na roztrząsanie wszelkich odcieni gry na dzwonach lub na wychwalaniu własnej precyzji w zdobywaniu piaszczystych dołków.

Łzy napływają mi do oczu. Ze wszelkich sił staram się o nim zapomnieć, ale wciąż czuję na ramieniu troskliwy dotyk jego dłoni, a na policzku budzące dreszcz muśnięcie jego ust. To zbyt wiele. Tęsknię za nim. Dobry Boże, jak mi go brakuje.

– Czy herbata już gotowa!? – Anthony przekrzykuje odgłosy płynące z telewizora.

Ocieram łzy, zamykam drzwi, parzę herbatę i zanoszę do salonu dwa kubki. Anthony zjadł na deser ogromną porcję crème brûlée, dlatego zakładam, że nie ma ochoty na ciasto.

Siadam obok niego, stawiam jego kubek na stoliku. Ku mojemu zaskoczeniu Anthony obejmuje mnie ramieniem.

– W porządku, staruszko? – pyta, przyciągając mnie mocno do siebie.

– Tak, jest dobrze. – Mam nadzieję, że głos nie zdradza moich wewnętrznych rozterek. – Wszystko w porządku.

– W telewizji nie ma nic ciekawego.

– Wydawało mi się, że coś cię rozbawiło.

– Jakieś starocie.

Ku mojemu narastającemu zdumieniu Anthony wyjmuje kubek z moich dłoni i stawia go ostrożnie na stoliku tuż obok swojego. Potem przysuwa się i całuje mnie. Jestem tak zaskoczona, że niemal odskakuję. Całuje mnie długo i namiętnie, mimo że zazwyczaj unikamy pieszczot. Próbuję sobie przypomnieć ostatni raz, kiedy byliśmy tak blisko siebie. Choć chodzimy ze sobą od lat, czuję się, jakbym całowała obcego człowieka.

Jego usta napierają na moje. Smakuje zwietrzałym winem i jedzeniem. Mocno się do mnie przytula, jego ciało jest ciężkie, zwaliste. Serce wali mi w piersi, ale bynajmniej nie z pożądania. Tylko z paniki. Chcę go odepchnąć, choć wiem, że powinniśmy to zrobić, potrzebujemy fizycznego zbliżenia, którego tak bardzo nam brakuje.

– Poczekaj, usiądę wygodniej – mówię i poprawiam się na kanapie.

Po chwili zbieram się w sobie i wracamy do całowania.

– Mógłbym zostać, Fay – proponuje namiętnym głosem. – Dużo czasu już minęło...

– Tak...

– Mama śpi.

Kiedy się kochaliśmy ostatnim razem? To było tak dawno, że nie pamiętam. Ostatnio jest nam trudno. Tutaj przeszkadza nam obecność mamy, a do Anthony'ego chadzamy z rzadka, również ze względu na mamę.

Nawet kiedy nam się udaje, nie jesteśmy mistrzami Kamasutry. Ograniczamy się do dwóch pozycji. Raz jedno na górze, innym razem drugie. Rozumiecie, o co mi chodzi. Od początku tak było. Nie przeszkadza mi to jednak. Nagość mnie krępuje. Anthony też nie narzeka na seks przy zgaszonym świetle, w ciemnościach. Gdyby zaproponował, abym się przebrała w strój pielęgniarki lub użyła kajdanek czy założyła czarną kominiarkę z lateksu, najprawdopodobniej na miejscu bym zemdlała. Lubię kochać się w łóżku. W wygodnym łóżku. Nie uprawiałabym seksu na tylnym siedzeniu samochodu czy na stojąco. Nigdy nie kochaliśmy się na zewnątrz.

– Chodźmy na górę – nalega Anthony.

– Tak – zgadzam się. – Byłoby miło.

Zabieram kubki i wkładam je do zmywarki, a Anthony wyłącza telewizor i gasi światło. Ustawiam maszynę do chleba, żeby rano czekał na nas świeżo wypieczony bochenek. Sprawdzam, czy zamknęłam tylne drzwi, starając się nie patrzeć w stronę kanału.

Kiedy wracam do salonu, Anthony jest już na górze, dlatego na paluszkach wspinam się po schodach w ślad za nim, uważając, żeby nie obudzić mamy.

Anthony jest w łazience, pewnie pożyczył sobie moją szczoteczkę, co mnie przeraża. Nienawidzę się nią dzielić, ale oboje lubimy kłaść się do łóżka czyści. Sama chętnie wzięłabym prysznic pierwsza, ale martwię się, że potem zejdzie nam zbyt długo i rano będę nieprzytomna.

Czekając, aż Anthony skończy się myć, ścielę łóżko. Rozglądam się też za koszulą nocną. Anthony nie przepada, kiedy zakładam piżamę, dlatego ze względu na niego na dnie szuflady trzymam coś bardziej seksownego.

Kiedy wreszcie wychodzi z łazienki w samych bokserkach, jego zaokrąglony brzuszek objawia się w całej okazałości. Złożoną koszulę i spodnie trzyma przewieszone przez ramię. Sporo czasu minęło, od kiedy widziałam go nago, i zapomniałam, jak bardzo jest różowiutki. Na pokrytej piegami klatce piersiowej rosną mu rzadkie, jasne włosy, częściowo przyprószone siwizną.

– Muszę wstać rano, żeby zdążyć pojechać do domu się przebrać – mówi. – Nie chciałbym pójść do biura we wczorajszym ubraniu. Naraziłbym się na śmieszność.

– Masz rację – zgadzam się. – Ustawię budzik na szóstą.

– Dobrze, wtedy będę miał dość czasu.

– Zrobię ci rano śniadanie.

Biorę skąpą koszulkę i idę do łazienki. Rozbieram się, porządnie myję gąbką i potrzymawszy szczoteczkę przez minutę w strumieniu gorącej wody, szoruję nią zęby. Zakładam koszulkę i patrzę w lustro. Czuję się w niej śmiesznie. Jest czarna z troczkami i koronką na dekolcie, ma też kokardę z kryształkami Swarovskiego. Nie jestem w niej sobą. Ale Anthony ją lubi.

Ciekawe, czy wciąż budzę pożądanie. Nie jestem ani szczupła, ani gruba. Mam szerokie biodra i obfity biust, które może w parze prezentują się całkiem dobrze. Nie jestem tak urodziwa jak Edie, która bardziej przypomina mamę. Odziedziczyłam rysy po tacie. Mogłabym się wysilić na ciekawszą fryzurę, gdyby tak bardzo nie brakowało mi czasu. Mam gładką cerę, ładne oczy i zdrowe zęby. Wciąż jestem raczej młoda. Ale wcale się tak nie czuję. Uważam się za panią w średnim wieku przytłoczoną nadmiarem obowiązków. Seksowna koszulka nie jest w stanie tego zmienić.

Kiedy wracam do sypialni, Anthony już leży w łóżku. Na krześle obok jego koszuli i spodni zauważam bokserki. Wsuwam się pod kołdrę obok niego. Zazwyczaj śpię po prawej stronie, ale on też. Prawem pierwszeństwa zajął lepsze miejsce.

– Jak miło – mówię.

Jednocześnie naciągamy na siebie kołdrę. Odwracam się, żeby wyłączyć lampkę. Ale od razu ją włączam i siadam na łóżku.

– Zapomniałam o budziku.

Ustawiam zegar.

Wyłączam światło i znów się nakrywam kołdrą. Odwracamy się przodem do siebie. Anthony obejmuje mnie ramieniem, a potem mnie całuje. Dziewictwo straciłam, kiedy skończyłam osiemnaście lat, ale dotąd nie wiem, co powinno się zrobić z ręką leżącą pod spodem. Gdzie należy ją trzymać? To wciąż pozostaje dla mnie zagadką. Dekada wspólnych doświadczeń sprawiła jednak, że dopasowaliśmy się do siebie w łóżku

Anthony całuje mnie po szyi.

– Zdjąć koszulkę? – pytam.

– Jeśli chcesz.

– Jak wolisz.

– Zdejmuj.

Siadam i kiedy ujmuję brzeg koszulki, dobiega mnie stukanie maminej laski.

– Fay! – woła. – Fay!

Stukot nasila się.

– Zapomniałam wziąć leki.

– To mama – bez sensu tłumaczę.

– Kurwa mać – wyrywa się Anthony'emu, który nigdy nie przeklina.

Opada na łóżko.

– Muszę jej zaparzyć herbatę – mówię przepraszająco. – Ale będę się spieszyć.

Wyskakuję z łóżka, owijam się szlafrokiem i biegnę do mamy.

– Już idę, mamo – uspokajam ją. – Nastawię czajnik i zaraz wracam.

Ale szczerze, słysząc stukanie jej laski, poczułam wielką ulgę. Może zabrzmi to wulgarnie, za co z góry przepraszam, ale inny typ „stukania" w ogóle mnie nie pociągał. Po podaniu lekarstw wracam do sypialni i z jeszcze większą ulgą zauważam, że Anthony zasnął.

ROZDZIAŁ 34

Długo czekaliśmy w Anglii na piękne lato, które właśnie nadeszło w pełni swej wspaniałości. Kwiaty oszałamiają kolorami, pszczoły sycą się obfitością pyłku, a niebo lśni zuchwałym, wręcz bezwstydnym błękitem.

Zeszły rok pobił rekord w ilości opadów. Tegoroczny konkuruje o tytuł najgorętszego, a w Cukierni Fay roi się od gości. W niektóre weekendy ludzie czekają na stolik w kolejce. Wydłużyłyśmy godziny otwarcia, a Lija nieustannie staje na wysokości zadania, wypiekając pyszne smakołyki. Wieczorami świetnie się bawimy, wypróbowując jej nowe przepisy, którymi wzbogacamy menu. Pojawiło się ciasto cynamonowo-jabłkowe i imbirowo-pomarańczowe oraz tradycyjny brytyjski biszkopt z ziarnami kminku, a teraz w sezonie króluje placek z kremem i truskawkami.

Minął już miesiąc od wyjazdu Danny'ego i choć ze wszelkich sił staram się nie zważać na upływ czasu, to nie ma ani jednego dnia, żebym nie poświęciła chwili na myśl o nim. Czasem już nawet tak bardzo to nie boli.

Zaczyna się weekend wielce wyczekiwanego Festiwalu nad Kanałem i od rana nie narzekamy na brak klientów. Przygotowałyśmy spory zapas ciast na sprzedaż z pokładu Ślicznotki i po raz pierwszy w ofercie cukierni na wodzie znajdują się gotowe kanapki, które najprawdopodobniej na stałe wejdą do menu, bo cieszą się ogromną popularnością.

Obie przyjaciółki, z którymi Lija wynajmuje mieszkanie, Krista i Evelina, zostały zaangażowane do pomocy. Krista od dwóch dni zajmuje się sprzedażą z naszej barki i radzi sobie całkiem nieźle. Wzrosły mi obroty i poprosiłam, żeby została także na festiwalowy weekend. Jeśli sytuacja się nie zmieni, będę musiała rozważyć zatrudnienie kogoś na stałe do końca wakacji. Jestem przekonana, że sprzedaż wzrosła dzięki stałej obecności Kristy na pokładzie.

Muszę przyznać, że przez ostatnie tygodnie mój przychód wzrósł tak znacząco, że mogłam przeznaczyć część pieniędzy na pomoc dla Edie. Moja siostra wciąż potrzebuje finansowego wsparcia, bo jej sytuacja, niestety, się nie poprawiła. Wciąż nie zmieniła mieszkania, ale nie może to trwać jeszcze zbyt długo. Nie znalazła też żadnej pracy.

Chodzę po ogrodzie, zbierając brudne naczynia i wskazując nowym klientom stolik. W kuchni odstawiam do zlewu brudne filiżanki.

– Zupa dla śmierdzącego Stana jest gotowa, Fay.

– Lija – besztam ją.

Jestem pewna, że specjalnie tak mówi.

Odwraca się od piekarnika, posyłając mi jeden ze swoich rzadkich, pełnych kpiny uśmiechów.

– Trafisz prosto do piekła – ostrzegam ją.

– Zaopiekuję się tam twoją mamą.

Śmieję się, odbierając od niej tacę, i wychodzę do ogrodu. Stan siedzi przy najdalszym stoliku tuż nad kanałem. Jest ubrany w białą koszulę z krótkimi rękawami i pasiastą kamizelkę z dzianiny. Na głowie ma kapelusz typu panama i wygląda, jakby co najmniej dwukrotnie objechał dookoła kulę ziemską.

– Dzień dobry.

– Witaj, skarbie – pozdrawia mnie się. – Nie widziałem cię już od kilku dni.

– Przepraszam. Mamy duży ruch.

– Nic nie szkodzi. Urocza Lija dobrze się mną zajmuje podczas twojej nieobecności. Wspaniała dziewczyna. Pełna życia.

– To prawda.

– I utalentowana. Szczerze jej radzę, jak najlepiej wykorzystać jej umiejętności.

Sama jej to powtarzam. Ale bezskutecznie.

– Co ci odpowiedziała?

– Żebym się odwalił – śmieje się.

– Dobrze, że jesteś dla nas jak rodzina, bo gdyby to był zwyczajny klient… – zrezygnowana kręcę głową. – Przesadziła. – Nawet na standardy Lii to zbyt wiele. – Porozmawiam z nią.

– Nie – mówi. – Uwielbiam ją taką, jaka jest, z zaletami i wadami. Trzyma mnie przy życiu.

– Mnie też. – Stawiam przed nim tacę. – Przyniosłam ci lunch. Zupa z zielonego groszku ze świeżą miętą z ogrodu.

– Och, wspaniale – cieszy się Stan. – Moja ulubiona.

Rozglądam się, czy nie jestem nikomu potrzebna, i na chwilę siadam przy jego stoliku.

– Wybierasz się później na festiwal?

– Nie przegapiłbym takiej okazji za nic w świecie. Czekam na to wydarzenie przez cały rok.

– To chyba niezbyt zajmujące w porównaniu z zadaniami pilota doświadczalnego i filmowego kaskadera.

– Moja droga Fay, teraz korzystam z każdej rozrywki, jaka się nadarzy. Cieszę się, że w ogóle jestem w stanie sam chodzić. W moim wieku.

– Potrzebujesz pomocy z dojazdem?

– Nie, nie – dziękuje. – Nie zamierzam się spieszyć. Będę się cieszył słońcem. Zresztą jeśli się zmęczę, zawsze będę mógł odpocząć przy śluzie.

– Daj mi znać, jeśli zmieniłbyś zdanie. Chętnie cię podwiozę samochodem. To żaden kłopot. – Z uśmiechem klepię go po dłoni.

– Dam sobie radę – zapewnia mnie Stan. – Wybierasz się tam po zamknięciu kawiarni?

– Tak, za godzinę.

Co dziwne Lija ma także ochotę wybrać się na festiwal i nie może zostać z mamą, dlatego wybieram się tylko na krótko.

– Będę wspierać Anthony'ego i jego Dźwięczne Gracje. Występują po raz kolejny.

Grymas wykrzywia twarz Stana.

– Wiem. – Śmieję się i dodaję szeptem: – Okropny hałas, ale przynajmniej ma zajęcie.

– Nie masz żadnych wiadomości od tego młodzieńca? Jak mu było na imię? Danny?

– Nie. Nie odzywał się, od kiedy wyjechał.

– Jestem zaskoczony – mówi Stan. – Byłem przekonany, że wróci.

– Może kiedyś – wstaję.

– Może przyjedzie na festiwal.

– To chyba nie jego forma rozrywki.

– Ludzie przypływają tu z całego kraju. Nigdy nic nie wiadomo.

Mimo wcześniejszych zapewnień, że myśl o Dannym wcale nie sprawia mi bólu, muszę wyznać, że nie jest to prawda, dlatego nie mam ochoty dłużej ciągnąć rozmowy o nim. Co z oczu, to i z serca.

– Wracam do pracy. – Prostuję się, rozciągając zmęczone plecy. – Smacznego, Stan. Lija upiekła przepyszny imbirowo-pomarańczowy placek. Za chwilę przyniosę ci kawałek.

– Wybornie – mówi, ocierając o siebie dłonie ze wzrokiem wpatrzonym w talerz zupy.

Myśl, że pewnego dnia Stan nie przyjdzie do kawiarni, że nie uzna każdej podawanej mu zupy za ulubioną, jest nie do zniesienia. Aż oczy mnie pieką i pod wpływem impulsu gładzę go po policzku.

– A to za co? – pyta.

– Za nic – odpowiadam. – Baw się dobrze na festiwalu. Do zobaczenia później, Stan.

ROZDZIAŁ 35

Od godziny Lija szoruje blaszki, robiąc niezły raban. Wreszcie rzuca ostatnią na suszarkę do naczyń. Kiedy wyciera dłonie o koszulkę, moje styrane nerwy znajdują chwilę ukojenia.

– Okej – mówi. – Spadam. Do zobaczenia.

– Czy coś mi umknęło? – pytam. – Skąd ten festiwalowy pośpiech?

Lija wzrusza ramionami.

– Nowy barman w Dwóch Barkach. – Podnosi torebkę. – Awaryjne majtki i szczoteczka w pełnej gotowości.

– Och. Powodzenia zatem.

Jej dzisiejszy strój powinien już wcześniej dać mi do myślenia. Czarny top, obcislejszy niż zazwyczaj. Na dodatek z kawałkiem koronki. Najkrótsze możliwe dżinsowe spodenki, czarne rajstopy i jej ulubione czerwone martensy. Lija najwyraźniej chce zrobić dobre wrażenie.

– Nie zapomnij tylko stawić się jutro z rana w pracy – przypominam jej zupełnie niepotrzebnie. – Prognoza jest zachwycająca i nie będziemy mieć chwili wolnego.

– Czy kiedykolwiek cię zawiodłam?

– Nie – muszę przyznać z ręką na sercu. – Nigdy.

– Wybierasz się na festiwal?

– Tak, oczywiście. Występuje zespół Anthony'ego i chciałabym go wesprzeć swoją obecnością.

Lija robi głupią minę

– Nic nie mów. Ani słowa!

Ona jednak tylko się śmieje.

Wyjmuję dwadzieścia funtów z portfela i wsuwam banknot w rękę Lii.

– Wypij za moje zdrowie. Świetnie dziś pracowałaś.

– Dziękuję, Fay.

Mimo że to naprawdę drobiazg, jest autentycznie wzruszona.

– Nie wiem, jak bym dała sobie radę bez ciebie. Wiesz o tym.

– Nie rozklejaj się – rzuca mi karcące spojrzenie. Zakłada plecak na ramię. – I pospiesz się, bo przegapisz całą imprezę – dorzuca.

– Tylko tu ogarnę i zaraz wychodzę. Czy zapłaciłaś Evelinie i Kriście?

– Tak – mówi. – Wzięłam pieniądze z pudełka.

Wkrótce trzeba będzie założyć kasę fiskalną i tak dalej, odkładam jednak ten dzień, póki mogę.

– Czy możesz sprawdzić, wychodząc, jak się miewa Krista? Czy u niej wszystko w porządku? Bardzo cię proszę. Gdyby potrzebowała pomocy lub kolejnej porcji ciast, niech zadzwoni do mnie.

Lija kiwa głową i już jej nie ma.

Patrzę, jak schodzi w dół ogrodu, kręcąc biodrami z werwą właściwą młodości i tylko wzdycham. Szybko przecieram blaty, chowam do szafek blaszki i garnki, opróżniam zmywarkę, żeby nie robić tego rano.

Potem idę się przebrać w moją jedyną letnią sukienkę, której w tym roku nadużywam. Kiedy jestem gotowa do wyjścia, zaglądam do mamy, po raz kolejny zastanawiając się, dlaczego skazuje się na życie w zamknięciu, skoro wcale nie ma takiej konieczności. Nawet gdyby była przykuta do wózka, mogłabym ją zabrać na festiwal na godzinę lub dwie. Skoro Stan daje radę, ona też powinna. Jestem przekonana, że spodobałoby jej się, gdyby tylko zechciała spróbować.

Udało mi się nawet opalić w tym roku. Na moim nosie pojawiły się nowe piegi, a ramiona mam złocistobrązowe. Mama jednak z dnia na dzień robi się coraz bledsza. Jej włosy są już całkiem białe i wypadają w zawrotnym tempie. Myję je raz w tygodniu i mimo wielkiej ostrożności za każdym razem na dnie umywalki zostaje ich coraz więcej.

W jej pokoju panuje zaduch. Powietrze jest ciężkie.

– Otworzyć ci okno, mamo? Jest tu dość ciepło.

– Nie – odpowiada. – Zimno mi.

– Niemożliwe. Jest co najmniej dwadzieścia stopni.

– Słyszałam muzykę – mówi.

– Zaczął się Festiwal nad Kanałem. Wybieram się tam na godzinkę.

Lustruje mnie od stóp do głów.

– To dlatego tak się wystroiłaś.

– Anthony występuje dziś ze swoim zespołem.

Nie są wcale, jak twierdził, gwoździem programu, ale ich występ ma się zacząć niebawem i muszę się pospieszyć, żeby go nie przegapić. Będzie zły, gdy mnie tam zabraknie.

– Miło mi to słyszeć.

– Jeślibyś chciała, mogłabyś pojechać ze mną.

Poirytowana macha dłonią.

– Jestem zbyt zmęczona.

Nie mam siły na wymianę argumentów.

– Wracam niebawem. Tu masz telefon, dzwoń, gdyby coś się stało.

– Gdzie jest Lija?

– Też poszła na festiwal.

– Och. Zatem baw się dobrze – niechętnie mi życzy. – Nie martw się o mnie.

– Wrócę do domu, nim się spostrzeżesz.

Zostawiam ją mimo dręczącego mnie poczucia winy na widok jej mizernej miny. Jeśli jednak bym została, Anthony byłby rozczarowany. Cokolwiek zrobię, zawsze ktoś będzie nieszczęśliwy, dlatego wolę pójść na festiwal jak wszyscy inni, niż zostać tutaj.

W duchu obiecując sobie później jej to wynagrodzić, w locie chwytam kapelusz i szybko wychodzę przez tylne drzwi. Chwilę później kieruję się nadbrzeżną ścieżką w stronę parku w Great Lindford. Barwne łodzie każdego kształtu i typu napływają już od wczoraj. Wszystkie miejsca w pobliżu kawiarni są zajęte, szykuje się gorący tydzień, bo zazwyczaj ludzie zostają kilka dni dłużej i dopiero po krótkim odpoczynku ruszają w dalszą żeglugę. Może wyjątkowo powinnyśmy otworzyć w poniedziałek. Niemądrze byłoby tego nie zrobić. Zobaczymy, co na to Lija.

Kiedy zbliżam się do parku, słyszę, że festiwal już się rozpoczął. Nie byłam tu od czasu mojej jednodniowej wyprawy z Dannym, kiedy zatrzymaliśmy się na krótki piknik w drodze powrotnej. Na samo wspomnienie zalewa mnie fala melancholii.

Muzyka, którą słychać było nawet w pobliżu kawiarni, nasila się z każdym moim krokiem. Na scenie postawionej naprzeciwko rezydencji gra zespół rockowy. Wzdłuż ścieżki ustawiono liczne kramy oferujące wyroby rękodzielnicze, zwłaszcza akcesoria związane z łodziami: tradycyjne rysunki różyczek, odbijacze z liny, plecione barwne chodniki, koronkowe elementy dekoracyjne do kajut. Z kilku łodzi, podobnie jak my to robimy z pokładu Ślicznotki, sprzedawano jedzenie. Zauważam znaną mi barkę Serowe Przysmaki, która regularnie pływa wzdłuż kanału, oferując cały wachlarz pysznych brytyjskich serów. Na innej można kupić babeczki z różnokolorowym kremem. Na kilku łodziach widnieją reklamy zachęcające do wynajmu barek i spędzenia wakacji na kanale. Zauważam też, że wokół budynków gospodarczych dworu postawiono liczne budy z jedzeniem. Wśród nich nie mogło zabraknąć furgonetki z burgerami, przed którą ciągnie się długa kolejka, można też spróbować innych wymyślnych dań. Jest stoisko z wegetariańskim curry i inne kuszące ostrym zapachem kuchni karaibskiej. Pub Dwie Barki postawił namiot z piwem, chętnych, rzecz jasna, nie brakuje, bo przed wejściem zebrał się już spory tłum.

W tym roku przybyło szczególnie dużo ludzi. Festiwal jest ważnym wydarzeniem dla lokalnej społeczności, a dzięki przepięknej pogodzie odwiedziło nas jeszcze więcej turystów niż zazwyczaj. Choć na scenie można usłyszeć każdy typ muzyki, to obawiam się, że Dźwięczne Gracje niezbyt tu pasują. Sprawdzam godzinę. Mam jeszcze trzydzieści minut do występu Anthony'ego. Stresuję się za niego.

Muszę przyspieszyć kroku, jeśli zamierzam dojść do sceny na czas. Wciąż mam do przejścia most i park, a czas nagli. Właśnie zamierzam przyspieszyć, kiedy staję jak wryta.

Przede mną tuż obok Łapacza Snów uśmiechnięty Danny wbija młotkiem paliki, żeby zacumować łódź. Nie spodziewałam się go tu spotkać. Z zaskoczenia zasycha mi w ustach.

Po tych wszystkich tygodniach, tych długich tygodniach, wrócił. Nie sądziłam, że tak będzie. Nie wierzyłam, że wróci. Nie śmiałam na to liczyć.

Zamieram, jakby mi stopy przywarły do ziemi. Za plecami Danny'ego Diggery szczeka na powitanie.

Wtedy jego pan odwraca się i mnie zauważa. Uśmiecha się jeszcze szerzej.

– Fay! – woła uradowany.

Mam ochotę załkać. Z radości.

ROZDZIAŁ 36

– Hej! Jak dobrze cię widzieć – wita się Danny, najwyraźniej ożywiony. – Liczyłem, że cię tu spotkam.

Stoi na wprost mnie i mam ochotę rzucić mu się w ramiona, ale moja wrodzona, absurdalna, brytyjska skromność zamienia mnie w słup soli.

Jego czarne oczy zdają się przenikać mnie na wylot, a pod siłą jego spojrzenia miękną mi kolana.

– Wyglądasz wprost bajecznie – dodaje uradowany. – Opalona i w ogóle.

– Mamy gorące lato – w odpowiedzi zdobywam się zaledwie na wyświechtany banał.

– To prawda.

On także świetnie wygląda. Opalony, wypoczęty i jeszcze silniejszy, niż zapamiętałam. Nieznacznie urosły mu włosy, ale nie zmienił fryzury: nad nierówną grzywką wciąż góruje burza potarganych, ciemnych loków. Ma na sobie czarny T-shirt i wyblakłe szare dżinsy. Godzinami mogłabym się w niego wpatrywać.

Pochylam się, żeby pogłaskać Diggery'ego, który ekstatycznie podskakuje u moich stóp. Najwyraźniej o mnie nie zapomniał.

– Dobrze się bawiłeś? – pytam.

– Wspaniale – przyznaje. – Fenomenalne wesele. Trochę też się zasiedziałem. Nie zamierzałem aż tak długo zostawać w Londynie, ale odświeżyłem dawne znajomości i spotykałem się z przyjaciółmi.

– To wspaniale.

Ciekawe, czy zatęsknił za swoim dawnym, ekscytującym życiem.

– Moi kumple przyjechali też na weekend. Opowiadałem im o tym, jak się mieszka na łodzi, oczywiście nieźle się ze mnie wtedy nabijali, ale kiedy wspomniałem o festiwalu, nikt nie chciał przepuścić okazji do imprezy.

– To wspaniale.

– Chodź – mówi. – Musisz ich poznać.

Ruszam za nim w stronę Łapacza Snów, zastanawiając się, czy opowiadał swoim znajomym o mnie. Potem jednak łapię się na myśli, że niby dlaczego? Najprawdopodobniej byłam jedynie przelotną znajomą, nic nieznaczącą w jego życiu osobą. Jestem skłonna się założyć, że słowem o mnie nie pisnął.

Kiedy zbliżam się do barki, spod pokładu wyłania się młoda dziewczyna, której Danny podaje rękę, aby jej pomóc przy schodzeniu z łodzi na brzeg.

Jest szczupła i zgrabna, a nogi ma długie jak u modelki. Ubrana jest w skąpy top, obciślejszy niż Lii, jej dżinsowe spodenki także są krótsze niż te, w które ubrała się moja pracownica. Znajoma Danny'ego ma długie, lśniące blond włosy, a jej zęby są tak olśniewająco białe, że niemal odbijają promienie słońca.

– To jest Sienna – przedstawia ją Danny. – Pracowaliśmy razem w City. Jest zadeklarowaną wielbicielką wielkich miast, ale chcę odkryć przed nią urok mojego nowego życia.

Dziewczyna chichocze.

– A to jest Fay – ciągnie prezentację Danny. – Pracowałem dla niej wiosną przy najrozmaitszych, najdziwaczniejszych rzeczach.

– O matko – wyrywa się Siennie, która pewnie nie dowierza, że jej kumpel mógł aż tak nisko upaść.

Najwyraźniej nie wspominał o mnie, staram się też zignorować fakt, że nie przedstawił mnie jako przyjaciółki.

Z wnętrza łodzi wychodzą kolejni ludzie, tym razem para. Mężczyzna obejmuje ramieniem dziewczynę.

– To Henry i Laura. Także razem pracowaliśmy.

– Miło was poznać – odzywam się nieśmiało.

– Spodobała im się moja łajba – chwali się Danny.

– Jest zajefajna – zachwyca się Sienna.

Danny śmieje się, jakby usłyszał najzabawniejszą replikę pod słońcem.

– Chodź z nami na drinka, Fay. Właśnie zmierzaliśmy do namiotu z piwem.

– Zespół Anthony'ego ma lada chwila wystąpić. – Wskazuję ręką w stronę sceny ustawionej przed budynkiem rezydencji, po przeciwnej stronie kanału. – Już tam powinnam być.

– Przejdę się z tobą – oferuje Danny. – Chętnie dowiem się, co porabiałaś przez całe wakacje.

– Ale twoi znajomi...

– Przez chwilę dadzą sobie sami radę. – Odwraca się do nich. – Hej, dziewczyny, Henry. Idźcie po piwo, ja dołączę do was za chwilę. Chciałbym zamienić parę słów z Fay.

– Spoko – mówi Henry. – Zamówić ci jedno?

– Nie. Ale nie tankujcie na wyścigi. Nie chciałbym was w drodze powrotnej wyciągać z wody.

Machają mu, dołączając do tłumu sunącego w stronę parku.

Danny patrzy na mnie z uśmiechem.

– Spławieni. Jestem cały twój.

– Niebawem zacznie się występ – niespokojnie się tłumaczę. – Powinnam się zbierać.

– Pójdę z tobą.

– Naprawdę nie chcesz tego słuchać, wierz mi.

– Ależ chcę – upiera się. – Skoro nie zdążymy kupić sobie czegoś do picia, wezmę kilka piw z lodówki. Masz może ochotę?

Nagle czuję, że wręcz marzę o schłodzonym piwie. To znaczy nie tylko.

– Chętnie, dzięki.

Wskakuje na pokład i w kilka sekund jest z powrotem z dwoma butelkami piwa.

– Na razie powinno wystarczyć.

Ruszamy nadbrzeżną ścieżką, mijamy most i przechodzimy przez park. Ze względu na gęstniejący tłum poruszamy się powoli, z mozołem torując sobie drogę do głównej sceny, na której rockowy zespół właśnie kończy swój wstęp.

– Są nieźli. – Danny kiwa z uznaniem głową.

Znajdujemy wolne miejsce na trawniku z przodu i siadamy. Kiedy wybrzmiewa ostatni akord, publiczność nagradza muzyków owacją na stojąco. W gardle czuję narastającą gulę. Biedny Anthony ma przed sobą trudne zadanie.

W krótkiej przerwie między występami Danny patrzy na mnie.

– Opowiadaj zatem. Jak leci?

– W porządku – mówię.

– Dużo klientów?

– Bardzo.

– Jak Lija i Stan?

– Bez zmian. Oboje są gdzieś tutaj, ale jeszcze ich nie spotkałam. Możemy spróbować rozejrzeć się za nimi później. – Ale wtedy przypominam sobie o jego znajomych. – Och, ale będziesz pewnie chciał dołączyć do swoich przyjaciół.

– Nie, skądże – odpowiada. – To świetny pomysł. Nie będą mieć mi za złe. Co poza tym się działo? Czy podczas mojej nieobecności się zaręczyłaś i wydałaś za swojego mężczyznę?

– Nie – mówię. – A ty?

Kręci głową.

– Wolny i niezależny jak zawsze.

Ciekawe, co na to Sienna.

– Opowiedz o weselu.

– Świetna impreza. Szczególnie weekend kawalerski. Zakładaliśmy na głowy pachołki drogowe i tego typu rzeczy. Już dawno się tak nie wydurniałem. – Kręci butelką. – Poza tym co tu dodać? Panna młoda była piękna. Wszyscy się upiliśmy. Typowe wesele. Ale nie zdawałem sobie sprawy, że tak bardzo brakowało mi przyjaciół. Nie zrozum mnie źle, uwielbiam życie na wodzie, Łapacza Snów, ale to samotne życie. Chyba musiałem trochę odreagować. – Śmieje się. – Ciut mi się od nich oberwało. – Butelką wskazuje w kierunku namiotu, w którym są jego przyjaciele. – Dlatego namówiłem ich, żeby wpadli ze mną na weekend. Wczoraj wieczorem odebrałem ich ze stacji w Leighton Buzzard. Nie mogli uwierzyć, że przepłynięcie barką tej drogi zajęło mi tydzień, gdy im zaledwie pół godziny pociągiem.

– Czy mimo to podoba im się?

– Tak. – Wzrusza ramionami. – Na dzień lub dwa jest okej. Ale to imprezowe bestie. Kręci ich życiowy pęd. Podobnie jak mnie kiedyś. – Świdruje mnie tymi swoimi czarnymi oczami. – Mieszkałem na Łapaczu Snów podczas pobytu w Londynie, co było dość przyjemne. Ale nie dałem rady sprostać tempu wiecznej balangi. Po trzech czy czterech zarwanych nocach z rzędu desperacko zapragnąłem wypłynąć na wody kanału. Nacieszyłem się chyba na zawsze pubami i klubami. Myślę, że na dobre wyleczyłem się z takiego stylu życia. Po prostu potrzebowałem się o tym upewnić.

Rozlegają się nieśmiałe oklaski i uświadamiam sobie, że Anthony i jego panie weszli na scenę i są gotowi do występu.

– Czy to twoja druga połówka? Ten koleś z przodu?

– Tak.

Rzuca Anthony'emu badawcze spojrzenie, ale słowem nie komentuje.

– Z trudem zmuszam się, żeby stąd nie uciec – przyznaję się Danny'emu.

– Nie jesteś fanką gry na dzwonkach? – droczy się ze mną.

– Oj, nie. Ale trzymam za nich kciuki ze względu na Anthony'ego.

– Na pewno świetnie im pójdzie – uspokaja mnie. – Większość ludzi ma już dość w czubie, żeby nie zwracać na nic uwagi.

Niestety, nie zaliczam się do nich.

Nim Dźwięczne Gracje w ogóle zdążą zacząć, pojedyncze osoby odchodzą spod sceny. Panie w nowych bluzkach prezentują się schludnie. Uśmiecham się. Deborah oczywiście wyróżnia się na ich tle. Tak jak przypuszczałam. Biała bluzka zmysłowo opina jej krągłe kształty, a głęboki dekolt odkrywa wyraźnie zarysowany rowek między piersiami. Podczas gdy większość starszych od niej pań zdecydowała się na wygodne, płaskie buty, Deborah ma na sobie wysokie obcasy w lamparcie cętki ze złotą, gładką szpilką. Brawo, dziewczyno, tak trzymać! Udało jej się wprowadzić odrobinę splendoru do nudnego świata gry na dzwonkach.

Anthony podnosi batutę. Wygląda jak zadufany w sobie dyrektor szkoły podstawowej, co tylko przydaje mu lat. Ubrany jest w niedopasowane czarne spodnie i mdłą, białą koszulę. Nagle czuję się zażenowana jego wyglądem, a potem jeszcze bardziej się zawstydzam i ganię za podobne myśli. Jest moim partnerem i powinnam być z niego dumna. Wcale tak jednak nie jest. Czy moja chęć ucieczki jest aż tak karygodna?

Na znak Anthony'ego panie zaczynają wydzwaniać melodię *Tie a Yellow Ribbon Round the Ole Oak Tree*.

Jest to najokropniejszy dźwięk na całej kuli ziemskiej.

Danny musi uważać podobnie, bo odwraca się do mnie z szeroko otwartymi oczami i mówi:

– O Boże! Oni tak na poważnie?

– Tak – odpowiadam. – Na poważnie.

ROZDZIAŁ 37

Siedzimy, słuchając, jak Dźwięczne Gracje pod dyktando Anthony'ego zarzynają klasyczny przebój Beatlesów *Yesterday*, a potem bez cienia litości znęcają się nad hitem Elvisa *Are You Lonesome Tonight?*

Jest źle. Fatalnie.

Nie odrywam oczu od sceny.

Trzeba uczciwie przyznać, że zespół Anthony'ego nie porywa tłumów, ale na samym przedzie stoi grupa ich zagorzałych zwolenników w wieku emerytalnym, którzy przyklaskują w takt muzyki. Najprawdopodobniej są to mężowie, bracia i siostry Dźwięcznych Gracji. Także kilkoro dzieci z uznaniem tańczy przed sceną. Pląsom maluchów nie brak werwy, to prawdziwi królowie i prawdziwe królowe parkietu.

Nie można też nie podziwiać Anthony'ego, który wreszcie czuje się jak ryba w wodzie. To jego pięć minut i zachowuje się, jakby występował przed publicznością w Royal Albert Hall lub w londyńskiej O2 Arena. Uwielbia to. Kocha. Czy mam prawo mu to wymawiać?

Z osłupienia Danny milknie na dłuższą chwilę.

Po kolejnej piosence, obejmuje mnie ramieniem i szepce:

– Nie dam rady. Musimy stąd uciekać.

Uśmiecham się na przekór sobie.

– Nie mogę – odszeptuję. – Co z Anthonym?

Zawadiacko się uśmiecha, a jego oczy, które na przekór zdrowemu rozsądkowi pokochałam, niesfornie błyskają.

– Pieprzyć Anthony'ego.

Śmieję się, choć nie powinnam.

– Okej.

Danny bierze mnie za rękę i ruszam za nim.

W namiocie z piwem kłębi się dziki tłum, ale udaje się nam przecisnąć aż do baru, bo całą drogę bezceremonialnie rozpieramy się łokciami. Nasze ciała ściśle przylegają do siebie, kiedy czekamy na drinki.

– Dobry Boże, Fay. – Danny śmieje się, kiedy pod naporem tłumu nachylamy się nad kontuarem. – To było potworne.

– On to uwielbia – mówię. – Naprawdę podle się czuję, że uciekłam. Będzie mną rozczarowany.

– Pod wpływem tej muzyki miałem ochotę kogoś ukatrupić.

Patrzę na niego z przyganą, ale potem przyznaję:

– Mam tak samo.

– Ale skoro właśnie to go kręci... – Danny wzrusza ramionami, najwyraźniej przechodzi to jego pojęcie.

Kręci go to bardziej niż wszystko inne. Niż golf. Niż ja.

– Wybór żony i instrumentu muzycznego nie podlega krytyce – podsumowuje Danny.

Podchodzi do nas barman i Danny zamawia pół tuzina piw oraz butelkę czerwonego wina.

– To powinno nam na chwilę wystarczyć.

Z rękami obładowanymi trunkami i kilkoma plastikowymi kubeczkami z trudem torujemy sobie drogę do wyjścia. Kiedy z powrotem wychodzimy na świeże powietrze, występ Anthony'ego już się skończył i scena jest właśnie szykowana dla kolejnego wykonawcy.

Danny rozgląda się w tłumie, jego młodsze oczy są bystrzejsze niż moje, bo po chwili woła:

– Ach! Tam są!

– Powinnam się zbierać – mówię. – Pewnie chcesz posiedzieć z przyjaciółmi.

– Bzdura – przerywa mi. – Nigdzie się nie wybierasz.

Podtrzymując zapas piwa jednym ramieniem, drugim ujmuje mnie pod łokieć i ruszamy przez tłum.

Znajomi Danny'ego siedzą pod jednym ze starych orzechów rosnących z boku sceny i dworu. Wygodnie ułożeni na trawie wyglądają na zrelaksowanych.

– Cześć – wita się Danny, opadając na ziemię.

Siadam obok niego, kiedy rozdziela piwo. Potem otwiera butelkę wina.

– W samą porę – cieszy się Henry. – Właśnie skończył nam się alkohol.

Danny nalewa mi wino do plastikowego kubeczka, dolewa też Siennie, która mówi:

– Ten festiwal jest taki staroświecki. Ale uroczy.

Pewnie zwykła bywać w Glastonbury czy na Downloadzie i tym podobnych imprezach. Myślę tak, choć nie mam pojęcia o rockowych festiwalach.

Upijam wina z kubeczka, kiedy mój telefon pika. Nowa wiadomość. Od Anthony'ego.

Odwożę jedną z pań. Jeszcze wrócę.

Odpowiadam mu: Brawo. Świetny występ. Całusy.

Nim wyślę SMS-a, krzyżuję palce, dzięki temu wcale nie jest to kłamstwo.

– Jutro musimy pójść do Fay, do jej bajecznej cukierni – proponuje swoim znajomym Danny. – Może na lunch. To wspaniałe miejsce. A lepszych ciast nigdzie nie znajdziecie.

– Brzmi pysznie – ocenia Henry. – Ale zamierzaliśmy wczesnym rankiem ruszać w powrotną drogę. – Robi smutną minę. – Późnym popołudniem muszę być na Heathrow.

– Gdzie lecisz? – pyta Danny.

– Do Stanów. Na dwa dni do Nowego Jorku. Rozmowy w Brinkleyu. Czeka mnie maraton spotkań.

– Och, chłopie. – Danny ze śmiechem odrzuca głowę w tył. – Nie zazdroszczę.

– Tak, pomyśl o mnie, kiedy będziesz robił to, co się robi, żyjąc na łodzi.

– Nic się nie robi – mówi Danny. – Nic, absolutnie nic.

– Spieprzaj, leserze.

Henry rzuca pustymi kubeczkami w Danny'ego, ale ten zgrabnie się uchyla.

Czuję, że nie pasuję do nich. Są młodzi, bystrzy, żądni życia, nie mamy żadnych wspólnych tematów. Mama została sama w domu, ciekawe, czy u niej wszystko w porządku. To dobry pretekst, aby się pożegnać.

Dopijam wino i mówię:

– Powinnam się zbierać.

– Nie. – Danny dolewa mi wina. – Zostań. Nie możesz jeszcze iść. Patrz, zaczyna się następny występ.

Tyle wystarcza, żebym nigdzie się nie ruszyła.

Następny zespół jest świetny. Duża grupa rozbawionych ludzi wymachujących w powietrzu podniesionymi pięściami dołącza do zebranej przed sceną publiczności, kiedy zaczyna zmierzchać. Zapalają się latarnie rozsiane wśród drzew i robi się naprawdę klimatycznie.

Sienna i Laura zrzucają buty i boso ruszają w tany po trawie. Henry idzie po alkohol, bo to, co kupiliśmy wcześniej w namiocie, już się skończyło. Siedzimy z Dannym obok siebie, patrząc w milczeniu na muzyków.

Kiedy rozlegają się pierwsze akordy piosenki *Respect*, Danny odwraca się do mnie i mówi:

– Nie mógłbym wrócić do pracy w City, Fay. Na pewno nie teraz, a najprawdopodobniej już nigdy. Gdy słyszę, jak Henry opowiada o swoim życiu, przechodzą mnie dreszcze. Życie na łodzi przemieniło mnie w starego, pierdołowatego nudziarza.

– To niemożliwe – nie zgadzam się z jego oceną, choć sama doszłam do perfekcji w byciu starą, pierdołowatą nudziarą.

– Mam nadzieję, że nie zabraknie mi środków, żeby to ciągnąć dalej. Nie jest to, niestety, najtańszy sposób na życie. Zostało mi jeszcze trochę oszczędności, ale stopnieją bardzo szybko, jeśli nie będę zarabiał.

– Mogłabym ci znaleźć jeszcze zajęcie, jeśli zamierzasz zostać w okolicy.

Nie wiem, dlaczego tak powiedziałam. Bardzo bym chciała, żeby został, ale zdobycie pieniędzy stanowi odmienny problem. Moja kochana siostra Edie wciąż traktuje mnie jak prywatny bankomat.

– Wydawało mi się, że kawiarnia nie potrzebuje remontu.

– Zawsze coś się znajdzie. – To nie jest kłamstwo. – Ponadto marzy mi się odrestaurowanie barki ojca.

– Ślicznotki Merryweather?

Przytakuję skinieniem głowy.

– Świetnie się spisuje w roli sklepu, ale chciałabym przywrócić ją do stanu używalności, żeby można było nią pływać. Może mógłbyś mi w tym pomóc?

– Stałem się specjalistą od silników Diesla. Przez ostatnie pół roku więcej się o nich dowiedziałem, niżbym się spodziewał. Piszę się na to obiema rękami.

– Ostatnio, niestety, cienko u mnie z pieniędzmi – przyznaję. Nie musi wiedzieć, że Edie wykorzystała cały mój skromny fundusz remontowy. – Wszystko zależy od kosztów.

– Przyjrzę się temu.

– Świetnie.

Danny przykłada szyjkę butelki do krawędzi mojego kubeczka.

– Na zdrowie, Fay – wznosi toast, patrząc mi prosto w oczy. – Cieszę się, że wróciłem.

Moje serce przyspiesza, kiedy odpowiadam:

– Też się cieszę.

ROZDZIAŁ 38

Przez chwilę siedzimy, gawędząc, kiedy jednak rzucam okiem na zegarek, zamieram, widząc, że już dziesiąta. Mama będzie się pieklić, że zostawiłam ją na tak długo samą, poza tym pewnie czeka na kakao i lekarstwa. Idę do toalety. Stojąc w kolejce do toi toiów, dzwonię do domu.

– Gdzie jesteś? – pyta mama pełna pretensji.

– Wciąż na festiwalu.

– Na kiedy planujesz powrót?

– Chciałabym jeszcze zostać – mówię. – Dasz radę?

Prawdę mówiąc, boję się, że już więcej nie zobaczę się z Dannym. Po kilku piwach może obiecywać, że zostanie na dłużej, ale jutro z rana równie dobrze może zmienić zdanie. Wystarczy, że Sienna zamruga swoimi ponętnymi rzęsami i nie zastanawiając się ani przez chwilę, ruszy w ślad za nią do Londynu. Zresztą może odpłynąć z zupełnie innego powodu i nikt się nie dowie, kiedy znów zawita w naszej okolicy. Czy to jest aż tak karygodne, że pragnę spędzić z nim jak najwięcej czasu?

Mama milczy.

– Czy wszystko w porządku?

– Wolałabym, żebyś już wróciła.

– Czy zjadłaś kanapki, które zostawiłam ci na stoliku nocnym?

– Tak.

– Czy w dzbanku wciąż masz herbatę? Nie mogłabyś popić nią lekarstw?

– Została tylko filiżanka. Co potem?

– Zazwyczaj już śpisz o tej porze, mamo.

– Wróć do domu, Fay. Nie lubię, kiedy cię nie ma.

Uderza w czułe struny.

– Nie zamartwiaj się. Zostaw włączony telewizor i spróbuj zasnąć. Niedługo wrócę. Najdalej za godzinę – obiecuję.

A jako że teraz jest moja kolej do toi toia, szybko się żegnam:

– Muszę lecieć, mamo. Wkrótce będę z powrotem.

Wchodzę do kabiny, uprzedzając chętnych do wepchnięcia się poza kolejnością.

Siadam na desce w cuchnącej, plastikowej toalecie i zastanawiam się nad swoim życiem. Jestem uziemiona, uwiązana, przygnieciona obowiązkami. Nie mogę nawet wyjść wieczorem, żeby inni się nie zamartwiali z tego powodu. Powinnam zatrudnić pielęgniarkę do opieki nad mamą niezależnie od kosztów. Może mama tak woli, ale według mnie uwięzienie w czterech ścianach, podczas gdy inni wybornie bawią się na zewnątrz, nie należy do przyjemności.

Chciałabym, żeby Edie zamieszkała z nami. Wiem, że nie pali się do opieki nad mamą, rozumiem to, najwyraźniej gen opiekuńczości nie przypadł mojej siostrze, ale mimo wszystko dobrze byłoby mieć ją przy sobie, pomogłaby mi stłamsić dręczące mnie poczucie samotności.

Nękana wyrzutami sumienia wracam do parku. W jeden wieczór zawiodłam Anthony'ego, zawiodłam mamę. Zawiodłam samą siebie.

Idę w kierunku sceny, kiedy nagle zauważam Liję stojącą za rękę z barmanem, którego wcześniej widziałam w namiocie z piwem.

– Hej! – woła. – Skąd ta smutna mina?

– Martwię się o mamę – przyznaję.

– Przestań – beszta mnie. – Masz prawo do własnego życia.

– Wiem. – Szybko zmieniam temat, żeby Lija przestała mnie ofukiwać: – Dobrze się bawisz?

Ukradkiem rzuca okiem na swojego towarzysza.

– Och, tak. To jest Ashley.

– Miło cię poznać, Ashleyu.

Wygląda na równie sympatycznego jak ona jest posępna. Ma przyjacielską, otwartą twarz. Może powinnam go ostrzec, że Lija to twardy orzech do zgryzienia.

– Widziałaś Stana?

– Tak, w pubie. Postawiłam mu drinka i chipsy.

– Wszystko z nim w porządku?

– Tak – wzrusza ramionami.

– Był sam?

– Nie, na brak towarzystwa nie narzekał – mówi, a potem podnosi torebkę i macha nią w moim kierunku. – Musimy lecieć. Mamy jeszcze trochę do zrobienia.

– Och, tak. Racja. Okej. – Chyba awaryjne majtki i szczoteczka wreszcie zostaną użyte zgodnie z przeznaczeniem. – Nie będę was zatrzymywać.

– Do zobaczenia jutro z rana, Fay – żegna się i na odchodnym oboje mi machają.

Patrzę, jak się oddalają, Lija kręci chudziutkimi biodrami i czuję ukłucie zazdrości. Och, być młodym, beztroskim, pewnym siebie.

Waham się przez moment, czy nie pójść do pubu, żeby sprawdzić, co ze Stanem. Może potrzebuje pomocy z powrotem do domu? Ale uświadamiam sobie, że mimo podeszłego wieku jest w stanie sam o siebie zadbać. Zna zresztą mój numer telefonu, dlatego wiem, że jeśli będzie chciał, to do mnie zadzwoni.

Dlatego wracam do Danny'ego i jego przyjaciół. Kiedy docieram na miejsce, widzę, że Danny tańczy. Przed nim Sienna rytmicznie potrząsa tym, czym obdarzyła ją natura. Jak to się nazywa?

Twerking? Niezależnie od nazwy, jest w tym świetna. Danny śmieje się i naśladuje ją, unosząc ręce w powietrze, macha butelką i sam kręci biodrami.

Na mój widok woła:

– Chodź do nas, Fay! Zatańczymy! Zobaczmy, do czego jesteś zdolna.

Do snucia wątpliwości i obaw oraz do niepokoju i zażenowania.

– Muszę wracać – mówię.

– Nieee – odpowiada, ujmując mnie za ręce.

Chyba jest lekko wstawiony. A raczej bardzo pijany.

– Bawcie się dobrze – życzę im. – Korzystajcie z wieczoru. Naprawdę miło było was poznać.

Odsuwa się od swoich przyjaciół i patrzy na mnie wilkiem.

– Przez hałas i moich znajomych nawet nie mieliśmy szansy porozmawiać – mówi. – Zabawmy się. – W jego ustach brzmi to tak prosto. – Proszę. Nie idź jeszcze.

– Muszę.

– Przyjdź do mnie jutro – nalega. – Już ich nie będzie. Zapraszam cię jutro wieczorem na Łapacza Snów.

– Nie mogę. Mam urodziny – mówię. – Anthony już zaplanował mi wieczór.

Zarezerwował stolik w swojej ulubionej restauracji, która, jak na mój gust, jest zbyt pretensjonalna, ale tam właśnie zazwyczaj chadzamy świętować.

Sienna zdyszana po tańcu podchodzi do Danny'ego. Zaborczo obejmuje go ręką w talii, a głowę opiera o jego ramię.

– Chodź tańczyć – zachęca go.

Rozumiem aluzję. Wiem, kiedy jestem zbędna.

– Do zobaczenia, Danny – żegnam się i machając ręką, ruszam w swoją stronę.

Nie zważając na ciało, które, pragnąc zostać, opiera się każdą komórką, stawiam stopę za stopą, stopę za stopą i jakoś posuwam się przed siebie.

Zostawiam Danny'ego z przyjaciółmi, ze śliczną, młodziutką Sienną i wracam do cukierni, do Anthony'ego, do mamy. Bo tak właśnie powinno być. Muszę tylko wytłumaczyć to mojemu złamanemu sercu.

ROZDZIAŁ 39

Kiedy wróciłam do domu wczoraj wieczorem, mama już twardo spała. Napisałam SMS-a do Anthony'ego, a nawet z tuzin razy próbowałam dodzwonić się na jego komórkę, ale nie odpowiadał. Rozczarowana położyłam się na łóżku i leżałam wsłuchana w muzykę, która płynęła od festiwalowej sceny, wpadała przez otwarte okno i szczelnie wypełniała dźwiękami mój pokój. Oparłam o kolana książkę, którą próbowałam czytać, ale nie udało mi się przebrnąć poza jedno zdanie, do którego zatopiona w myślach wciąż wracałam bez końca. Co by się stało, gdybym zrobiła tak? A co, gdybym tak nie zrobiła? Jak to by zmieniło moją sytuację? Przeanalizowałam każde wydarzenie ze swojego życia. Od czasów dzieciństwa. To było wyczerpujące.

Rankiem budzę się zmęczona, ale pogodzona z losem. Takie jest moje życie i niewiele mogę w nim zmienić.

Wchodzę do sypialni mamy i odsuwam zasłony.

– Dzień dobry – witam ją radośnie.

Rzuca mi chmurne spojrzenie.

– Zasłoń okno!

– Nie jesteś wampirem, mamo. Pogoda jest cudowna, poza tym dziś są moje urodziny.

– Och, tak – stwierdza mama. – Wszystkiego najlepszego. Niestety, nie mam dla ciebie ani kartki z życzeniami, ani prezentu. Jakżebym mogła?

– Nic nie szkodzi. Niczego mi nie brakuje. – Gładzę dłonią kołdrę. – Przyniosłam ci śniadanie.

– Czy wychodzicie wieczorem z Anthonym?

– Tak.

– Kolejne wieczorne wyjście?

– Tak – potwierdzam. – Wkrótce ich tegoroczna liczba przekroczy całe dziesięć.

– Zakładam, że zostanie ze mną ta ruska lafirynda.

– Ona natomiast ma o tobie wysokie mniemanie – odpowiadam, krzyżując palce, dzięki czemu to nie jest kłamstwo. – Poza tym jest Łotyszką.

– Hm.

– Czeka nas dziś szalony dzień w związku z festiwalem. Przyjdę do ciebie najszybciej, jak mi się uda.

– Przez ten hałas nie mogłam w nocy zmrużyć oka – żali się.

Nie wspominam, że kiedy wróciłam, to spała twardo jak kamień, bo tylko by zaprzeczyła.

Zostawiam ją samą i schodzę na dół zjeść śniadanie. Wciąż w szlafroku siadam nad talerzem z tostem – dziś będę potrzebować węglowodanów, a wtedy Lija przechodzi przez próg tylnych drzwi, które, skrzypiąc w zawiasach, sprawiają, że się wzdryga. Potem ciężko opiera się o blat i zamiera. Po chwili zbiera się w sobie i podchodzi do stołu. Zatrzymuje się cała napięta i czeka, aż przestanie jej wirować w głowie.

– Czy awaryjne majtki i szczoteczka się przydały?

Ledwie zauważalnie kiwa głową, patrzy na mnie sponad ciemnych okularów i bez pytania urywa sobie kawałek mojego tostu.

– Było dobrze?

Kolejne nieznaczne skinienie.

Wstaję, żeby zaparzyć jej mocną, czarną kawę, którą słodzę dwoma łyżeczkami cukru.

Mimo że kawa jest wrząca, Lija od razu upija łyk, a potem sięga po resztę tostu.

– Czy dasz radę dziś pracować?

Próbuje skupić na mnie spojrzenie swoich mętnych oczu.

– Czekam, aż zadziała tost.

Wysuwam krzesło, żeby usiadła, niestety dźwięk przesuwanych po podłodze nóg wywołuje u niej bolesny skurcz. Potem z gracją siada i na nowo pogrąża się w cierpiętniczym milczeniu.

Po chwili nie mogę tego dłużej znieść.

– Lija – odzywam się niepewnie. – Jakie to uczucie spać z tyloma mężczyznami?

– Jak pieprzona piątka z plusem – mamrocze, opadając na blat.

– Czy to nie jest... dziwne?

– Jeśli przez dziwne rozumiesz dobre, to tak.

– Nawet jeśli ich nie znasz?

– Nawet wtedy.

– A ten wczorajszy był miły? Wyglądał przyjaźnie.

– Był okej.

Tym słowem Lija wyraża autentyczny entuzjazm. Najprawdopodobniej jest w nim zakochana. Ciężko wzdycham.

– Nie jestem pewna, czy sama bym tak mogła.

Prostuje się na krześle, a jej policzki są blade jak ściana.

– Z Anthonym jednak nie potrafiłabym się bzykać.

– Och. – Po chwili namysłu dodaję: – I słusznie.

– Co masz na myśli?

– Nic – odpowiadam. – Tak tylko myślę.

– Za dużo myślisz – zauważa Lija. – Czasem wystarczy działać.

– Czy bywasz... hm... usatysfakcjonowana? Zwłaszcza z nieznajomymi?

– Tak – przyznaje i nagle jej przekrwione oczy błyskają. – Czterokrotnie.

– O matko!

Nie jestem pewna, czy w ciągu całego tego roku sama czterokrotnie poczułam się... hm... usatysfakcjonowana po nocy z Anthonym.

Lija kończy kawę.

– Koniec przesłuchania. Czekają na mnie cholerne ciasta, które trzeba upiec.

ROZDZIAŁ 40

Anthony dzwoni w porze lunchu. Jest wyraźnie zafrasowany. Sama czuję się podobnie.

– Przepraszam za wczorajszy wieczór – mówi. – Występ dodał nam takiego animuszu, że poszliśmy potem na drinka. Straciłem poczucie czasu.

– Nie szkodzi – uspokajam go, jednocześnie próbując zdusić poczucie winy w związku z moją ucieczką przed końcem występu Dźwięcznych Gracji. – Rozumiem, że jesteś zadowolony?

– To był triumf – ocenia z dumą. – Zaproszono nas do Olney na świąteczny festiwal dickensowski. Wystąpimy jako goście. Do Olney biorą tylko najlepszych.

– Fantastycznie.

– Teraz czeka nas mnóstwo prób przed występem w kościele Świętego Andrzeja za dwa tygodnie.

– Cudownie.

W tym punkcie się różnimy. Anthony ma jak najwyższe mniemanie o swoich talentach. Drobiazgi typu ucieczka słuchaczy sprzed sceny czy jedynie grzecznościowy aplauz na zakończenie nie są w stanie zgasić jego entuzjazmu. Natomiast dla mnie podobne szczegóły mają kolosalne znaczenie. Powinnam się od niego uczyć.

Tego właśnie powinnam się trzymać. Anthony to moja przyszłość. Rzetelny, niezawodny Anthony. Nikt inny, ktoś, kto wiedzie żywot włóczęgi, jednego dnia tu, drugiego tam, zatrzymując się w drodze tylko na krótko. Czy w ogóle można w takim przypadku mówić o jakiejkolwiek przyszłości?

– Dzisiejszy wieczór wciąż aktualny? – pytam.

– Oczywiście. Prawie bym zapomniał. Wszystkiego najlepszego, kochanie. Kolejna osiemnastka? Ha, ha, ha, ha.

Ściska mnie w sercu na myśl, że obchodzę dziś czterdzieste drugie urodziny. Choć nie jest to okrągła rocznica, to mam wrażenie, że kończy pewną epokę. Może dlatego, że oficjalnie zostaję panią w średnim wieku. Mimo modnych ostatnio sloganów, że jakoby czterdziestka jest nową trzydziestką, to nieprawda. Mam czterdzieści dwa lata i czuję na sobie ciężar każdego roku. W moim przypadku czterdziestka jest nową pięćdziesiątką.

– Zarezerwowałem stolik w Rezydencji – przypomina. – Twojej ulubionej restauracji.

Chyba twojej ulubionej, mam ochotę go poprawić. Ale odpuszczam.

– Przyjadę po ciebie o siódmej. Zakładam, że nie planujesz siedzenia za kółkiem w urodziny.

Z jego głosu bije jednak nadzieja, która ulatnia się, kiedy odpowiadam:

– Tak, to prawda.

– Racja. Do zobaczenia. Czeka na mnie świat nadzoru budowlanego.

– Kocham cię, Anthony.

– Ja ciebie też, staruszko – żegna się i odkłada słuchawkę.

Staruszko. Wzdycham w duchu. Problem polega na tym, że może mieć rację.

ROZDZIAŁ 41

Lija, wciąż w przeciwsłonecznych okularach, pracuje nad tuzinem różnych zamówień. Mimo ewidentnego kaca jej skuteczność w pracy nie zmalała ani o krztynę. Zamówienia wciąż napływają, bo od samego rana nie brakuje klientów. Festiwal nad Kanałem wywiera niezmiernie pożądany skutek na nasze obroty.

– Czy pamiętasz, że zostajesz dziś wieczór z mamą?

– Nie zapomniałam – odpowiada. – Tylko skoczę do domu po czyste ciuchy, gdy już zrobi się spokojnej.

– Nie ma sprawy. – I dodaję, bo już dawno chciałam jej to zaproponować: – Może zostawisz tutaj kilka swoich ubrań? Mogłabyś potraktować sypialnię Edie jak własną. Wchodzę tam tylko, żeby poodkurzać.

– Sama nie wiem – marszczy nos. – Co by na to powiedziała Edie?

Wie dobrze, że z Edie, podobnie jak z mamą, lepiej dmuchać na zimne.

– Nie sądzę, żeby w najbliższym czasie planowała przyjazd do domu – mówię. – Tylko nie zdradź się z tym przed mamą.

– Wciąż spotyka się z tym draniem?

– Tak.

– Co za idiotka – mruczy.

Równie dobrze mogłaby tak nazwać i tego drania.

– Przemyśl moją propozycję. Mogłabyś się nawet tu wprowadzić. Spodobałoby ci się.

– Zastanowię się – zerka na mnie znad ramienia. – Zupa dla śmierdzącego Stana. Czeka już dość długo.

– Już pędzę.

Stawiam talerz na tacy, biorę też kanapki przygotowane dla gości siedzących obok Stana i wychodzę do ogrodu. Zostawiam jedzenie parze siedzącej nieopodal Stana, a potem podchodzę do niego.

– Cześć, Stan – całuję go w policzek. – Przepraszam, że tak długo to trwało. Oto twoja wyczekiwana zupa. Cebulowa z grzankami i kozim serem.

– Och, moja ulubiona.

– Mam dziś tu niezły młyn.

– Natomiast mnie nigdzie się nie spieszy, Fay – mówi. – Cieszę oczy widokiem przepływających łodzi. Dziś na wodzie panuje spory ruch. Zauważyłem kilka wspaniałych jednostek.

– Amatorzy festiwalu. Jedni wyjeżdżają, inni przyjeżdżają. Przykro mi, że nie udało nam się spotkać wczoraj wieczorem. Dobrze się bawiłeś?

– Wybornie – cmoka z uznaniem. – Zasiedziałem się.

Szkoda, że sama nie mogę tak powiedzieć.

– Na koniec grałem w pokera w Dwóch Barkach z kilkorgiem bardzo miłych motocyklistów. Sam kiedyś jeździłem na motorze. Rozmowa z nimi obudziła dawne, przyjemne wspomnienia. Zamówili dla mnie taksówkę. To było bardzo miłe z ich strony.

– Nie ograli cię do szczętu?

– Wręcz przeciwnie – uspokaja mnie Stan. – Wciąż mam rękę do gry. Wróciłem bogatszy o pięćdziesiąt funtów.

Śmieję się. Nie wiem, po co wczoraj wieczorem się o niego zamartwiałam.

– Cieszę się, że miło spędziłeś czas.

– Spodobał mi się także występ Anthony'ego – dodaje. – Był na bardzo przyzwoitym poziomie.

Stan prawdopodobnie jest dokładnie w grupie docelowej słuchaczy zespołu mojego partnera.

– Widziałem cię wczoraj u boku tego młodzieńca. Miło, że Łapacz Snów do nas wrócił. – Stan dłonią wskazuje miejsce, w którym zacumowała łódź Danny'ego.

Z tego, co zdołałam zauważyć, wciąż ma zasłonięte okna, a na pokładzie nie widać żywego ducha. Wydawało mi się, że jego znajomi planowali wczesny wyjazd, ale może wciąż jeszcze są w łóżku. Potem besztam się w duchu za kierunek, który zaczęły obierać moje myśli, i przerywam rozważania na temat, kto z kim i gdzie spał.

– Tak. Ucieszyłam się ze spotkania Danny'ego na festiwalu.

– Wiedziałem, że do nas wróci. – Stan mruga do mnie.

– Muszę lecieć.

– Nim zapomnę – sięga ręką z boku krzesła – mały upominek. – Podaje mi kartkę i pudełko ręcznie robionych czekoladek z uroczego stoiska w pobliskim centrum handlowym, do którego musiał się udać autobusem. – Wszystkiego najlepszego, Fay.

Biorę prezent i całuję go w policzek.

– To drobiazg. Ale obie z Liją jesteście dla mnie takie miłe.

– Dziękuję, Stan. Naprawdę nie musiałeś.

– Mam nadzieję, że twój mężczyzna zabiera cię dziś w miasto.

– Idziemy do Rezydencji – przyznaję.

– Tej eleganckiej restauracji?

– Tak.

– Straszne ą, ę...

– Będę musiała włożyć elegancką sukienkę.

– Zasługujesz na to. Nie znam nikogo, kto by równie ciężko pracował, Fay. Miło, że dla odmiany teraz ktoś zajmie się tobą.

– Nie mogę się doczekać.

I choć właśnie zauważam, że jeden z naszych najmłodszych klientów ciska babeczką w kwitnący klomb, to, wracając do domu, czuję radość w sercu.

W kuchni pozwalam sobie głośno westchnąć.

– Ale miałyśmy ruch, teraz na szczęście kilka minut oddechu.

– Świetnie – komentuje Lija.

Znika na chwilę w spiżarni i wraca, niosąc na paterze tort urodzinowy. Zadbała nawet o zapalenie świeczki.

– To dla mnie? – Jestem zaskoczona.

– Wszystkiego najlepszego!

Patrzę na obficie przekładany kremem biszkopt, który udekorowała górą owoców: jagodami, malinami, truskawkami i płatkami świeżych kwiatów.

– Przepiękny. Najwspanialszy, jaki dotąd wyszedł spod twojej ręki. Czy mamy teraz czas, żeby zjeść po kawałku?

Lija szybko rzuca okiem na ogród, żeby sprawdzić, czy klienci niczego nie potrzebują.

– Myślę, że tak.

Wyciąga z szuflady i podaje mi nóż.

– Jestem taka podekscytowana – przyznaję.

– Pomyśl życzenie – przypomina mi.

Zamykam oczy, próbując uspokoić bieg myśli i poprosić o coś dobrego, kiedy rozlega się pukanie do drzwi. Otwieram je i widzę wspartego o futrynę Danny'ego.

– Szybko się spełniło – rzuca Lija, z góry zakładając, o co poprosiłam.

Danny trzyma bukiet polnych kwiatów.

– Nie znam się na kwiatach. – Podaje mi wiązankę. – Ale każdy jeden zerwałem własnoręcznie. Mam nadzieję, że to też się liczy.

– Są przepiękne.

Z jego silnych dłoni przelewają się zakwitające latem rośliny: wrotycz, trybule, złocienie, szczaw, tawuły, jaskry, jest też kilka mleczy.

– Uwielbiam polne kwiaty. Wolę je od tych kupowanych w kwiaciarni. To miłe. Dziękuję.

– Przyszedłeś w samą porę na kawałek tortu – zaprasza go Lija.

– Cześć – wita się z nią Danny.

– Cześć – odpowiada.

– Wyglądasz na zmaltretowaną – zauważa.

– Ty także.

– Miałem ciężką noc – przyznaje Danny. – Położyliśmy się, kiedy już świtało.

Po raz kolejny wolę się nie zastanawiać, czy kładł się sam.

– Właśnie odprowadziłem znajomych na dworzec. Kiedy przyjechała po nich taksówka, wszyscy nie czuliśmy się jeszcze zbyt dobrze.

– Czy festiwal im się spodobał?

– Tak. Choć na ich standardy pewnie było zbyt spokojnie.

– Pokrój tort – upomina mnie Lija. – Nie mamy całego dnia.

Dzielę przepiękne ciasto na kilka sporych kawałków, a Lija podaje talerzyki.

– Zjesz kawałek, Danny?

– Spróbuj mnie nie poczęstować. Wygląda zachwycająco. – Wgryza się w kawałek, który mu podałam. – Mmm. Niebo w gębie. – Puszcza oko do Lii. – Chyba powinienem się pospieszyć, nim inny wygłodzony facet sprzątnie mi cię sprzed nosa. Lijo, czy zostaniesz moją żoną?

– Odpierdol się. – Kiwa głową w moją stronę. – Z nią się ożeń.

Czuję, jak pieką mnie policzki, a Danny tylko się śmieje.

– Wydawało mi się, że Fay jest już zaklepana.

– Zaniosę kawałek tortu Stanowi – oznajmiam, pospiesznie krojąc ciasto.

– Zajmę się tym. – Lija wysuwa do mnie talerzyk.
Tylko ona potrafi zdobyć się na równą opryskliwość.
Nakładam jej porcję dla Stana.
– Ja mu to zaniosę. Ty masz mnóstwo pracy.
– Mówię ci, że zajmę się tym. – Rzuca mi karcące spojrzenie i mocno chwyta za talerzyk. – Zajmie mi to trochę czasu – dodaje głośno. – Prawdę powiedziawszy, całkiem sporo.
Zamaszyście przechodzi przez próg i nieznacznie mrużąc oczy na słońcu, wchodzi do skąpanego w jego promieniach ogrodu.
Kiedy wychodzi, udaję zaskoczoną.
– Nie wiem, o co jej chodziło.
Danny uśmiecha się do mnie.
– Nie sądzisz, że może chciała nam subtelnie dać do zrozumienia, abym wykorzystał ten czas na podarowanie ci urodzinowego całusa?
– Och. – Nawet przez myśl mi to nie przeszło.
– Podejrzewam, że nie powinienem pozwolić zmarnować się takiej okazji.
Danny odstawia talerzyk z tortem i podchodzi do mnie. Nie jestem w stanie mu umknąć, bo za moim plecami stół odcina mi wszelką drogę ucieczki.
– Najpierw jednak cię rozbroję.
Wyciąga mi z dłoni nóż i odkłada go na stół.
Moje serce zaczyna bić dwa razy szybciej. Danny stoi przede mną. Blisko. Bardzo blisko.
– Wszystkiego najlepszego, Fay.
Powolutku, z lekką niepewnością jego usta odnajdują moje. Smakuje słońcem i wakacjami, kiedy całuje mnie miękko, czule. Jego palce mierzwią mi włosy, kiedy przechyla moją głowę, aby zbliżyć ją do siebie. Siła doznań sprawia, że czuję, jakby moje stopy unosiły się nad podłogą. Pocałunek sięga do wszystkich, nawet tych nieznanych mi samej, zakamarków mojej duszy.

Och, mój Boże. Och, mój Boże.

Potem dobiega mnie stukanie. Mama wali laską w podłogę.

– Fay! Fay!

Danny odsuwa się ode mnie.

– Ach! – wyrywa mi się.

Jestem zbyt onieśmielona, żeby silić się na odgrywanie niewzruszonej.

– Faktycznie, ach! – mówi Danny, który wygląda na równie oszołomionego.

Stuk. Puk. Stuk. Puk.

– To mama – mówię.

– Lepiej idź do niej.

– Tak.

Mam ochotę dotknąć własnych ust. Dotknąć jego ust.

– Baw się dobrze dziś wieczorem.

– Dziś wieczorem? – Jestem odurzona, nieprzytomna.

Jego pocałunek najwyraźniej zaćmił mi w głowie.

– Podczas kolacji z Anthonym?

– Och, tak.

Piękny uśmiech rozświetla jego twarz.

– Pamiętasz, o czym rozmawialiśmy wczoraj wieczorem, Fay?

– Tak – przyznaję, choć nie mam pojęcia.

– Postanowiłem zostać na dłużej w okolicy.

– Och, racja. Dobrze. To wspaniale.

– Wszystkiego najlepszego.

Stuk. Puk. Stuk. Puk.

– Już idę!

Uśmiecha się do mnie raz jeszcze, bierze talerzyk z tortem i wychodzi na zewnątrz. Macha mi, kierując się do ogrodu, a ja zastanawiam się, czy to był standardowy urodzinowy pocałunek w jego wykonaniu, czy może coś więcej.

ROZDZIAŁ 42

Kiedy szykuję się do urodzinowej kolacji, dzwoni do mnie przez Skype'a Edie. Biorę laptop do sypialni i rozmawiam z nią, równocześnie robiąc makijaż.

– Mam wrażenie, że jest lepiej – oznajmia. – Brandon znów zaczyna mówić o odejściu od żony i dał mi pieniądze na czynsz.

W jaki sposób to poprawia jej sytuację, nie mam pojęcia, ale odpowiadam tylko:

– Cieszę się. Jeśli właśnie tego pragniesz.

– Oczywiście, że tak – obrusza się. – On jest całym moim życiem.

Ciekawe, czy Brandon odwzajemnia to uczucie. Przynajmniej dziś Edie wygląda na trzeźwą i nie zalewa się łzami, ale w sumie u niej jest jeszcze wcześnie. Cały dzień przed nią.

– Przemyślałam też swoją sytuację zawodową – ciągnie. – Będę się starała o pracę w mediach. Prawo śmiertelnie mnie nudzi.

Podtrzymując lustro na kolanie, usiłuję konturówką podkreślić oczy.

– Aha.

– Mam wrażenie, że wcale mnie nie słuchasz – skarży się Edie. – Czemu w ogóle tak się stroisz?

– Dziś są moje urodziny – przypominam jej.

– Wiem – zagniewana wzdryga się. – Dlatego właśnie dzwonię. Wszystkiego najlepszego.

– Dziękuję.

– Nie wysyłałam ci kartki – tłumaczy. – Sama wiesz, że z pocztą tylko same kłopoty.

– Nie szkodzi. Nie jestem pewna, czy wciąż mam ochotę na huczne świętowanie urodzin, teraz kiedy wkroczyłam na ciemną stronę życia.

– Założę się, że Anthony zaprosił cię na kolację.

– Do Rezydencji – mówię. – Cieszę się i boję jednocześnie. Jest tam tak wykwintnie i zawsze mnie martwi, że podniosę niewłaściwy widelec.

– To właśnie cała ty. Wyluzuj, ciesz się chwilą.

– Postaram się – obiecuję. – Dużo ostatnio o tym myślałam.

– Szkoda, że mnie tam nie ma – mówi Edie. – Wyprawiłabym ci wspaniałą imprezę.

Śmieję się.

– Nie wątpię. – Zerkam na zegar i uświadamiam sobie, że czas szybko płynie. – Przepraszam, Edie, ale muszę się wyszykować. Anthony będzie tu lada chwila i nie spodoba mu się, jeśli każę mu na siebie czekać. Mamy rezerwację na wpół do ósmej.

– Nie będę cię zatem zatrzymywać. – Edie wydaje się lekko urażona.

– Nie chcesz szybko porozmawiać z mamą? Na pewno by się ucieszyła.

– Nie, nie. Nie teraz – odpowiada Edie. – Będzie ględziła bez końca, a mam tu parę spraw do załatwienia. Dość naglących.

– Muszę lecieć – żegnam się. – Cieszę się, że u ciebie lepiej.

– Tak. Baw się dobrze dziś wieczorem, siostrzyczko. Nie upij się za bardzo.

Ekran ciemnieje.

ROZDZIAŁ 43

Jest wpół do ósmej i czekam gotowa do wyjścia, ale Anthony wciąż się nie zjawia. To do niego niepodobne. Punktualność jest przecież jego drugim imieniem. Przyjeżdżając o piętnaście minut za wcześnie, twierdzi, że się spóźnia.

Próbuję się do niego dodzwonić, ale od razu przekierowuje mnie na pocztę głosową. Piszę do niego SMS-a, ale nie odpowiada.

Lija pojechała do domu przebrać się i niebawem ma wrócić, żeby zająć się mamą. Gdyby tu była, mogłybyśmy choć napić się razem wina i zjeść jeszcze po kawałku tego przepysznego tortu.

Za piętnaście ósma dzwonię do Rezydencji, żeby powiedzieć, że się spóźnimy. To zresztą oczywiste. Mężczyzna, który odbiera telefon, informuje mnie z wielkim niezadowoleniem, że będą nam trzymać stolik maksymalnie do ósmej. Po raz kolejny piszę do Anthony'ego i włączam telewizor. Leci *Coronation Street*. Próbuję skupić się na serialu, ale myśli mi uciekają.

Kiedy zegar wybija ósmą, podejmuję kolejną próbę skontaktowania się z Anthonym. Oczywiście straciliśmy stolik, ale ponieważ wciąż nie mam od niego żadnej wiadomości, dzwonię do restauracji z przeprosinami. Mimo szczerego ubolewania z mojej strony najwyraźniej nie są zadowoleni z naszej nieobecności. Stolik na weekend rezerwuje się u nich na miesiąc z góry.

Mama stuka w podłogę.

– Fay! Fay! Jesteś jeszcze?!

– Anthony się spóźnia! – wołam. – Mam nadzieję, że zaraz tu będzie!

– Pewnie pomyliłaś daty! – sugeruje mama z niezachwianą wiarą w niezawodność Anthony'ego.

Potem dzwonię do Lii, aby ją poinformować, że w związku z utratą stolika nie zamierzam nigdzie wychodzić. Z dezaprobatą cmoka do słuchawki, a potem obrzuca Anthony'ego stekiem łotewskich przekleństw.

– Do zobaczenia jutro – mówię.

– Wpadnę z butelką wina.

– Nie trzeba. Nie jestem teraz dobrym kompanem do picia. Ciesz się, że ominął cię wieczór mamą.

– Powinnaś się dziś dobrze bawić – martwi się Lija. – Następnym razem napluję mu do herbaty.

Mówiąc szczerze, nie mam nic przeciwko temu. Zazwyczaj niewiele wymagam od Anthony'ego, dlatego jestem rozczarowana, że nie przyszedł i nawet nie zadzwonił się wytłumaczyć. Prawdopodobnie poszedł zagrać w golfa, ale na pewno by zadzwonił uprzedzić, że się spóźni. Czy mógł zapomnieć o moich urodzinach, skoro dzwonił w południe? Czy to możliwe?

Mija kolejna godzina. Teraz zaczynam się niepokoić. Anthony uwielbia Rezydencję i na pewno celowo nie odwołałby rezerwacji. Na pewno zatrzymało go coś poważnego. W mojej głowie tworzą się czarne wizje, wyobrażam sobie samochód Anthony'ego wywrócony w rowie z wciąż kręcącymi się kołami. Wpadam w panikę, stres nie pozwala mi się skupić na oglądaniu telewizji, zaczynam miarowym krokiem przemierzać salon, od czasu do czasu podchodząc do frontowego okna, aby sprawdzić, czy ulicą nie nadjeżdża samochód. Nic.

Kiedy właśnie postanawiam, że albo pojadę do niego do domu sprawdzić, czy nie leży tam nieprzytomny, albo obdzwonię pobliskie szpitale z pytaniem, czy nie uległ poważnemu wpadkowi, dzwoni Anthony.

– Gdzie jesteś? – Kiedy odbieram telefon, serce wali mi w piersi jak oszalałe.

– W szpitalu – mówi, lekko dysząc.

– O Boże! O mój Boże! – Momentalnie wszystkie wredne złorzeczenia pod jego adresem ulatniają się i czuję się podle, że w ogóle ośmieliłam się źle o nim pomyśleć. – Jesteś ranny?

– Oczywiście, że nie – odpowiada urażonym tonem.

Momentalnie powracają wszystkie wredne złorzeczenia pod jego adresem.

– Co w takim razie robisz w szpitalu?

– Deborah upadła – wyjaśnia. – Bardzo niefortunnie. Jest w fatalnej formie. Zwichnęła sobie nadgarstek. I to na dwa tygodnie przed występem w kościele Świętego Andrzeja. Co my teraz zrobimy? Jak damy radę bez naszej gwiazdy?

– Dlaczego jesteś z nią w szpitalu?

– Ech... – wyraźnie miesza się. – Podała mnie w formularzu jako osobę kontaktową.

– Och.

Zapada chwilowe milczenie, choć jedno z nas powinno wtedy zapytać, dlaczego nie wpisała tam nazwiska tego przystojniaka z internetu. Zamiast tego przerywam krępującą ciszę, informując go:

– Straciliśmy stolik. Dzwoniłam do Rezydencji.

– Uczcimy twoje urodziny innego dnia – obiecuje bez cienia skruchy.

– Jak długo zamierzasz tam zostać?

– Jeszcze kilka godzin – mruczy. – Jest już po prześwietleniu. Teraz czekamy, aż założą jej gips.

– Och.

– Co mam zrobić, Fay? – pyta z wyrzutem. – Nie mogę jej po prostu zostawić.

– Nie, masz rację. Zostań. Powiedz jej, że bardzo mi przykro z powodu jej obrażeń.

– Zadzwonię jutro – obiecuje.

– Mogę poczekać, gdybyś chciał wpaść później.

– Połóż się. Dobrze ci zrobi, jeśli wcześniej pójdziesz do łóżka.

I odkłada słuchawkę.

Patrzę na trzymany w dłoni telefon. Przykro mi słyszeć, że Deborah zwichnęła nadgarstek, ale niepokoi mnie, że uznała Anthony'ego za osobę, która powinna jej pomóc. Nie mógł jej powiedzieć, że dziś są moje urodziny i mieliśmy w związku z tym plany? Czy nie mógł zadzwonić do którejś z pań z zespołu, aby zajęły się Deborah? Za bardzo mu się narzuca. Przecież poza wspólnym graniem niewiele ich łączy.

Wszystkie moje plany legły w gruzach. Opadam na kanapę. Mogłabym otworzyć butelkę wina i wypić kieliszek czy dwa z mamą w jej sypialni, ale albo już śpi, albo wkrótce zaśnie. Ponadto będzie tylko wychwalać Anthony'ego za jego gotowość niesienia pomocy przyjaciółce w potrzebie, i pewnie będzie miała rację. Co jednak z jego partnerką w potrzebie? Czasem chciałabym być najważniejszą osobą w życiu Anthony'ego i właśnie teraz jest ta chwila. Mama tak obróci sprawy, że obarczy mnie winą za nieobecność mojego partnera w dniu moich urodzin. On nigdy nie jest niczemu winien. A przecież jest. Tym razem z całą pewnością jest. Mogłabym napić się sama, to jednak nie najlepszy sposób na świętowanie czegokolwiek.

Jednej rzeczy jestem jednak bardziej niż pewna. Stanowczo nie chcę kłaść się wcześnie. Chcę wyróżnić dzisiejszy wieczór. Kończę dziś czterdzieści dwa lata. Dostałam z tej okazji upominki od Lii, Stana i Danny'ego. Mama, Edie i Anthony jednak nic mi nie ofiarowali. Najbliższe mi i z definicji najukochańsze osoby nic dla mnie nie zrobiły.

Tegoroczne urodziny okazują się cholernie rozczarowujące.

ROZDZIAŁ 44

Wychodzę usiąść na werandzie, aby użalać się nad sobą. Wolę być na zewnątrz, bo nie mogę ścierpieć myśli, że mama zaraz zastuka w podłogę z pytaniem, czemu jeszcze jestem w domu. Jeśli zasnęła, to mam nadzieję, że się nie obudzi. Jestem głodna, powinnam coś zjeść, ale nie mogę patrzeć na jedzenie. Prawdę mówiąc, to nie mam siły, żeby sobie coś samej przygotować.

Noc jest ciepła, duszna. Przejrzyste niczym kryształ niebo usiały gwiazdy. Przyjemnie byłoby siedzieć po niewątpliwie pysznej kolacji na tarasie Rezydencji, racząc się kawą i brandy. Nie ma jednak sensu płakać nad rozlanym mlekiem. Było, minęło.

Kiedy mój wzrok przyzwyczaja się do ciemności, zauważam, że obok Ślicznotki zacumowała inna łódź, której sylwetka rysuje się w mroku. Moje serce przyspiesza, kiedy uświadamiam sobie, że to Łapacz Snów. Danny musiał przypłynąć tutaj po południu.

Poczucie spokoju, które mnie ogarnia na myśl, że jest blisko, na wyciągnięcie ręki, graniczy z absurdem. Wtedy dobiega mnie dźwięk gitary i uświadamiam sobie, że Danny siedzi na dziobie. Próbuję odgadnąć, co gra, ale nie potrafię.

Myślę wtedy, że po co siedzieć samej, skoro mogę w towarzystwie? Nie chcę samotnie spędzać urodzin. Czy nie zapraszał mnie do siebie wczoraj wieczorem? Powiedział, że jego znajomi, także Sienna, wrócili do Londynu. Jest późno, ale może Danny ucieszy się z gościa.

Nim mam czas to przemyśleć, wracam do domu, chwytam sweter, biorę resztki pysznego tortu i nic nie mówiąc mamie, ruszam w dół ogrodu. Odpędzając myśli, które każą mi zawrócić, kroczę prosto w stronę Łapacza Snów.

Kiedy docieram do pomostu, Diggery szczeka, a Danny obraca głowę. Przerywa grę na gitarze.

– Hej – wita się, rozpoznawszy mnie w ciemności. – Co się stało?

– Mam naprawdę paskudne urodziny.

– Liczysz na herbatę i pocieszenie?

– Raczej na whisky i pocieszenie.

Śmieje się.

– Jack daniels już się skończył. Wczoraj miałem ciężką noc. Ale jest wódka.

Podnosi w górę butelkę wciąż pełną w dwóch trzecich.

– Może być – zgadzam się.

– Wskakuj na pokład.

Podaje rękę, żeby mi pomóc wejść na łódź.

Przesuwa Diggery'ego, żeby zrobić mi miejsce obok siebie. Pies układa się u moich stóp.

– Co się stało z elegancką kolacją?

Wzdycham.

– Anthony jest w szpitalu. Z przyjaciółką. Zwichnęła nadgarstek.

– W dość niefortunnym momencie.

– Najgorszym z możliwych. Mimo to szkoda mi jej. To sympatyczna dziewczyna i mimo początkowych trudności okazała się gwiazdą zespołu Anthony'ego.

Śmieje się.

– Przez twój komplement przebija sarkazm.

– Nieprawda – śmieję się z poczuciem winy. – Dla nich to bardzo ważne. Poświęcają tyle czasu i energii na próby, jakby mieli wystąpić na stadionie na oczach dwutysięcznej publiczności.

– Skoro to lubią. – Danny podnosi się. – Przyniosę ci kieliszek.

Wraca z małym kieliszkiem, który stawia koło swojego. Nalewa nam po brzegi wódki.

– Pijemy do dna.

– Skoro nalegasz.

Oboje podnosimy i stukamy się kieliszkami.

– Trzeba zapić smutki.

– Za to chętnie wypiję.

Oboje wychylamy kieliszki wódki, ale tylko jedno z nas, nieprzyzwyczajone do podobnego stylu picia, wzdryga się, a nawet krztusi i kaszle.

– Okej? – niepokoi się Danny.

Kiwam głową, bo mocny alkohol tak mi wypalił gardło, że aż zaniemówiłam.

– Zacząłem przed tobą – mówi Danny. – Musisz nadrobić zaległości. Jeszcze po jednym?

Chichoczę.

– Skoro nalegasz.

– Nalegam – napełnia mój kieliszek. – Ten wypijemy za twoje zdrowie, bo masz dziś urodziny.

– I już znacznie mi lepiej – przyznaję, kaszląc tym razem odrobinę mniej.

Nalewa nam jeszcze po jednym i, wznosząc toast, jednocześnie wypijamy wódkę do dna.

Anthony wpadłby w szał, widząc mnie teraz. Nie cierpi pijących kobiet, które po alkoholu tracą głowę. Dlatego tym bardziej nie zamierzam przerywać.

Danny kolejny raz nalewa nam wódki, teraz czuję miłe pieczenie w piersi. Innymi słowy, nie potrzebuję swetra. Po następnej kolejce Danny przynosi z kanapy poduchy w brytyjską flagę i mi je podaje.

– Wyciągnij się wygodnie, skoro masz ochotę się wyżalić – mówi Danny.

Kładę poduchy pod plecy i zrzucam buty. Danny ubrany w dżinsy i koszulkę z zespołem Guns N' Roses także jest boso, a teraz szarpie za struny gitary trzymanej na kolanach. Wyciągam nogi na ławie tak, że nasze palce u stóp niemal się stykają, i nawet tak nieznaczna bliskość jego ciała wywołuje u mnie rumieniec. Opieram głowę wsłuchana w jego kojący głos i patrzę na gwiazdy.

Chwilę później Danny przerywa grę i spogląda na mnie.

– Między mną a Sienną nic nie ma – mówi. – Już nie.

– A coś było? To zresztą nie moja sprawa.

– Chciałbym jednak, żebyś wiedziała. Spędziliśmy kilka wspólnych nocy. To wszystko. Pracowaliśmy wtedy w jednej firmie. Kiedy zostawaliśmy na noc po imprezie, zazwyczaj kończyliśmy razem w łóżku. – Jego szczerość mnie szokuje. – Teraz mamy ten etap za sobą. Podczas festiwalu odstąpiłem jej swoje łóżko, a sam położyłem się na pokładzie z Diggerym.

– Musiało być ci niewygodnie.

– Może i było niewygodnie, ale dzięki temu nie skomplikowałem sobie życia – ocenia. – Sienna nie jest w moim typie.

Nie wiem, skąd wzięłam odwagę, być może alkohol to sprawił, ale zadaję mu palące mnie pytanie:

– A kto jest?

– W tym temacie wiele się zmieniło, Fay. Diametralnie. Lubię Siennę, to świetna dziewczyna, ale nie interesuje mnie już ten rodzaj relacji. Ostatnie pół roku bardzo mnie zmieniło, jestem innym człowiekiem. Szukam innego związku. Głębszego. Interesuje mnie wnętrze, szukam kobiety promieniejącej ciepłem, oddanej, dbającej o innych, z którą połączy mnie świat wartości i wspólne hobby.

Wygląda, jakby jeszcze chciał coś dodać, ale nic więcej nie mówi. Tylko wraca do gry na gitarze i zaczyna śpiewać.

Siedzę zasłuchana i próbuję ogarnąć to, co właśnie mi wyznał.

– *Sama nie wiesz, jaka jesteś piękna* – nuci cicho w ciemnościach.

– Urocza piosenka – mówię, kiedy kończy.

Tekst piosenki jest bardzo wzruszający.

– Czy to Bob Dylan? – pytam.

– One Direction – przyznaje i oboje wybuchamy śmiechem.

– Tak czy siak, urocza.

Przerwa na następną kolejkę.

– Czy kiedykolwiek marzyłeś o zostaniu muzykiem? Na poważnie?

– Nie – mówi. – Mam nieco słuchu, potrafię grać na gitarze, ale nie jestem aż tak dobry, żeby zająć się tym profesjonalnie. Od kiedy rzuciłem pracę, nie wiem, czym się teraz będę zajmował. Może byłbym na tyle dobry, żeby przy odrobinie szczęścia wystąpić w pubie. Moje oszczędności stopnieją prędzej czy później, dlatego muszę znaleźć sposób zarabiania na życie.

– Wydajesz się bardzo zaradny.

– Ty też – zauważa.

– Och, nie – kręcę głową. – Nie do końca. Cukiernia to efekt konieczności. Wcześniej byłam zatrudniona w urzędzie i nie cierpiałam swojej pracy. Decyzja o zajęciu się mamą na pełen etat wcale nie przyszła mi z wielkim trudem. Teraz uwielbiam to, co robię, ale nie miałam wcześniej żadnego przemyślanego planu.

– Czasem tak jest najlepiej. Czekać na to, co przyniesie los.

Jeśli los prowadzi cię w wymarzone miejsca, czemu nie. Co jeśli przeznaczenie wytycza ci niezbyt pomyślne ścieżki?

Kiedy myślę o zakręconych kolejach fortuny, Danny spogląda na mnie.

– Założę się, że nic nie jadłaś. Nie jesteś czasem głodna?

– Konam z głodu – przyznaję się.

Mój żołądek nagle głośno burczy, przypominając mi, że nie jadłam nic od lunchu.

– Daj mi pięć minut. – Odkłada gitarę i zwraca się do Diggery'ego: – Dbaj o naszego gościa, Digs.

Potem znika pod pokładem.

Kiedy tak leżę wsparta o poduchy, pies przytula się do mnie i głaszczę go po brzuchu. Wsłuchuję się w odgłosy przyrody szykującej się do snu. Sowa huczy, liście na drzewach szumią, akumulator cicho warczy.

Kilka minut później, kiedy moje powieki robią się coraz cięższe, wraca Danny. Przynosi duży talerz z pokrojonymi w małe trójkąty tostami z serem. Kanapeczki są ułożone w równy okrąg, w środku którego stoi zapalona świeczka umieszczona na barwnej podstawie ze szkła.

– *Sto lat, sto lat* – śpiewa Danny. Wolno, cicho. – *Niech żyje, żyje nam. Sto lat, sto lat, niech żyje, żyje nam. Jeszcze raz, jeszcze raz, niech żyje, żyje nam. Niech żyje nam.*

Podaje mi talerz i mówi:

– Pomyśl życzenie.

Posłusznie zdmuchuję świeczkę. Potem jednak martwię się, że może się spełnić.

ROZDZIAŁ 45

– Czy czujesz się zrelaksowana?

– Tak.

Choć odpowiednim określeniem na mój stan jest słowo wstawiona.

Grzanki z serem, które Danny nam przygotował, nieco zmniejszyły efekt działania alkoholu, ale od tamtej pory wypiłam jeszcze dwie kolejki. Bez wątpienia moje wewnętrzne hamulce puściły. Czyż nie mogę się trochę zabawić w dniu swoich urodzin, na Boga?

– Mam dla nas jeszcze małą niespodziankę – mówi Danny, wyciągając skręta. – Ostatnio mało palę, ale to prezent pożegnalny od Sienny. Masz ochotę?

– Jasne.

W rzeczywistości wcale nie jestem tego taka pewna. Należę do pokolenia, które urodziło się za późno na lata sześćdziesiąte, ale za wcześnie na współczesną erę swobodnego podejścia do miękkich narkotyków. Nigdy nie paliłam trawy ani niczego innego. Wcale mnie to nie pociągało, a chyba wiecie dostatecznie dużo o Anthonym, aby sobie uświadomić, że on nigdy przenigdy nawet by nie dotknął zakazanej prawem substancji. Idea okolicznościowego sięgania po narkotyki jest mi obca. Uważam nawet, że obowiązujące prawo zbyt miękko odnosi się do tych kwestii i w moim życiu, spędzonym niejako pod kloszem, nigdy nie miałam do czynienia z narkotykami poza okresem dorastania mojej siostry, kiedy ze wszelkich sił starałam się, aby nie wpadła w nałóg.

Podczas gdy mój zamroczony mózg próbuje zebrać do kupy powyższe informacje, Danny odpala skręta starą zapalniczką i zaciąga się. Opuszcza głowę, zamyka oczy i podaje mi jointa.

Nie wiem, czy sprawił to alkohol, czy zwyczajnie nie chcę, żeby Danny wziął mnie za starą nudziarę, ale pomimo moich ustalonych poglądów na temat złowrogiego wpływu trawki, biorę od niego skręta i przykładam go do ust. Może jest to doświadczenie, które w wieku czterdziestu dwóch lat należy mieć choć raz za sobą. Mając nadzieję, że na mnie nie patrzy, zaciągam się mocno. Natychmiast kręci mi się w głowie.

– Okej? – pyta Danny.

– Tak.

Podczas gdy Danny delikatnie brząka na gitarze, przekazujemy sobie skręta, aż wypalamy całego. Czuję się bardziej wyluzowana niż kiedykolwiek w życiu. Mam wrażenie, jakby moje ciało było jednocześnie lekkie i ciężkie. Mam ochotę śmiać się i płakać równocześnie.

Pijemy kolejną kolejkę wódki, stukając się entuzjastycznie kieliszkami, które wychylamy do dna. Tracę poczucie czasu.

Danny znów śpiewa i myślę, że ma najlepszy głos, jaki w życiu słyszałam. W całym życiu. Szczerze. Sama zazwyczaj nie śpiewam, ale wódka dodaje mi odwagi i jestem na tyle otumaniona, że dołączam do niego i po cichutku nucę wraz z nim.

Po wspólnym odśpiewaniu paru piosenek, którymi do wtóru ze śmiechem wypełniamy przestrzeń, wstaję i chwyciwszy pustą butelkę niczym mikrofon, tańczę w rytm przebojów, które śpiewamy. Macham rękoma, kręcę biodrami, tylko nieznacznie tracąc grunt pod nogami.

Danny uśmiecha się do mnie.

– Pięknie śpiewasz.

Cieszę się, że jest ciemno, bo inaczej zauważyłby moje rumieńce. Ponad nami niebo barwi się aksamitnym odcieniem indygo, a pulsujące gwiazdy lśnią. Nie widzę Mlecznej Drogi, ale wiem, że tam jest, pełna piękna i tajemnicy. Mieszkamy na zachwycającej planecie. Naprawdę. Aż drżę z radości, że żyję.

– Zmarzłaś? – Z oddali dobiega mnie pytanie Danny'ego.

– Nie. Jestem szczęśliwa.

Wszystkie moje zmysły są jednocześnie przytłumione i niezwykle żywe. Śmieję się.

– Chodź do mnie. – Odkłada gitarę i patrzymy sobie prosto w oczy, kiedy delikatnie przyciąga mnie do siebie.

Jego dłonie palą moją wychłodzoną skórę. Obejmuje mnie ramionami, opieram głowę o jego pierś. Mam wrażenie, jakbym leżała tam od wieków. Jakbym odnalazła swoje miejsce. Wtedy nasze nogi splatają się, a ciała mocno przywierają do siebie. Kołysana w jego ramionach, czuję się całkowicie bezpieczna. Powiew bryzy znad wody łaskocze mnie po skórze.

– Pragnąłem tej chwili, od kiedy cię zobaczyłem, Fay – mówi, delikatnie całując mnie po włosach. – Marzyłem, żeby leżeć z tobą na pokładzie Łapacza Snów i patrzeć w gwiazdy.

– Też o tym marzyłam – przyznaję.

– Wiem, że jesteś z kimś innym...

Przytkam palec do jego ust.

– Nie teraz. Nie dziś.

Przytulamy się mocniej, kiedy nasze usta się odnajdują, a pocałunek sprawia, że moje wnętrze eksploduje. Gwiazdy wirują nad nami. Czuję, że spadam, spadam, spadam...

ROZDZIAŁ 46

Całujemy się tak długo, że aż usta robią nam się obolałe. Zmysły mi wirują, kiedy czuję, jak muska wargami po mojej twarzy, ustach, szyi, włosach. Potem wstaje i otwiera drzwi prowadzące pod pokład. Chwyta moją dłoń i ściągając mnie z ławki, prowadzi do środka.

– Zostań tu, piesku – mówi.

Diggery ku swojemu niezadowoleniu zostaje na zewnątrz.

Znów zaczynamy się całować i wiem, że powinnam to przerwać. Wiem, że jestem pijana, a wypalona trawka jeszcze mocniej poluzowała moje wewnętrzne hamulce, ale inaczej bym się na to nie odważyła, a przecież bardzo tego właśnie pragnę.

Mocno się do siebie tulimy, a Danny powoli rozpina mi sukienkę. Łapię go za T-shirt, który ściągam mu przez głowę, odrobinę mi w tym pomaga. Jego nagie ciało w świetle księżyca emanuje siłą i pewnością siebie, mogłabym je kontemplować przez całą noc.

Przebiegam dłońmi po jego klatce piersiowej, aż drży z rozkoszy. O Boże. Niesamowite uczucie. Ten mężczyzna, ten młody, piękny mężczyzna uwielbia, kiedy go dotykam.

Zsuwa ramiączka mojej sukienki. Gdy opada na podłogę, dłońmi pieści moje piersi. Słyszę głośne westchnienie rozkoszy, które wydobywa się z moich ust. Jego wargi ruszają w ślad za dłońmi, całuje mnie teraz po piersiach, brzuchu, i po raz pierwszy w życiu nie staram się go wciągać. Traktuje mnie z uwielbieniem, którego nigdy w życiu nie zaznałam. Czuję się jak królowa, bogini. Każda kobieta pragnie, żeby jej pożądać w ten właśnie sposób.

Wręcz pożera mnie wzrokiem, kiedy rozpina mi biustonosz i ściąga figi. Cieszę się, że wcześniej planowałam wyjście do restauracji, bo dzięki temu mam na sobie ładną bieliznę. Przypomina mi się Anthony czuwający teraz nad Deborah w szpitalu, ale choć powinno mnie to powstrzymać przed tym, co robię, tak się nie dzieje. Noc należy do mnie, to jest moja chwila. Po raz pierwszy w życiu nie chcę stawiać innych ponad sobą, nie chcę tańczyć, jak mi zagrają. Pragnę być sobą. Pragnę robić to, na co mam ochotę. Niepomna na konsekwencje.

Potem w ciemnym aksamicie nocy Danny daje mi rozkosz, jakiej nigdy w życiu nie doświadczyłam, moje nogi drżą z upojenia. Rozpinam mu pasek, ściągam spodnie, bieliznę, aż oboje jesteśmy nadzy i wtedy decyduję się na to, czego nigdy nikomu nie robiłam. Nie jestem nawet w stanie tego nazwać, ale nie waham się ani przez chwilę. Danny kładzie mnie na chodniku u stóp kominka i kocha się ze mną. Kocha się ze mną tak, jak nikt nigdy dotąd. Kocha się ze mną czule. Kocha się ze mną namiętnie. Kocha się ze mną w najbardziej rozkoszny sposób, jaki mogę sobie wyobrazić. A wciąż mi go mało.

Łapacz Snów kołysze się wraz z nami, wprawiając w drganie wodę i powietrze, które jak echo powielają rytm naszych ciał. To jest niczym pogańskie, pierwotne i czyste misterium należące do poziomu wszechświata, któremu za dnia niewiele poświęcam uwagi. Czuję się, jakbym dryfowała po wodzie, niesiona nurtem rzeki. Łagodne kołysanie łodzi potęguje tylko moją rozkosz.

Danny jest nade mną i myślę wtedy, że niebiosa mi go zesłały, aby wprowadził mnie w świat doznań dotąd nieobecnych w moim życiu. Kocha się ze mną bez przerwy, bez wytchnienia. Kocha się ze mną, aż nasze zmysły, uczucia, ciała splatają się, przenikając jedno w drugie, aż nie wiem, gdzie kończę się ja, a gdzie zaczyna się on.

Ponętna, powabna kobieta wije się pod nim z upojenia, i choć jej nie znam, to od razu zaczynam ją lubić.

Kiedy wreszcie kończymy, bierze mnie za rękę i prowadzi do sypialni. W łóżku przykrywa prześcieradłem nasze spocone, rozgrzane pożądaniem ciała. Splatamy nogi, całym ciałem wtulam się w niego.

Patrzy na mnie swoimi czarnymi oczami i szepce:

– Kocham cię.

Gładzi mnie po twarzy i to wystarczy, żebym ponownie go zapragnęła.

– Też cię kocham – odpowiadam.

Kochamy się jeszcze raz, tym razem już spokojniej, łagodniej, a potem wtulona w jego ramiona, zapadam w najgłębszy w życiu sen.

ROZDZIAŁ 47

Budzę się o świcie, pierwsze promienie słońca wpadają przez okno do sypialni Danny'ego. Rozglądam się wokół zdezorientowana, i nagle świadomość, gdzie jestem, uderza mnie jak obuchem.

Danny śpi spokojnie u mego boku. Jeśli to w ogóle możliwe, to we śnie jest jeszcze piękniejszy. Dłonie trzyma na poduszce pod głową, a jego włosy są jeszcze bardziej potargane niż zazwyczaj. Jego twarzy przybrała wyraz pełen łagodności. Leży na swojej połowie łóżka z prześcieradłem owiniętym wokół bioder, jego zgrabne, muskularne nogi zwisają na krawędzi. Cienka linia czarnych włosów biegnie wzdłuż brzucha, znikając w pościeli. Z trudem opieram się, aby nie musnąć jej palcami.

Na wspomnienie ostatniej nocy aż ściska mnie w żołądku, niepokój miesza się z zachwytem. Nie mogę uwierzyć, że okazałam się tak bezwstydna. To była najbardziej płomienna i ekscytująca noc mojego życia, która tylko sprawiła, że pragnę go jeszcze bardziej. Zaskoczyło mnie, że byłam zdolna do podobnej pasji i że tak mi jej brakowało w życiu.

Wracając do rzeczywistości, to nie potrafię sobie wyobrazić, jak muszę teraz wyglądać. Suszy mnie w gardle, a na dodatek okropny ból rozsadza mi czaszkę, jakby mój mózg znalazł się w imadle, które z wolna zaciska się coraz mocniej. Ciekawe, czy winę za to ponosiła wódka czy trawa. Choć może zabójcze okazało się połączenie ich obu, zwłaszcza że nie jestem przyzwyczajona ani do okazjonalnego palenia, ani do picia podobnych ilości alkoholu.

Obok Łapacza Snów mimo wczesnej godziny przepływa łódź, aż nami kołysze. Większość gości festiwalowych będzie dziś wracać do siebie, dlatego na kanale zrobi się tłoczno. To mi przypomina, że mamy otworzyć kawiarnię, aby skorzystać na obecności festiwalowych bywalców, nim odjadą, i uświadamiam sobie, że czas na mnie. Szkoda, że nie będziemy dziś zamknięci, jak to zazwyczaj bywa w poniedziałki.

Mam ochotę obudzić go pocałunkami, pragnę poczuć, jak łączą się nasze usta. Chcę, aby nasze ciała znów splotły się w miłosnym uścisku, ale tylko leżę rozkojarzona, podczas gdy on śpi snem sprawiedliwego. Powinnam się zbierać, myślę. Czeka na mnie praca, której nikt inny za mnie nie zrobi, nie mogę tu zostać, aby snuć marzenia u boku kochanka.

Wstaję i na paluszkach, żeby nie obudzić Danny'ego, wychodzę z kajuty, po drodze zbierając ubrania. W łazience staram się zachować jak najciszej, pryskam wodą twarz, żeby się rozbudzić. Prysznic jednak wygląda na zbyt skomplikowany i prawdopodobnie dość hałaśliwy w użyciu, dlatego nie podejmuję się odkręcić kurków, mimo że wejście pod kojący strumień gorącej wody na pewno pomogłoby mi szybciej stanąć na nogi.

W gardle mnie suszy, moje włosy natomiast przypominają kołtun. Rękami próbuję doprowadzić je do jako takiej przyzwoitości, potem palcem wcieram w zęby i dziąsła odrobinę pasty, aby odświeżyć oddech. Teraz dopiero uświadamiam sobie korzyści – jeśli na wzór Lii regularnie spędza się w podobny sposób noce – z noszenia przy sobie awaryjnych majtek i szczoteczki. Zwilżonym kawałkiem papieru toaletowego zmywam spod oczu rozmazane smugi tuszu do rzęs. Pocałunki i pieszczoty Danny'ego usunęły wcześniej resztę makijażu – na samo wspomnienie ściska mnie w dole brzucha.

Pospiesznie wkładam wczorajsze ubranie i wracam do sypialni, w której leży Danny wciąż pogrążony w głębokim śnie. Nie wiem, co zrobić. Powinnam go obudzić? Czy lepiej wymknąć się niepostrzeżenie? Nigdy wcześniej nie doświadczyłam jednonocnej przygody i nie wiem, jak należy się zachować. Na Boga, nawet budząc się rano przy Anthonym, którego znam od dziesięciu lat, czuję się zakłopotana.

Ciekawa jestem, co Danny myśli o minionej nocy – oboje byliśmy kompletnie pijani i na dodatek upaleni. Czy po przebudzeniu pożałuje, że się ze mną przespał? Mówiliśmy sobie rzeczy, do których może wstyd będzie nam się przyznać w ostrym świetle dnia. Powiedział, że mnie kocha, sama też wyznałam mu miłość. Chcę go obudzić, żeby sprawdzić, czy wciąż tak czuje.

Ubiegłej nocy czułam się najbardziej pożądaną i uwielbianą kobietą pod słońcem. Dzisiejszego ranka czuję się jak maleńka, zagubiona kobietka. Czy to efekt uboczny trawki? Czy tak właśnie działała? Czy to raczej wynik intymnego zbliżenia z osobą, którą w rzeczywistości ledwie znam? Zastanawiam się, czy ta noc będzie miała dalszy ciąg, ale boję się rozmowy na ten temat.

Kiedy tak stoję, niepokojąc się i stresując, niczego nieświadomy Danny śpi. Powinnam go zostawić. Może później, gdy się obudzi, przyjdzie do domu. Dla niego to nie pierwszy raz i pewnie ucieszy się po otwarciu oczu, że mnie już nie ma.

Myślę wtedy o Edie i Brandonie. Moja siostra zwierzyła mi się, że jej kochanek uprawia z nią seks tylko po trawce i alkoholu. Czy to jedyny powód, dla którego przespaliśmy się ze sobą z Dannym? Czy zrobilibyśmy to samo w stanie kompletnej trzeźwości? Mnie na pewno zabrakłoby odwagi. Bez wsparcia kilku kolejek wódki zwyczajnie spanikowałabym i uciekła. Czy upodabniam się do Edie, na jej wzór wiążąc się z nieodpowiednią osobą? Gdyby nie potworny kac, mogłabym się nad tym głębiej zastanowić.

Patrzę na Danny'ego i pragnę się z nim kochać, jednak jestem zbyt przerażona, żeby go obudzić. Uświadamiam też sobie, że nawet wypicie kilku kieliszków wódki z samego rana nie pomogłoby mi w zebraniu koniecznej odwagi. Poza tym aż mnie skręca w żołądku na samą myśl o alkoholu.

Najlepszym wyjściem będzie powrót do domu, gorący prysznic, o którym marzę, a potem herbata, tost i garść nurofenu. To mnie postawi na nogi, mam nadzieję.

Ostatni rzut oka i utrwalam w pamięci ten obraz. Mimo że targają mną liczne i różnorodne wątpliwości, wychodzę z poczuciem spełnienia. Z progu posyłam mu niemy pocałunek i szepcę:

– Dziękuję.

Potem najciszej, jak mogę, wychodzę na pokład. Kiedy otwieram drzwi, Diggery stroszy uszy i podskakuje, żeby mnie przywitać. Merda ogonem na wszystkie strony, jakby spędził co najmniej miesiąc sam na pustkowiu, a nie jedną krótką noc na pokładzie łodzi.

Głaszczę go po uszach, wtedy przywiera mi do nóg.

– Przepraszam, że cię zostawiliśmy, piesku – mruczę przymilnie. – Nie podejrzewam, żeby kiedykolwiek to się powtórzyło.

Szczeka w odpowiedzi, informując mnie, że jest głodny.

– Zostań tu – nakazuję. – Nie chciałabym, żeby Danny się obudził.

Pragnę, żeby jak najdłużej to możliwe dryfował w śnie, bo po przebudzeniu rzeczywistość znów nas zaleje wielką falą. Nie jestem pewna, czy mam ochotę stawić czoło temu, co przyniesie.

ROZDZIAŁ 48

Wsuwam głowę do sypialni mamy i, dzięki Bogu, wciąż śpi. Przy odrobinie szczęścia nawet się nie dowie, że nie było mnie całą noc. Cichutko jak najcichsza myszka zamykam drzwi.

– Fay! Fay! Czy to ty?

Opieram się o ścianę i liczę do pięciu.

– Tak. – Mam nadzieję, że mój głos brzmi radośniej, niż się czuję. – Za chwilkę.

Z szafy w mojej sypialni szybko wyciągam szlafrok, który narzucam na sukienkę, żeby nie zauważyła, że wciąż mam na sobie wczorajszy strój. Potem ponownie otwieram drzwi do jej pokoju.

– Dzień dobry.

– Nie słyszałam, kiedy wczoraj wróciłaś – mówi.

– Musiałaś widać twardo spać.

Mam czterdzieści dwa lata i jeden dzień. Jestem bardziej niż do dorosła. Czy powinnam zatem kłamać matce w żywe oczy? Słyszałam, że niektóre kobiety zwierzają się swoim rodzicielkom z każdego sekretu. Z nami tak nie jest. Wydaje mi się, że w całym życiu nie odbyłam z nią jednej szczerej rozmowy. Poza tym nie chcę, żeby wiedziała, gdzie spędziłam ubiegłą noc.

– Czy przynieść ci już śniadanie?

– Nie mam dziś ochoty na jajko – odpowiada. – Nie czuję się aż tak dobrze.

– Grzanki?

– Tylko jedną.

– Daj mi pięć minut.

Ubrana w szlafrok i wczorajszą elegancką sukienkę parzę mamie herbatę, robię tost i zanoszę jej śniadanie na górę.

– Będę pod prysznicem, gdybyś mnie potrzebowała.

Ale już wpatrzona w telewizję śniadaniową nie zwraca na mnie uwagi.

Wymykam się, zrzucam ubranie i odkręcam prysznic. Nim zanurzę się w strumieniu wody, zerkam na swoje odbicie w ściennym lustrze, czego zazwyczaj za wszelką cenę unikam. Patrzę na pełne piersi i równie krągłe biodra. Nie ma dramatu, ale to ciało należące do kobiety w średnim wieku. Mimo tego, co szeptał do mojego ucha wczorajszej nocy, to czy naprawdę Danny mógł je szczerze pokochać? Zastanawiam się. Jak to pomarszczone, zgnębione troskami cielsko mogło rywalizować ze szczupłą i zgrabną Sienną? Czy moje ciało nie wpasowywało się lepiej w świat Anthony'ego?

Wtedy po raz pierwszy pojawia się poczucie winy. Zdradziłam Anthony'ego, który wcale na to nie zasługuje. Jest stateczny, czasem aż do bólu nudny, ale mimo wszystko nie powinnam była tak się zachować. Zadzwonię do niego, gdy tylko wyjdę spod prysznica, żeby zapytać, jak im poszło z Deborah w szpitalu.

Wtedy jednak ściska mnie w żołądku. Nie jestem pewna, czy kiedykolwiek odważę się do niego odezwać. Jak mogłabym spojrzeć mu w twarz? Od zawsze byłam mu wierna, a teraz go zawiodłam. Od dziś będzie dzielił nas sekret, który muszę ukryć głęboko na dnie serca. Jaka mnie czeka przyszłość u jego boku, skoro nie potrafię dochować mu wierności? Czy w ogóle po wczorajszej nocy powinnam planować przyszłość u boku Anthony'ego? Czy powstrzymam się przed porównywaniem go do Danny'ego, na niekorzyść naszego związku? Czy kiedykolwiek będę w stanie kochać się z Anthonym, nie wspominając nocy spędzonej z innym, piękniejszym, bardziej męskim i pełnym werwy mężczyzną, któremu pod każdym względem bliżej do ideału? Wiem, że idąc do łóżka z Dannym Wilde'em, przekroczyłam granicę, dlatego cokolwiek teraz się stanie, nic już nie będzie takie samo jak dotychczas.

Co ja zrobiłam? Co ja takiego uczyniłam?

Nie jestem w stanie dłużej patrzeć na siebie, wchodzę pod prysznic, zanurzam się w strumieniu wody. Czuję się cudownie, spłukując z siebie brud. Byłoby wspaniale, gdyby woda potrafiła zmyć wspomnienia wczorajszej nocy, ale kiedy namydlam ciało, czuję jego zapach, wraz z którym odżywa jego dotyk na mojej skórze. Wtedy po raz kolejny przechodzi mnie dreszcz pożądania. Nie jestem w stanie nad tym zapanować. Pomimo wyrzutów sumienia i poczucia winy każdą cząstką ciała znów go pragnę.

Kiedy schodzę na dół, przychodzi Lija.

– Hej – wita się. – Jak minęły beznadziejne urodziny?

– Ech... Okazały się nie tak znów beznadziejne.

Lija unosi brwi. Czy mogę się jej zwierzyć? Nie. Zdecydowanie nie. Powinnam zachować to dla siebie. Wiem o tym. Moja noc z Dannym jest tajemnicą, którą należy zabrać do grobu. Zachowaj dyskrecję, upominam się. Dyskrecja przede wszystkim.

Ale nie potrafię. Muszę się komuś zwierzyć, bo inaczej oszaleję. Ktoś musi się dowiedzieć, że jestem zdolna do podobnie beztroskiej namiętności. Nie mogę przecież opowiedzieć o tym ani mamie, ani żadnemu z klientów zamawiających babeczki z kremem.

Lija zakłada na siebie ręce i niecierpliwi się.

Jeśli się powiedziało a, trzeba powiedzieć b. Biorę głęboki wdech.

– Wczorajszej nocy paliłam trawkę, wypiłam morze wódki, a potem całą noc uprawiałam seks na podłodze koło kominka.

Twarz Lii nawet nie drgnie ze zdziwienia. Ale wtedy uświadamiam sobie, że to w jej przypadku pewnie normalne, weekendowe zachowanie. Biorąc pod uwagę, jak wygląda w poniedziałkowe poranki, musi tkwić w tym ziarno prawdy.

– Z Dannym?

– Oczywiście, że z Dannym – odpowiadam szeptem. – Z kim innym? Przecież nie z Anthonym.

Uśmiecha się szeroko, pokazując, co zdarza się z rzadka, swoje idealnie białe zęby.

Marszczę brwi.

– Co?

– I dobrze – odpowiada.

– Przydałyby mi się awaryjne majtki i szczoteczka.

Wybucha głośnym śmiechem.

– Widzę, że stałam się dla ciebie wzorem.

– Boże dopomóż.

– Widzę, że było ci dobrze – mówi z zadowoleniem. – Wiedziałam, że stanie na wysokości zadania.

– Spaliliśmy razem jointa – przyznaję, wciąż sobie sama nie dowierzając.

– Czyli po pół jointa na osobę? Ryzyko popadnięcia w nałóg jest zerowe.

Mam nadzieję, że ma rację. To tylko jednorazowy wybryk. Jednak muszę zadać jej nurtujące mnie pytanie.

– Czy seks zawsze jest lepszy, kiedy się jest pijanym lub upalonym?

– Nie – odpowiada. – Przede wszystkim sam seks musi być dobry.

– Liczyłam, że tak powiesz.

Zasmuciłoby mnie, gdyby okazało się, że był to tylko efekt używek.

– Czyli było dobrze? – pyta z kąśliwym uśmiechem.

Śmieję się.

– Było zajebiście cudownie!

Teraz śmiejemy się obie, aż do łez, a Lija, moja chudziutka, opryskliwa pomocnica, która zawsze trzyma emocje na wodzy, podchodzi mnie uściskać.

Kiedy się uspakajamy, mówi:

– To nie było w twoim stylu, Fay.

– Wiem.

– Co z Anthonym?

– Tego właśnie nie wiem – przyznaję. – Zżera mnie poczucie winy. Zachowałam się paskudnie.

Lija wzrusza ramionami, jak ma w zwyczaju.

– A on traktuje cię jak wycieraczkę.

– Nie powinno się odpowiadać pięknym za nadobne. Nie jestem z siebie dumna.

Lija znów śmieje się, a ja nie potrafię się oprzeć i dołączam do niej.

– Nie jestem z siebie dumna – powtarzam. – To zupełnie nie w moim stylu.

– Wydaje mi się, że taką ciebie lubię bardziej.

– Prawdę mówiąc, ja też. Ale nie mów o tym nikomu, Lijo – proszę. – Błagam cię, zachowaj to dla siebie.

– Fay – odpowiada. – Nie ma powodu do wstydu, wierz mi.

Nie jestem pewna, czy się z nią zgadzam, ale mimo potwornego kaca postanawiam uśmiechać się przez cały dzień.

ROZDZIAŁ 49

W porze lunchu dzwoni Anthony.

– Dopiero o północy założono Deborah gips. O północy. Tak właśnie działa służba zdrowia.

Staram się okazać jak najwięcej troski.

– Jak ona się czuje?

– Bardzo ją boli – odpowiada Anthony. – Ma nosić gips przez sześć tygodni. Na pewno nie weźmie udziału w występie w kościele Świętego Andrzeja, może też mieć problem z nadgonieniem na dickensowski festiwal w grudniu. Nie mogę pozwolić, aby w Olney pojawiła się nie w pełni formy. To może dla niej oznaczać koniec kariery w grze na dzwonkach.

Najwyraźniej w oczach Anthony'ego to jest najczarniejszy z czarnych scenariuszy.

– Nie zdawałam sobie sprawy, że to aż tak poważne. Jak do tego w ogóle doszło?

– Spadła z łóżka – mówi Anthony. – Prościej nie można.

Nie potrafię powstrzymać wybuchu śmiechu, przez co czuję się jeszcze podlej.

– No nieee! Jak to się stało? Czyżby na skutek namiętnych wygibasów z panem z internetu?

– Na pewno nie – oschle zaprzecza.

– Dobrze, że mogłeś do niej przyjechać na tyle szybko, żeby zabrać ją na pogotowie.

– Eee... tak – jąka się. – Tak, to prawda.

– Proszę, przekaż jej ode mnie życzenia rychłego powrotu do zdrowia. – Szczerze jej tego życzę, wydaje się uroczą osobą.

– Nie mogę uwierzyć, że przepadł nam stolik w Rezydencji. Nie mogła wybrać gorszej chwili – narzeka Anthony. – Zrobiłem rezerwację ponad miesiąc temu.

– Może pójdziemy tam innym razem.

– Teraz chyba szkoda zachodu, nie sądzisz?

Czekam, aż mnie przeprosi za nieobecność w dniu moich urodzin, ale nie zapowiada się na to. Na szczęście nie pyta, co robiłam, bo wciąż nie wymyśliłam żadnej sensownej odpowiedzi.

– Wpadnę w drodze do domu – zapowiada się. – Ugotujesz coś?

– Pewnie. Na co masz ochotę?

– Na nic zbyt egzotycznego – prosi.

I tu właśnie kryje się sedno problemu.

W kawiarni przez cały dzień panuje ruch, przychodzą ludzie, którzy zostali w okolicy jeszcze po zakończeniu festiwalu. Podróż łodzią jest czasochłonna, dlatego robią sobie przy okazji kilka dni urlopu.

Niezmordowana Lija przygotowuje kanapkę za kanapką i ciasto za ciastem. Ja biegam od stolika do stolika, i nawet nie znajduję chwili na rozmowę ze Stanem. Oznacza to także, że nie mam czasu na myślenie o Dannym ani zastanawianie się, dlaczego jeszcze nie przyszedł się ze mną zobaczyć. Na pewno wstał już dawno temu. Rzucam okiem na Łapacza Snów, zasłony są rozsunięte, ale pokład świeci pustkami. Może wyszedł, a ja tego nie zauważyłam. Liczyłam, że po wstaniu przyjdzie prosto do mnie. Musimy przegadać wydarzenia zeszłej nocy, a w miarę upływu czasu staje się to coraz trudniejsze.

Staram się o tym nie myśleć, w czym natłok zajęć pomaga. Ale od czasu do czasu wracają wspomnienia naszych splecionych ciał poruszających się w jednym rytmie, Danny na mnie, Danny pode mną, w konsekwencji z trudem trzymam się w pionie. Obrazy z minionej nocy sprawiają, że kolana się pode mną uginają.

Mimo to robi się już późne popołudnie, a on wciąż nie przychodzi. Nie rozumiem dlaczego. To do niego niepodobne. Tak mi się wydaje. Niepokoję się. Czy czeka na mnie, liczy, że przyjdę później na Łapacza Snów? Być może.

Zajmuję głowę rozmową z Fensonami, których Dryfujący Raj osiadł na mieliźnie. Najwyraźniej są strasznie roztrzęsieni, dopiero po drugiej filiżance herbaty kolory wracają na ich twarze.

Wkrótce ostatni klienci dopiją swoje herbaty z mlekiem. Gdy tylko wyjdą, będę wolna. Czy uda mi się zejść do Łapacza Snów przed przyjazdem Anthony'ego? Nie jestem pewna. Będę mieć niewiele czasu. Nie zdawałam sobie sprawy, że zdrada tak bardzo komplikuje życie.

Duszę w zarodku przytłaczające myśli, zaparzam mamie herbatę, którą zanoszę jej na górę z kawałkiem ciasta upieczonego przez Liję. Ale kiedy tylko na nią rzucam okiem, widzę, że nie wygląda najlepiej. Od rana jest przygaszona. Ma ziemistą cerę i szkliste oczy.

– Czy wszystko w porządku, mamo? – Odgarniam jej z czoła pukiel cienkich włosów. – Wyglądasz na zmęczoną.

– Nie czuję się najlepiej – przyznaje.

– Czy powinnam zadzwonić po doktora Ahmeda? Może znów wzrosło ci ciśnienie. Wydaje mi się, że dobrze by było, gdyby zajrzał do nas po drodze.

– Tak byłoby chyba najlepiej – zgadza się ze mną, bez słowa sprzeciwu.

To do niej niepodobne.

– Jak jeszcze mogłabym ci pomóc?

– Muszę tylko odpocząć, Fay.

Niechętnie zostawiam ją samą i schodzę na dół. Dzwonię do lekarza. Recepcjonistka informuje mnie, że doktor Ahmed przyjdzie najszybciej, jak będzie to możliwe, ale pewnie dopiero za kilka godzin.

Kiedy wracam do kuchni, mówię do Lii:

– Mama źle się czuje, zadzwoniłam po lekarza.

Może widząc, że jestem bardziej zaniepokojona niż zazwyczaj, powstrzymuje się od złośliwości.

– Przykro mi, Fay.

– Na pewno wszystko w porządku. Chcę tylko, żeby ją zbadał.

– Już wszyscy wyszli i przetarłam stoliki w ogrodzie – mówi Lija. – Będziemy zamykać?

– Chyba tak – zmuszam się, żeby zostać w miejscu i nie pobiec prosto na Łapacza Snów. – Zaparzę nam herbaty.

Kiedy zaczynam nalewać wody do czajnika, z góry dobiega mnie głuchy łoskot.

– Mama – mówię.

Puszczam czajnik i biegnę do niej, przeskakując co drugi schodek.

W sypialni okazuje się, że mama spadła z łóżka, zrzucając na podłogę stos książek ze stolika nocnego i rozlewając herbatę, którą dopiero co jej zaniosłam. Jest blada jak śmierć

– Wezwij pogotowie, Lijo! – wołam. – Proszę, wezwij pogotowie!

ROZDZIAŁ 50

W karetce w drodze do szpitala mama dostaje wylewu. Lata leżenia w łóżku w końcu się na niej zemściły.

Dzięki Bogu Anthony przyjeżdża w tym samym czasie co pogotowie i od razu przejmuje nad wszystkim kontrolę. Razem jedziemy do szpitala, a Lija zostaje, aby zamknąć dom. Anthony ze wszystkich sił stara się nie stracić z oczu karetki, która pędzi jak szalona.

Na miejscu zanoszą mamę na noszach na ostry dyżur, gdzie czeka, według mnie zbyt długo, na lekarza. Wreszcie przyjmują ją na internę, a my udajemy się w ślad za nią. Jest blada, osłabiona i ma sparaliżowaną całą lewą stronę ciała. Nie jest w stanie mówić, a jej zapadnięta w połowie twarz wygląda niepokojąco.

Nie mogę powstrzymać łez, Anthony obejmuje mnie ramieniem.

– Czy wyjdzie z tego?

– Zobaczymy, musimy poczekać – mówi z ponurym wyrazem twarzy. – Zrobiłaś wszystko, co było w twojej mocy, Fay. – Poklepuje mnie pocieszająco. – Nikt nie zdobyłby się na więcej.

– Cieszę się, że tu jesteś, Anthony.

– Moje miejsce jest przy tobie.

Czekamy na korytarzu, aż położą mamę do łóżka. Podchodzi dyżurny lekarz, żeby porozmawiać z nami.

– Obawiam się, że pani mama jest w ciężkim stanie – zaczyna, a potem wymienia całą listę komplikacji.

Nie jestem pewna, czy wszystko do mnie dociera.

Kiedy kończy, pielęgniarka prowadzi nas do jej pokoju, gdzie pozwalają nam zostać kilka minut.

W szpitalnym łóżku mama wygląda na dużo drobniejszą i znacznie starszą niż w rzeczywistości.

Siadam, ujmując ją za dłoń.

– Jak się czujesz, mamo?

Z wysiłkiem kiwa głową, a łza spływa jej po policzku.

– Postaraj się usnąć – mówię. – Przyjdę do ciebie jutro, jak najwcześniej będzie to możliwe. Nic się nie martw. Masz tu wspaniałą opiekę.

Chce coś powiedzieć, ale zamiast słów z jej gardła wydobywa się chrząknięcie.

– Sama zobaczysz, błyskawicznie wypiszą cię do domu – kłamię w dobrej wierze.

Zamyka oczy, co odczytuję jako znak do wyjścia.

– Do zobaczenia, mamo.

Całuję ją w policzek. Jej skóra pachnie cierpko.

Anthony delikatnie klepie jej suchą jak papier dłoń.

– Trzymaj się, Mirando.

Niespiesznie wychodzimy ze szpitala i idziemy na parking. Anthony całą drogę otacza mnie ramieniem. Jest późno, minęła jedenasta i oboje czujemy się wyczerpani. Szpital nigdy nie był miejscem, które służy wypoczynkowi. Wieczór jest ciepły, ale wypełnia mnie chłód.

– Nic jej nie będzie – uspokaja mnie Anthony.

– Wiedziałam, że całe to leżenie w łóżku i unikanie wysiłku nic dobrego jej nie przyniesie. Wcale nie jest aż tak stara. Czemu nie potrafi cieszyć się życiem tak jak Stan?

– Twoja matka jest twardą kobietą, Fay. Jestem pewien, że wyjdzie z tego.

– Mam nadzieję, że się nie mylisz.

Patrzę, jak Anthony wsuwa bilet parkingowy do automatu i zalewa mnie fala ciepłych uczuć do niego. Stanął dziś na wysokości zadania, niezawodny i zdecydowany działał mimo przeciwności losu. Z czułością dotykam jego ramienia.

– Dziękuję, że ze mną tu przyjechałeś, Anthony. Sama nie dałabym rady. Założę się, że nawet nie podejrzewałeś, że spędzisz w szpitalu dwie noce z rzędu.

– To prawda – przytakuje.

– Chyba zadzwonię do Edie po powrocie do domu – mówię, ciężko wzdychając. – Będzie zszokowana, ale na pewno przyleci najszybciej, jak to możliwe.

ROZDZIAŁ 51

– Nie przyjeżdżam – upiera się Edie, najwyraźniej przerażona – Nie mogę. Mam jutro rozmowę o pracę.

– Mama jest w bardzo ciężkim stanie, Edie – wciąż powtarzam wpatrzona w ekran. – W bardzo ciężkim. Tak powiedział lekarz.

Mogłabym jej wyrecytować całą listę problemów zdrowotnych mamy, które mi przedstawiono w szpitalu, ale jestem zbyt zmęczona i skołowana.

– Nic jej nie będzie – twierdzi Edie. – Znasz ją dobrze.

W kuchni Anthony rozmawia szeptem przez telefon, ciekawi mnie, do kogo dzwoni o tak późnej porze. Chwilę później przynosi mi kubek gorącej herbaty i kilka biszkoptów w ramach kolacji. Siada w fotelu naprzeciwko. Gdybym rozmawiała z Edie przez telefon, zakryłabym słuchawkę, żeby dać znać Anthony'emu, dokąd zmierza nasza dyskusja, ale w przypadku Skype'a moja kochana siostrzyczka widzi wszystko, co się u mnie dzieje.

– Byłoby miło, gdybyś przyjechała się z nią zobaczyć – naciskam. – Wiesz, że cię uwielbia. Na pewno by jej to pomogło.

– Słuchaj, Fay... – Edie wzdycha. – Dobrze mi się układa. Z Brandonem znów jest cudownie. Podejrzewam, że teraz wreszcie odejdzie od żony. Wszystko się ładnie składa. Wierzę, że wkrótce dostanę pracę. Po prostu to czuję.

– To twoja matka. Potrzebuje cię.

– Och, Fay...

– Tylko na kilka dni. O więcej nie proszę.

– Zaczynasz mnie stresować. – Edie obejmuje się ramionami. – Nie cierpię, jak się na mnie tak naciska.

– Nie chciałam cię niepokoić, ale mam złe przeczucia.

– Och, Fay. Ty zawsze dramatyzujesz.

Ja dramatyzuję?

– Prześlę ci pieniądze. Przecież wiesz.

– Nie szantażuj mnie – obrusza się Edie.

– Nie szantażuję cię, tylko proszę. Boję się, że mama z tego nie wyjdzie, Edie, i nie chciałabym, żebyś była wtedy w Nowym Jorku.

– Hej, Edie – dobiega mnie męski głos.

Zakładam się, że to Brandon, o którym tak często rozmawiamy. Mam nadzieję, że nie czeka na nią w łóżku, choć nie jest to nieprawdopodobne.

– Słuchaj – mówi. – Muszę lecieć. Informuj mnie na bieżąco. Jutro zadzwonię. Albo pojutrze. Mamie nic nie będzie. Zaufaj mi.

– Edie...

– Kocham cię – rzuca, rozłączając się.

Wylogowuję się z ciężkim sercem.

– Twoja siostra to istny koszmar – stwierdza Anthony.

W tej ocenie jesteśmy zgodni.

– Nie wiem, co robić – żalę się.

– Prześpij się – radzi mi. – Zostanę na noc. Rano wszystko będzie wyglądać znacznie lepiej.

Powinnam iść do Danny'ego. Chcę iść do Danny'ego. Ale Anthony był tak miły dziś wieczór. Pospieszył z pomocą bez słowa skargi. Mogłam liczyć na jego wsparcie, sama nie wiem, jak mu dziękować. I mówiąc szczerze, boję się zostać sama na noc.

ROZDZIAŁ 52

Dzwonię do szpitala zaraz po przebudzeniu i mówią mi, że mama miała spokojną noc. Nie wiem, jak to rozumieć. Czy oznacza to, że jej stan uległ poprawie, czy wręcz przeciwnie i ze względu na jej fatalną kondycję nie powinnam liczyć na więcej? Nie jestem na bieżąco z terminologią szpitalną, dlatego mój niepokój wzrasta. Zazwyczaj godziny odwiedzin zaczynają się od dziesiątej, dlatego nie ma sensu wcześniej jechać na oddział.

Z wielką troską wyprawiam Anthony'ego do pracy. W nocy nie zmrużyłam oka. Rzecz jasna. Poprzednią noc spędziłam z innym mężczyzną i mimo licznych wysiłków nie potrafię o nim zapomnieć. Leżałam w łóżku, na przemian umierając z niepokoju o mamę i wspominając każdą sekundę nocy spędzonej z Dannym na Łapaczu Snów. Niczego nieświadom Anthony spał, głośno chrapiąc. Mam przekrwione, podpuchnięte oczy. Ziewam ze zmęczenia.

– Zadzwonię później – żegna się Anthony. – Postaram się przyjechać do szpitala, by zobaczyć się z Mirandą.

– Dziękuję. Doceniam to.

Obejmuję go i mocno się przytulam. Po raz kolejny zalewa mnie fala czułości do tego sztywnego i opanowanego mężczyzny, który jednak, kiedy znalazłam się w potrzebie, nie zawahał się, aby mi pomóc.

– Nie ma za co – zbywa mnie szorstko. Całuje mnie w policzek. – Nie martw się.

Nic na to jednak nie poradzę.

Potem przychodzi Lija.

– Jak tam Miranda?

– Nie za dobrze – mówię. – W drodze do szpitala dostała wylewu.

Lija przytula mnie, po raz drugi w ciągu ostatnich dni.

– Tak mi przykro.

– Muszę zaraz do niej jechać. Dasz sobie sama radę?

– Oczywiście.

– Dziękuję.

– Widziałaś się z Dannym?

– Nie – odpowiadam, chcąc dodać, że jest ostatnią osobą, o której teraz myślę, ale nie jest to prawda. – Anthony został na noc. Nie mogłam pójść do Danny'ego.

– Krępująca sytuacja.

– Anthony zachował się wspaniale. Bardzo mi pomógł.

– Nie wyobrażam sobie, żeby zrobił inaczej. – Potem patrzy na mnie, świdrując mnie wzrokiem. – Możesz teraz pójść do Danny'ego. Dam sobie radę z przygotowaniem lunchu.

– Nie wiem, co mu powiedzieć. Sytuacja jest naprawdę kłopotliwa.

– Lepiej mieć to za sobą.

Zaczynam obgryzać paznokcie.

– Tak uważasz?

– Oczywiście.

Jednak naprawdę nie wiem, czego się spodziewać. Czy wyśmieje mnie, twierdząc, że była to chwila zapomnienia? Czy będzie to początek nowego rozdziału w moim życiu? Co z Anthonym, który okazał się tak dobry? Zasługuje na więcej. Cokolwiek się stanie, Danny przewrócił mój świat do góry nogami i nic nie jest już tak proste, jak to wydawało się jeszcze kilka dni temu. Pewnie Lija ma rację. Powinnam do niego pójść, żeby wyjaśnić sytuację.

Przed wyjściem chcę sprawdzić, co u mamy, a wtedy przypominam sobie, że jej tu nie ma.

– Dziwne, że nie muszę biegać tam i z powrotem do mamy – przyznaję. – Czuję się bezużyteczna.

– Dlatego idź do niego, mądrze wykorzystaj wolny czas.

Przeciąganie sprawy na pewno nie służy niczemu dobremu.

Ruszam do ogrodu, a z nerwów moje serce mocno bije. Znów jest pięknie. Kolejny cudowny, letni dzień. Całe wieki nie mieliśmy równie wspaniałych wakacji. Nie pamiętam już, co to deszcz, choć na pewno przydałoby się, gdyby trochę popadało. Wysuszony trawnik, który prosi się o skoszenie, pożółkł od słońca.

Im bliżej jestem wody, tym lepiej się czuję. Nie mogę się doczekać, aż go zobaczę. Chcę, aby mnie przytulił i zapewnił, że wszystko się ułoży. Ale kiedy staję na pomoście, zamieram, z trudem łapiąc oddech. Przy deskach jest zacumowany tylko jeden statek, Ślicznotka Merryweather. Nie ma Łapacza Snów, Danny odpłynął.

Niespokojnie spoglądam na kanał, ale z obu stron nie ma śladu łodzi. Tafla wody jest gładka, spokojna, niezmącona nawet przez podmuch wiatru.

Nie ma go. Nie ma Danny'ego.

Stoję, nie wiedząc, co zrobić. Kiedy odpłynął? Zastanawiam się. Wczoraj w nocy? Dziś rano? Co, jeśli uznał, że nasza wspólna noc, którą uznałam za najwspanialszą w życiu, była okropną pomyłką? Co, jeśli nie potrafił spojrzeć mi w twarz i uciekł przy pierwszej nadarzającej się okazji? Mógł sobie, mimo wszystko, uświadomić, że woli w przyszłości związać się z jakąś Sienną pochodzącą z jego świata. Kto zdrowy na umyśle związałby się ze starszą o dekadę i nudną kobietą po czterdziestce? Może jest to na porządku dziennym w świecie celebrytów, ale na pewno nie wśród właścicieli nadbrzeżnych kawiarenek. Dlaczego choć przez jedną durną minutę wierzyłam, że jest inaczej?

Jestem rozczarowana, że Danny odpłynął bez pożegnania, zostawił mnie bez słowa wyjaśnienia. Myślałam, że stać go na więcej.

W głębi duszy czuję, że wyjechał na dobre. Rozkochał mnie w sobie, a teraz go nie ma. Dotkliwy ból przeszywa mi pierś i uświadamiam sobie, że serce właśnie pękło mi na pół.

ROZDZIAŁ 53

Serce mamy także pęka. Powoli, kawałek po kawałku. Podczas drugiej nocy spędzonej w szpitalu dostała zawału serca, potem tuż nad ranem kolejnego. O siódmej rano zadzwonili do mnie, prosząc, abym stawiła się w szpitalu jak najszybciej. Ubieram się i kilka minut później siedzę w samochodzie.

Kiedy docieram na miejsce, nieprawdopodobnie młody lekarz informuje mnie, że obie komory serca zostały uszkodzone.

– Nie spodziewaliśmy się tego – ciągnie. – Bardzo mi przykro. Teraz odpoczywa, ale może pani do niej wejść.

Trzymając w rękach butelkę napoju energetyzującego, winogrona, które kupiłam dzień wcześniej, i czystą koszulę nocną na zmianę, ruszam za pielęgniarką na oddział. Wiedziałam już, że przeniesiono ją na kardiologię, toteż znalazła się w najlepszym dla siebie miejscu. Króluje tam pełne powagi milczenie i przyciemnione światła. Uderzająca różnica w porównaniu z pełną gwaru i krzątaniny interną. Kilka szerokich łóżek stoi przy ścianach, a wszyscy pacjenci, z tego co mogę dostrzec, są podłączeni do licznych urządzeń emitujących ciche pikanie.

Mama na tle szpitalnej pościeli wygląda na drobną i bardzo chorą.

– Mamo – mówię. – Jestem tutaj.

Pod jej powiekami drgają gałki oczne, ale nie daje rady otworzyć oczu.

Nim zdążę cokolwiek dodać, na jednym z urządzeń pojawia się ciągła linia, włącza się alarm, a mama wyje z bólu. Nawet nie mam czasu zareagować, kiedy wokół mnie rozpętuje się piekło, a do jej łóżka przybiega ekipa reanimacyjna. Zaciągają zasłonę, a mnie pospiesznie wypraszają do poczekalni.

Tam czekam, czekam i czekam.

Godzinę później, kiedy przyjeżdża Anthony, wciąż czekam. Przytula mnie.

– Pielęgniarka powiedziała, że stan Mirandy znacznie się pogorszył.

– Miała zawał. A dokładnie trzy. Ostatni bardzo rozległy.

– Wyjdzie z tego.

– Nie sądzę, Anthony.

– Czy już u niej byłaś?

– Tak, ale wtedy właśnie zaczął się trzeci zawał.

– Moje kochane biedactwo – lituje się nade mną.

Siada obok mnie, opieram głowę na jego ramieniu.

– Muszę zadzwonić do Edie, żeby jej powiedzieć.

– Poczekajmy na lekarza – sugeruje. – Zobaczymy, co nam powie. Nie będziemy jej niepokoić bez potrzeby.

Nie wydaje mi się, żeby moja siostra szczególnie się przejmowała.

– Odwołam wszystkie spotkania, jakie miałem zaplanowane na dziś po południu – mówi Anthony.

– Nie trzeba. Naprawdę. Nie, jeśli to dla ciebie ważne.

– Już postanowiłem – upiera się. – Nie możesz zostać z tym sama.

Zaczynam protestować, bo wiem, że Anthony ma liczne zobowiązania, ale naprawdę nie czuję się na siłach, aby samej wszystkiemu sprostać, mam dość zachowywania zimnej krwi.

– Dziękuję – mówię. – Doceniam to.

– Daj mi pięć minut. – Anthony wychodzi na zewnątrz z telefonem.

Siedzę, przeglądając, bo na czytanie nie mam sił, wszystkie podarte na strzępy stare gazety, niektóre sprzed dziesięciu lat, zastanawiając się, ile przez ten czas zebrało się na nich zarazków.

Wreszcie zjawia się inny lekarz. Tym razem kobieta, równie młoda. Straszliwie młoda. Azjatka. Wygląda, jakby miała czternaście lat. Niepokoję się, bo czy ci wszyscy młodziutcy lekarze są wystarczająco doświadczeni, żeby ocenić stan chorych?

– Pani Merryweather?

Kiwam głową i podnoszę się, aby uścisnąć jej dłoń.

– Gdzie jest pani mąż?

Nim zdołałam wprowadzić ją w szczegóły naszej sytuacji rodzinnej, wraca Anthony.

– Już jestem – mówi.

Przynosi nam kawę w plastikowych kubeczkach.

– Obawiam się, że nie mam dla państwa dobrych wieści – z powagą oznajmia młoda lekarka.

Przygotowuję się zatem na najgorsze, nie mam żadnych złudzeń.

– Obie komory serca pani matki zostały ciężko uszkodzone. Jej stan jest bardzo niestabilny.

– Ale wyjdzie z tego?

– Trudno w tej chwili to stwierdzić, pani Merryweather. Robimy wszystko, co w naszej mocy, żeby zapewnić jej spokój.

Po raz kolejny to samo słowo. Spokój.

– Może został jej tydzień lub dwa życia. Choć może zaledwie parę dni. A nawet kilka godzin.

– Czy ona umrze?

– Obawiam się, że pani matka jest w stanie krytycznym.

Z trudem zdobywam się na pytanie:

– Czy mogę cokolwiek zrobić?

– Najlepiej byłoby, gdyby została pani w pobliżu – radzi. – Będziemy panią informować na bieżąco. Teraz pozostaje nam tylko czekać. Bardzo mi przykro.

– Muszę od razu zadzwonić do Edie – mówię do Anthony'ego, który w odpowiedzi kiwa głową.

– Wolno pani pójść do matki – ciągnie lekarka. – Może jednak pani nie rozpoznać. Jest pani mile widziana na oddziale przez cały czas. Mamy tu kuchnię, w której można zaparzyć herbatę, zrobić tosty czy podgrzać zupę. Jeśli zamierza pani nocować w szpitalu, ustawimy rozkładany fotel obok łóżka pani mamy.

– Dziękuję, pani doktor. Na pewno skorzystam z tej możliwości.

– Poproszę jedną z pielęgniarek, żeby wszystko dla pani przygotowała. – Dotyka mojego ramienia. – Bardzo mi przykro, że nie miałam do przekazania lepszych wiadomości.

– Dziękuję – mówię. – Dziękuję za wszystko.

Dzwonię do Edie, a potem razem z Anthonym przechodzimy przez pogrążony w półmroku oddział kardiologiczny. Łóżko mamy stoi w kącie pokoju, a ona sama przypomina kosmitkę, bo otacza ją mnóstwo tub i przewodów. Patrzenie na nią jest zbyt bolesne. Po tylu latach całkowicie niepotrzebnego unieruchomienia, kiedy mogła żyć pełnią życia, teraz jest naprawdę śmiertelnie chora.

Siadamy razem z Anthonym na skraju jej łóżka. Delikatnie gładzę wiotką skórę jej dłoni w miejscu nieoplecionym rurką, która ciągnie się od założonego na jej palec czujnika aż za ramę łóżka.

– Cześć, mamo. Jestem przy tobie.

Rusza oczami, ale jej spojrzenie ucieka.

– Edie?

– Fay – poprawiam ją. – To ja, Fay.

– Och.

Jej rozczarowanie jest niemal dotykalne.

– Edie wkrótce przyjedzie – obiecuję.

Pozostaje mi modlić się, żeby okazało się to prawdą.

ROZDZIAŁ 54

Edie przyjeżdża do domu. Niechętnie. Wyjeżdżam po nią na lotnisko Heathrow, na które przyleciała nocnym lotem.

Witamy się w hali przylotów. Wygląda szczupło. Zbyt szczupło.

– Dobrze cię widzieć – mówię, biorąc od niej walizkę. – Cieszę się, że przyleciałaś.

– Czy miałam inny wybór? – rzuca. – Wciąż nie wiem, w czym moja obecność miałaby tu pomóc.

– Możesz zwyczajnie pobyć z mamą. Strasznie się za tobą stęskniła.

Wychodzimy na parking, Edie wlecze się za mną. Mimo przykrych okoliczności bardzo się cieszę z jej przyjazdu, choć najwyraźniej czuć między nami ogromny dystans.

– Musiałam odwołać rozmowę o pracę – marudzi. – A była to bardzo obiecująca propozycja.

– Jestem przekonana, że mama doceni twoje poświęcenie.

Patrzy na mnie, doszukując się śladów sarkazmu, którego jej nie szczędzę.

Zatrzymuję się i patrząc jej prosto w oczy, mówię:

– Ona umiera, Edie.

Widzę, że odbiera moje słowa niczym policzek. Ale szybko zbiera się w sobie i odpowiada mi:

– Dobrze ją znasz, Fay. Wiesz, jak bardzo lubi robić zamieszanie wokół własnej osoby. Błyskawicznie wróci do zdrowia.

– Nie sądzę, Edie. Nie tym razem. Powinnyśmy jak najszybciej pojechać do szpitala.

Przygana działa, znów rusza pół kroku za mną.

Moja siostra jak zwykle ubrana jest w designerskie ciuchy, ale jest tak wychudzona, że przypomina małą dziewczynkę. Ma na sobie białą bluzkę i różową spódnicę w białe grochy. Do tego założyła żółty pas i dobrane pod kolor pantofelki na niskich obcasach. Stuka nimi po bruku niczym mały kucyk.

Mimo całonocnej podróży samolotem wygląda olśniewająco. Kasztanowe włosy, których barwę odziedziczyła po mamie, lśnią, opadając w skręconych puklach na ramiona. Do tego nieskazitelna cera i wypielęgnowane paznokcie.

Całą noc spędziłam na rozkładanym fotelu u boku mamy i choć pojechałam do domu wziąć prysznic i przebrać się, wciąż czuję się wymiętoszona, jakbym całą noc nie zmrużyła oka. Niewiele mamy ze sobą wspólnego z Edie i zaczyna mnie to martwić.

Muszę przyznać, że w tym krótkim czasie, który spędziłam w domu, znalazłam kilka minut, aby wyjść do ogrodu i przespacerować się do pomostu, pod pozorem zaczerpnięcia świeżego powietrza, ale Łapacz Snów nie wrócił. Moje nadzieje są zbyt wygórowane. Chciałabym powiedzieć Danny'emu, co się dzieje, i wytłumaczyć, dlaczego nie wróciłam z nim porozmawiać. Zastanawiam się, jak by się zachował wobec podobnych okoliczności. Jestem pewna, że sama jego obecność przyniosłaby mi ukojenie.

Razem z Edie podchodzimy do samochodu zaparkowanego na krótkoterminowym parkingu. Moja siostra zajmuje miejsce obok kierowcy, a ja wkładam jej walizkę do bagażnika. Potem uruchamiam silnik i ruszamy w stronę domu. Edie z niewzruszonym wyrazem twarzy tępo wygląda przez okno. Może zwyczajnie jest zmęczona, a ja nie mam siły na gadki o pogodzie.

– Dziwnie jest tu wrócić – wreszcie odzywa się, kiedy wjeżdżamy na autostradę. – Czuję się, jakbym znalazła się w obcym kraju, wcale nie w domu. Uświadamia mi to, że w ogóle nie tęskniłam.

Mojej siostry nie było w domu długie lata i choć Nowy Jork jest stąd rzut beretem, to ani razu nas nie odwiedziła. Wczoraj przelałam jej na konto dziewięćset funtów na bilet, to był najtańszy wariant, biorąc pod uwagę, że wylatywała tego samego dnia. To spora suma, choć przecież nie astronomiczna. Chyba mogła choć raz przylecieć do domu, prawda? Nie było to chyba aż tak trudne. Ceny biletów są przystępniejsze, jeśli odpowiednio wcześniej zrobi się rezerwację. Nigdy nie przyjechała ani na urodziny, ani na Wielkanoc, ani na Boże Narodzenie. Edie stała się wielką nieobecną. A ja ze względu na opiekę nad mamą i prowadzenie kawiarni nie miałam szansy pojechać do niej. I choć utrzymywałyśmy kontakt przez Skype'a – Bogu dzięki za nowoczesne technologie – to nie to samo co spotkanie, dlatego mam poczucie, że w ten sposób dystans między nami tylko się powiększył.

W miarę upływu czasu Edie ożywia się. Szczebiocze o cudach Manhattanu, oczywiście otrzymuję najświeższą relację z jej związku z Brandonem, ale nie mam do tego głowy. Moje myśli krążą wokół mamy, martwię się, że zostawiłam ją samą na tak długo. A jeśli wydarzy się najgorsze, a nas nie będzie przy niej? Choć ma trudny charakter, to nie potrafię sobie wyobrazić, że jej nie będzie. Może długa nieobecność Edie, fakt, że nie widywała jej na co dzień, niweluje niepokój mojej siostry.

Wyłączam się, skupiając całą uwagę na prowadzeniu samochodu i trzymaniu się w garści, mam tylko nadzieję, że przytakuję w odpowiednich miejscach.

Półtorej godziny później, mimo natężonego, porannego ruchu na drodze, wjeżdżamy w uliczkę, przy której stoi nasz dom.

– Mój Boże, jak ja nienawidzę tego miejsca – wzdycha z patosem Edie. – To naprawdę cholerny koniec świata.

– Mnie się tu podoba – mówię. – Nie wyobrażam sobie mieszkać gdzie indziej.

– Jakbym słyszała ojca.

To prawda. On też uwielbiał nasz dom.

– Czy wciąż trzymasz tę jego starą, sypiącą się łajbę?

– Oczywiście, że tak. Nie oddałabym jej za żadne skarby. Ślicznotka Merryweather wciąż stoi zacumowana przy pomoście. Nie jest żeglowna, ale wykorzystuję ją jako sklep, w którym przepływający ludzie kupują ciasta i inne rzeczy.

Zerkam na siostrę. Owija długie pukle włosów wokół palca, patrząc przez okno. Jej brak zainteresowania jest wręcz namacalny.

– Zresztą wspominałam ci o tym – przypominam.

– No, tak – zgadza się od niechcenia. – Na pewno macie tu spokój i tak dalej, ale mnie bardziej odpowiada wielkomiejski gwar. W Nowym Jorku zabawa trwa całą dobę. To miasto nigdy nie śpi.

Według mnie nie ma nic gorszego.

– Też nie wyobrażam sobie, żebym miała gdzie indziej mieszkać – dodaję.

Wjeżdżam na podjazd i muszę przyznać, że nasz stary rodzinny dom jest dość zaniedbany, zniszczały. Chciałabym mieć środki, żeby przywrócić go do dawnej świetności, choć, odkąd moja pamięć sięga, nie wyglądał lepiej. Mama z tatą musieli go kupić, kiedy czasy świetności miał już dawno za sobą.

– Musimy się spieszyć, ale myślę, że chciałabyś się odświeżyć i zjeść śniadanie.

– Dobrze.

– Potem pojedziemy prosto do szpitala.

Marszczy nos wyraźnie niezadowolona.

– Rozumiem, że to trudne, ale nie chciałabym zostawiać mamy zbyt długo samej.

– Wiesz przecież, jaką odrazę budzą we mnie chorzy – tłumaczy nadąsana. – Chyba nie będziemy tam siedzieć przez cały czas?

– Mama jest w fatalnym stanie.

– Słyszałam. Ale siedzenie przy niej przez cały dzień nie przywróci jej zdrowia, prawda?

– Co innego miałaś w planach, przyjeżdżając do domu, Edie? Zakupy? Wizytę u kosmetyczki?

Przerażona moją ripostą wpatruje się we mnie, milcząc.

– Przepraszam – mówię. – Nie zamierzałam podnosić głosu, ale sytuacja jest dostatecznie trudna. Mam wrażenie, że nie do końca to do ciebie dociera.

– Staram się – upiera się.

– Zobaczymy, jak nam pójdzie.

Mam nadzieję, że kiedy dotrzemy na miejsce, widok mamy podziała na Edie jak kubeł zimnej wody i obudzi w niej odrobinę współczucia.

Chwilowo udobruchana wyskakuje z samochodu i kieruje się do domu. Wyciągam jej walizkę z bagażnika i ruszam za nią.

Lija już krząta się w kuchni. Apetyczny aromat wypieków unosi się w powietrzu. Ciepła, kojąca woń sprawia, że mam ochotę się rozpłakać.

– Bosko pachnie – mówię.

Lija wyciera oprószone mąką dłonie o koszulkę i rzuca Edie podejrzliwe spojrzenie.

– Jak się ma Miranda?

– Nie najlepiej, niestety – odpowiadam.

– Hej – wita się wesolutko jak skowronek Edie.

– Witam – mówi Lija, krzyżując ramiona.

– Oto słynna Lija. – Edie unosi wysoko brwi. – Wiele o tobie słyszałam.

Zgaduję, że od mamy, zatem nie były to pochlebstwa.

Lija patrzy na nią wilkiem.

– Doprowadziłaś to miejsce do jakiej takiej przyzwoitości, Fay.

Moja siostra podchodzi do okna i patrzy na ogród, którego widok wciąż cieszy oko. Dzięki ciężkiej pracy Danny'ego. Stoliki i krzesła są rozsiane niczym barwne pastelowe plamy wśród różanych krzewów, a zachwycający powojnik w pełnym rozkwicie pnie się po murze.

– Wygląda znacznie lepiej, niż to zapamiętałam. Czy to nowe parasole?

– Tak.

– Bomba. Dużo macie klientów?

– Ostatnimi czasy nie narzekamy, prawda, Lijo?

Moja pomocnica przytakuje z niewzruszonym wyrazem twarzy. Ciekawe, która pierwsza spuściłaby wzrok, gdyby wystartowały w konkursie patrzenia sobie prosto w oczy. Edie czy Lija?

– Przewietrzyłyśmy ci pokój – informuję Edie.

Czuję ulgę, że Lija jednak się nie wprowadziła. Trudno byłoby to wytłumaczyć mojej siostrze.

Edie rusza na schody, a ja podążam w ślad za nią, taszcząc jej walizkę.

– Cieszę się, że interes kwitnie – komentuje Edie.

– Tego bym nie powiedziała. Ale dajemy radę. Każdego roku jest ciut lepiej, i o więcej nie proszę. – Wystarczy na przelewy dla ciebie, myślę z goryczą, a głośno dodaję: – To ciężki kawałek chleba. Bez Lii nie dałabym rady.

– Wygląda na pyskatą krowę.

– Jest wspaniałym człowiekiem – bronię jej. – Czasami opiekowała się też mamą.

Ostatnia pochwała nie wzbudza zainteresowania Edie.

– Mój dawny pokój – wzdycha.

Podnosi figurkę z komody. To paskudny kot z porcelany.

– Wyrwanie się stąd zajęło mi długie lata. – Rzuca mi lodowate spojrzenie. – Dlatego za żadne skarby świata tutaj nie wrócę.

Jeśli mama przeżyje, na co liczę na przekór wszystkiemu, to przynajmniej mam pewność, że nie otrzymam od Edie żadnej pomocy w opiece nad mamą. Ale przecież wiedziałam o tym od dawna.

ROZDZIAŁ 55

Mama umiera. Ledwie udaje nam się dojechać na czas do szpitala.

Po przyjeździe z lotniska Edie wzięła długą kąpiel, umyła włosy, marudziła przy śniadaniu. Potem długo szeptała przez telefon z Brandonem, choć za oceanem musiało być bardzo wcześnie, jeszcze nawet nie świtało, kiedy ja tymczasem przemierzałam kuchnię tam i z powrotem, drąc włosy z głowy.

Z trudem ujarzmiłam narastającą frustrację i pomogłam Lii w przygotowaniu ciasta, które ugniatałam agresywnie, bezsilnie czekając na Edie. Wreszcie kiedy postanowiłam sama pojechać do szpitala – Edie mogła dojechać taksówką w swoim czasie – zadzwonił telefon.

To była pielęgniarka z oddziału kardiologicznego. Poinformowała mnie, że mamie gwałtownie się pogorszyło, dlatego dobrze by było, gdybym natychmiast przyjechała. Dziesięć minut zajęło mnie nakłonienie Edie do przerwania transatlantyckiego połączenia i zaciągnięcie jej do samochodu.

– Brandon popadł w tarapaty – oznajmia Edie, gryząc paznokcie, kiedy spóźnione pędzimy do szpitala. – Stracił pracę. Jak to możliwe? Był wspólnikiem, a i tak go zwolnili. O czymś podobnym jeszcze nie słyszałam. Coś się za tym kryje. Jest tam przecież kluczowym graczem. Musieli mieć poważny powód.

W nosie mam problemy Brandona. Przynajmniej teraz.

– Co to zmieni w mojej sytuacji? – dywaguje. – Dopóki nie znajdzie nowej pracy, będzie uzależniony od pieniędzy żony. Jak w takim razie zapłaci za moje mieszkanie?

– Nie wiem, Edie – przerywam jej. – Nie jestem w stanie się na tym teraz skupić.

– Dzięki za współczucie – odgryza się urażona, krzyżuje ramiona i wygląda przez okno.

– Pielęgniarka powiedziała, że stan mamy pogarsza się lawinowo, Edie. To poważne.

Kiedy suniemy dwupasmową obwodnicą Milton Keynes, dosłownie rwę włosy z głowy. Wjeżdżam na piętrowy parking, zatrzymuję samochód i, ciągnąc za sobą Edie, biegnę, ile sił w nogach plątaniną korytarzy na oddział. Mam przeczucie, mocne przeczucie płynące prosto z trzewi, że wybija jej godzina.

Kiedy wkraczamy w pełną skupienia ciszę oddziału kardiologicznego, z trudem łapię oddech. Edie gwałtownie blednie, bo wreszcie uświadamia sobie powagę sytuacji.

Podchodzimy do łóżka mamy, której oczy lśnią na widok siadającej obok mnie Edie. Więcej mi nie trzeba. Mama wie, że jej młodsza córka przyjechała specjalnie dla niej, że jest u jej boku.

– Cześć, mamo – szepce słodko Edie. – Przyleciałam najszybciej, jak mogłam.

Mama jest zbyt osłabiona, by mówić, ale Edie mocno ściska jej dłoń.

Obie córki są przy niej, tylko to się liczy.

Potem, wydając ostatnie tchnienie, mama szepce:

– Och, Edie.

I koniec.

ROZDZIAŁ 56

Obie z Edie siedzimy w szpitalu, mocno tuląc się do siebie i nie wiedząc, co powinnyśmy teraz zrobić.

– Umarła – szlocha Edie. – Powinnam była wcześniej przyjechać.

– Przyjechałaś w samą porę – pocieszam ją. – Tylko to się liczy.

Oszołomiła mnie szybkość, z jaką zabrano ciało mamy z pokoju, choć pewnie inna ciężko chora osoba czekała na miejsce na oddziale. Odłączyli wszystkie tuby i przewody tak żwawo i energicznie, że można by ich podejrzewać o kompletny brak empatii. Następnie przeniesiono mamę na wózek, na którym wywieziono ją z sali. Nie pozostało nam, dwóm sierotom, nic innego jak opuścić oddział.

Nie wiem, jak dojechałam do domu. Pewnie nie powinnam w ogóle siadać za kierownicą, powinnyśmy były zostawić samochód i wezwać taksówkę, ale nie pomyślałam o tym, a Edie nic nie powiedziała. W drodze zaczęło padać i przez ułamek sekundy nie pamiętałam, jak się włącza wycieraczki.

Kiedy dotarłyśmy na miejsce, Lija z naszych zalanych łzami twarzy odczytuje złe wieści. Nie muszę nic dodawać, od razu mocno mnie obejmuje.

– Bardzo mi przykro, Fay.

– Dziękuję.

– Zawsze jestem w pobliżu.

– Wiem.

Dzwonię na komórkę Anthony'ego, ale nie odbiera, dlatego nagrywam mu wiadomość na poczcie głosowej. Mówię, co się stało, i powiadamiam go, że jesteśmy w domu. Gdyby przypadkiem pojechał do szpitala, a tam okazałoby się, że mamy już nie ma, to byłoby potworne.

Lija parzy nam herbatę.

Edie siada przy stole w kuchni, pociągając nosem. Nie mam siły jej pocieszać, sama potrzebuję chwili dla siebie. Mimo ulewy muszę wyjść na zewnątrz. Choć spodziewałam się takiego finału, nie zmniejsza to bólu, który czuję.

– Muszę zaczerpnąć świeżego powietrza.

Jestem zmrożona do szpiku kości, dlatego zakładam sweter i wychodzę z herbatą do ogrodu.

Staję pod jednym z parasoli, które ustawił Danny, i patrzę na deszcz. Krople spadające na kanał tworzą piękne koła na jego powierzchni, a kaczki, niepomne na moje cierpienie, radośnie pluskają się w wodzie. Staram się docenić otaczające mnie piękno. Pąki kwiatów ciężkie od wilgoci opadają nisko ku ziemi. Moje serce również ciąży, jakby było z ołowiu.

Z powodu pogody w kawiarni jest niewielu klientów, za co jestem wdzięczna. Nie chciałabym zostawić wszystkiego na głowie Lii. Nie dziwi mnie zatem, że ogród świeci pustkami, ale kilku zatwardziałych spacerowiczów siedzi w jadalni. Zamknięte drzwi balkonowe chronią ich przed niedogodnościami przyrody. Nigdzie nie widzę Stana i zastanawiam się, czy Lija zaniosła mu dziś lunch do domu. Czasem tak robimy, kiedy warunki pogodowe uniemożliwiają mu spacer.

Szkoda, że nie ma tu Danny'ego, chciałabym z nim porozmawiać. Na pewno zainteresowałby się, co z mamą. Jestem tego pewna. Z taką łatwością się przed nim otwierałam, dlatego teraz też zwierzyłabym mu się z moich obaw i lęków. Uświadamiam sobie, że nawet nie znam jego numeru telefonu. Wyjechał i koniec.

Patrząc na Ślicznotkę Merryweather, na deszcz bębniący w kryjący ją brezent rozważam, co się teraz wydarzy. Oboje rodzice nie żyją. Z całej rodziny zostałyśmy dwie, Edie i ja. Musimy się trzymać razem.

Będzie mi brakowało mamy mimo jej narzekań i marudzenia. Szkoda, że łącząca nas więź nie była głębsza, ale wiedziałam na pewno, że kochała mnie najmocniej, jak potrafiła. Mimo swoich wad to moja matka i dlatego będę za nią tęsknić. W moim życiu jej odejście utworzyło ogromny wyłom, bo ostatnio mnóstwo czasu spędzałyśmy razem. Choć jej śmierć była niespodziewana, to odeszła szybko i cieszę się, że nie cierpiała. Ale ze wstydem przyznaję, że odczułam też ogromną ulgę. Oznacza to bowiem, że po raz pierwszy od lat mogę wreszcie żyć własnym życiem, mogę poświęcić się kawiarni i rzeczom, które chodziły mi po głowie, ale których nie robiłam z braku czasu.

Mama pewnie zapisała dom nam obu, Edie i mnie. Wciąż chcę prowadzić cukiernię, nie mam co do tego żadnych wątpliwości, ale oznacza to, że będę musiała spłacić siostrę, bo na pewno będzie potrzebowała pieniędzy. Szczególnie w obecnej sytuacji. Czy uda mi się wziąć kredyt, aby zdobyć odpowiednie środki? Ostatnio banki niezbyt przychylnie traktowały pożyczkobiorców. Ale dom stanowi porządny zastaw. Choć koniecznie trzeba wyremontować go wewnątrz, to sam budynek jest bez zarzutu, poza tym leży w dobrej okolicy. Posiadłości nad kanałem dużo kosztują. Nigdy nie wyceniałyśmy naszego domu, ale jestem pewna, że jest wiele wart.

Zamyślona rozglądam się po kanale. Ciekawe, gdzie jest teraz Danny i dlaczego odpłynął bez słowa pożegnania. Wiem, że powinnam zamknąć ten rozdział, ale wspomnienie naszej wspólnej nocy choć odrobinę rozjaśnia moje pogrążone w mroku serce. Zachowaliśmy się niewłaściwie, lekkomyślnie, dziko. Ale było nam ze sobą dobrze. Powinnam tego żałować, ale tak nie jest. Nie żałuję ani jednej minuty z tamtej nocy. Nie zapomnę jej jeszcze przez długi czas. Po raz pierwszy w życiu zrobiłam coś spontanicznego, szalonego i niebezpiecznego. Może wspomnienie tej jednej nocy zapisane na trwale w pamięci pomoże mi stawić czoło życiu, które jest skazane na monotonię.

ROZDZIAŁ 57

Deszcz nieco ustaje, a ponieważ wypiłam już całą herbatę, podnoszę się, prostuję zmęczone plecy i ruszam z powrotem do domu. Wisteria, której wiszące pnącza zdobią werandę, bardzo ucierpiała od opadów, większość jej płatków leży na patio.

Kiedy otwieram kuchenne drzwi, przyjeżdża Anthony. Obejmuje mnie i po raz kolejny w ciągu ostatnich dni okazuje ogromne wsparcie.

– Bardzo mi przykro, Fay – mówi. – Wiem, że byłyście blisko.

Czy naprawdę byłyśmy z mamą blisko? W głębi serca żałuję, że nie łączyła nas mocna więź.

– Dziękuję, Anthony. Dobrze, że tu jesteś, że mogę na ciebie liczyć.

– Zajmę się organizacją pogrzebu – mówi. – To bolesny obowiązek. Przeszedłem przez to, kiedy moja mama umarła. Wiem, co należy zrobić.

– Dziękuję.

Wtedy Anthony robi to, w czym jest najlepszy. Zaczyna organizować. Okropne, że w momencie, kiedy człowiek czuje się najmniej zdatny do czegokolwiek, tak wieloma sprawami musi się zająć.

– Nie zamierzam się w ogóle wtrącać – oznajmia Edie. – Zdaję się w całości na was. Dopada mnie *jet lag*, dlatego położę się na godzinę.

Edie zamyka się w swoim pokoju. Późnym popołudniem wciąż śpi, a my z Anthonym jedziemy do zakładu pogrzebowego, aby dopełnić formalności. Siedzę u boku mojego partnera niczym zombie, podczas gdy on wszystkim się zajmuje, prosząc mnie tylko o skinienie głową w stosownych miejscach gwoli potwierdzenia. Potem jedziemy do urzędu stanu cywilnego zgłosić zgon mamy. Następnie czeka nas wizyta w kwiaciarni i zamawianie wieńców. Decyduję się na białe róże, bo uświadamiam sobie, że nie mam pojęcia, jakie kwiaty lubiła mama, co tylko wywołuje kolejną lawinę łez.

Nie planujemy wystawnej stypy. Kiedy mama zaległa w łóżku, powoli wykruszyli się wszyscy jej przyjaciele, dlatego każdy, kto przyjdzie na skromną uroczystość w miejscowym krematorium, zostanie zaproszony do kawiarni. Tak zasugerował Anthony i uważam, że ma rację.

Kilka dni później jej prochy mają zostać złożone u boku taty na cmentarzu. Kiedy tata zmarł, zamierzałam wysypać jego prochy do kanału, bo tego sobie przed śmiercią życzył, ale mama nawet nie chciała o tym słyszeć. Może dobrze wyszło, bo teraz spędzą razem całą wieczność. Mama nie byłaby zachwycona, gdybym wysypała jej prochy do wody.

Kiedy wracamy z Anthonym do domu, jestem tak wyczerpana, że ledwo trzymam się na nogach. Lii już nie ma, przygotowała nam jednak zapiekankę z ziemniaków i mięsa, którą trzeba tylko wsunąć do piekarnika. Kochana Lija pomyślała o nas. Ten drobny gest z jej strony znów mi wyciska łzy z oczu.

Anthony nakrywa stół dla trzech osób i kiedy ziemniaki rumienią się na złoto, schodzi do nas Edie.

Jest blada, zmęczona i ma przekrwione oczy.

– Jak się czujesz?

– Parszywie – odpowiada. – A ty?

– Podobnie. Lija przygotowała nam zapiekankę.

– Nie jestem głodna.

– Nic nie jadłaś od rana, Edie. Spróbuj tylko.

Wzrusza ramionami.

– Ale chętnie bym się napiła.

– Herbaty?

– Myślałam raczej o czymś mocniejszym.

– W lodówce jest butelka białego wina. Otworzyć? – pyta Anthony.

– Ja dziękuję – mówię.

– Tak – odpowiada Edie. – Może być.

Anthony nalewa jej kieliszek. Szybko wypija wino, a potem sama już dolewa sobie kolejny.

Nie do końca świadoma własnych czynów, wyciągam zapiekankę z piekarnika, stawiam ją na stole i wszystkim nakładam po kawałku. Nie ma surówki. Mogłam ugotować mrożony groszek, ale nie pomyślałam o tym. Nikt jednak nie narzeka.

Zapiekanka pysznie pachnie i oboje z Anthonym jemy z apetytem. Edie tylko grzebie widelcem w talerzu.

– Pogrzeb mamy odbędzie się w przyszły wtorek – informuję siostrę.

– To dopiero za tydzień – smuci się. – Nie zamierzałam aż tak długo zostawać.

– Wybraliśmy najwcześniejszy możliwy termin – oschle wyjaśniam. – Zazwyczaj czeka się jeszcze dłużej. Udało nam się zarezerwować ten dzień tylko dlatego, że ktoś przesunął pogrzeb na później.

Edie wzdycha.

Wiem, że marzy o błyskawicznym powrocie do Stanów, ale mówię:

– Nie możesz nie przyjść na pogrzeb, Edie. To twoja matka. Jesteś mi tu potrzebna.

– Wiem – odpowiada nadąsana.

– Przez ten czas mamy wiele do zrobienia. Musimy umówić się do notariusza w sprawie testamentu mamy. Jestem przekonana, że chciałabyś załatwić sprawę domu.

– Tak – zgadza się. – Tak mi się wydaje. Ale szczerze, nie jestem nim zainteresowana.

– Połowa należy się tobie.

Aż się ożywia.

– Naprawdę?

– Oczywiście. Jakże mogłoby być inaczej?

– Super. Myślisz, że udałoby nam się umówić notariusza na jutro?

W oczach Edie migają funty szterlingi. Wyda całą należną jej część w mgnieniu oka.

– Zadzwonię do niego.

Pewnie im szybciej się tym zajmiemy, tym lepiej.

Sprzątamy z Anthonym po kolacji. Edie z kieliszkiem siada na werandzie i pali papierosa. Choć nie widzę dokładnie, mam nadzieję, że to sam tytoń, chyba nawet Edie nie ryzykowałaby przekraczania granicy z czymś mocniejszym.

– Chciałabyś, żebym został na noc? – pyta Anthony.

Kręcę głową. Wiedziałam, że nie przepada za zbyt częstym nocowaniem u mnie w tygodniu, ale miło, że to zaproponował.

– Posiedzę z Edie. Sytuacja jest trudna, a tak rzadko się widujemy. – Opieram dłoń o jego ramię. – Doceniam to, co dla mnie dziś zrobiłeś. Szczerze. Bez ciebie nie dałabym rady.

– Nie zostawiłbym cię samej z tym wszystkim.

– Kocham cię – mówię, po czym znów zanoszę się łzami.

Czuję się podle, że tak niecnie go zdradziłam, wypominam sobie lekkomyślną noc w ramionach Danny'ego Wilde'a. To było tak do mnie niepodobne, tak sprzeczne z moim charakterem. W tej właśnie chwili postanawiam, że od tej pory będę lepszą partnerką dla Anthony'ego. Będę kobietą, na jaką zasługuje. Czeka nas długa i pełna szczęścia przyszłość, dlatego obiecuję sobie, że nigdy, już przenigdy nawet nie spojrzę na innego mężczyznę.

– Cicho, cichutko – szepce Anthony, delikatnie całując mnie w czoło.

Dlatego właśnie się w nim zakochałam. Przy nim wiem, czego się spodziewać. Może nie rozświetlał mi każdego dnia, może nie budził we mnie rozkoszy ani pasji, ale kto tego na co dzień potrzebuje? Anthony jest rzetelnym, godnym zaufania człowiekiem. Wspaniałym organizatorem. Zawsze jest przy mnie, kiedy tego potrzebuję. Na pewno nie pożałuję, jeśli będę o tym pamiętać.

ROZDZIAŁ 58

Razem z Edie siedzimy na kanapie. Włączam z iPoda muzykę, którą zgrała mi Lija, żeby puszczać ją w kawiarni. Zazwyczaj jestem zbyt zabiegana, aby dokładnie wsłuchiwać się w słowa piosenek. Nie znam wykonawców, ale to miłe, kojące kawałki. Nagle rozpoznaję jeden przebój, śpiewaliśmy go z Dannym na pokładzie Łapacza Snów, to wspomnienie nieco ogrzewa moje zbolałe serce. Ale kilka godzin temu w duchu ślubowałam wierność Anthony'emu, dlatego powinnam zaprzestać powracania myślą do wydarzeń tamtej nocy, choć znów rozpamiętywanie tamtejszego stanu mojego ducha umożliwia mi przetrwanie trudnych chwil.

Moja siostra wzięła ze sobą butelkę wina, w której już niewiele zostało. Przyniosła też kieliszek dla mnie, dlatego nalewam do niego resztki, żeby z nią wypić. Sączymy alkohol w milczeniu. Ku mojemu zaskoczeniu wino mnie rozgrzewa, choć nie potrafiły tego dokonać kubki gorącej herbaty, które dziś sobie zaparzałam. Jestem gotowa na otwarcie kolejnej butelki.

Obie siedzimy w piżamach, rozpaliłam w kominku, bo po deszczu bardzo się ochłodziło. W salonie często bywa zimno, teraz jednak płomienie ognia rzucają wokół ciepłą poświatę. Zauważam, że koszula nocna Edie jest znacznie bardziej kusa i jedwabista niż moja.

– Cieszę się, że spędzimy trochę czasu razem – mówię. – Mimo tych smutnych okoliczności.

– Tak – zgadza się, choć ma nieobecny wyraz twarzy. – Dużo czasu minęło.

Ze względu na różnicę wieku między nami nie jesteśmy ze sobą związane tak blisko, jak to zazwyczaj bywa między siostrami, zastanawiam się już nie po raz pierwszy, czemu mama z tatą zdecydowali się na drugie dziecko tak późno.

– Anthony zachował się dziś wspaniale – zauważa Edie.

– Tak – przyznaję. – Jestem mu za to wdzięczna. – Naprawdę wydaje mi się, że bez niego nie dałabym rady. Z ogromną ulgą przyjęłam jego wsparcie, zaufałam sile jego spokoju. Doskonale wiedział, co zrobić, podczas gdy mój mózg totalnie się wyłączył. – Anthony lubił mamę, ona także miała o nim dobre zdanie.

– Wątpię, czy zaakceptowałaby Brandona – oznajmia Edie. – Nie jest typem mężczyzny, który uwielbiają matki. Ale już nie będą mieli okazji się poznać. – Edie upija wina. – Nigdy nie myślałaś o poślubieniu Anthony'ego? Jesteście ze sobą od zawsze, a jeśli się nie mylę, wciąż nie słychać weselnych dzwonów.

– Mówisz jak mama.

– Skąd ten opór? Musicie już być pewni swoich uczuć do tej pory.

– Nie wiem – przyznaję. – Założyłam, że zawsze będziemy razem, ale potem miałam chwilę zwątpienia.

To było nawet więcej, mogłabym dodać, ale nie wiem, jak nazwać uczucia, które mną targały od kilku miesięcy.

– Ostatnio przechodziliśmy przez dość trudny okres. Zaczynałam wątpić, czy Anthony jest naprawdę tym jedynym.

– Wcześniej uważałam, że z niego straszny dupek – przyznaje się Edie. – Ale jest okej. Nawet żałuję, że mój facet bardziej go nie przypomina. Kiedy Anthony coś powie, to można mu wierzyć. Z Brandonem to zupełnie inna historia. Jest jak chorągiewka na wietrze.

– Musi ci być z tym ciężko.

Posyła mi skwaszony uśmiech.

– Lepiej tak niż bez niego.

– Po pogrzebie lecisz prosto do Nowego Jorku?

Odpowiada mi skinieniem głowy.

– Smutne to, prawda, ale nie chciałabym, żeby Brandon zbytnio się przyzwyczaił do mojej nieobecności. Mogłoby mu się to spodobać.

– Nie chciałaś poszukać sobie kogoś milszego, Edie? Z przykrością patrzę na to, jak on cię podle traktuje.

– On musiałby zerwać ze mną. Zbyt mocno go kocham, żeby odejść. Teraz, kiedy stracił pracę, będzie mnie potrzebował jeszcze bardziej. To musi być straszliwy cios dla niego, a wiem, że nie ma co liczyć na wsparcie od żony.

Ciekawe, jak to tak naprawdę widzi jego żona.

Edie układa się wygodnie na kanapie.

– Kiedy jest daleko, mam wrażenie, jakby moje wnętrze krwawiło. Czy kiedykolwiek tak się czułaś?

– Nie, nie – odpowiadam. – Nasz związek z Anthonym jest zupełnie inny.

– Przedwcześnie się zestarzałaś, kobieto. Wciąż powinna być między wami chemia, niezaprzeczalny, nieodparty erotyzm.

– Mówiąc szczerze, to nie przypuszczam, żebyśmy kiedykolwiek się tak czuli.

– Wielka szkoda – lituje się. – Chciałabym, żebyś mogła mnie zrozumieć.

Może wino rozwiązuje mi język, a może ta rzadka, szczera rozmowa z siostrą sprawia, że mówię:

– Był w moim życiu ktoś. Całkiem niedawno.

Unosi brwi ze zdziwienia, a potem uśmiecha się szeroko:

– Och, siostrzyczko!

– Nic takiego w sumie – kłamię. – Był tu przejazdem. Mieszka na łodzi.

– Chyba nie jeden z tych pieprzniętych hipisów, którzy wciąż mentalnie żyją w latach sześćdziesiątych?

– Nie – śmieję się, przypominając sobie młodego, energicznego i bystrego Danny'ego. – Daleko mu do hipisa.

– Do czegoś doszło?

– Och, do niczego.

– Tęskne spojrzenia? Języczek? Może więcej? Czekam na szczegóły.

Po chwili przerwy wyznaję:

– Spędziłam z nim jedną noc.

Jedną fantastyczną, wspaniałą, pełną rozkoszy noc.

– Cicha woda brzegi rwie! Podejrzewam, że nie graliście w scrabble.

Jej komentarz sprawia, że się rumienię.

– Bynajmniej nie graliśmy w scrabble.

– Założę się, że Anthony nie ma o niczym pojęcia?

– Nie ma.

To tajemnica, którą zabiorę do grobu.

– No nieźle! – rubasznie zaśmiewa się Edie. – Nie sądziłam, że jesteś zdolna do takiego łajdactwa. Zawsze byłaś grzeczną dziewczynką. To mnie ciągle zarzucano, że jestem czarną owcą w tej rodzinie.

– To była tylko jedna noc.

– Ale to do ciebie takie niepodobne.

– Wiem.

– I to był tylko ten jeden raz?

– Jedna noc. Nie mówię, że jeden raz.

Staram się nadać tym słowom żartobliwą lekkość, ale na samo wspomnienie, jak kochaliśmy się przez całą noc, czuję ból z rozkoszy i niewysłowionej tęsknoty.

– Boże Wszechmocny! – Zszokowana Edie wybałusza oczy. – Nie jestem pewna, czy w ogóle cię poznaję.

– Sama mam podobnie.

– Co się zatem stało? Pewnie wykopałaś go z łóżka nad ranem, ty chytra lisico.

– Nie do końca.

Może jestem w nastroju do zwierzeń, ale wciąż nie chcę streszczać Edie okoliczności naszego rozstania. Dodaję tylko:

– Następnego dnia wyjechał.

– I to wszystko? Już nie wróci?

– Nie wiem – przyznaję.

– Teraz jestem zazdrosna – mówi. – To takie romantyczne.

Tak właśnie było. Spontanicznie, seksownie i czule. Ciekawe, czy jeszcze kiedykolwiek doświadczę tego w swoim życiu.

– I mówisz, że nie był to żaden niedomyty koleś z dredami i muchami wirującymi wokół głowy?

– Nie – przeczę. – Nie był.

– Jasna cholera! – Edie podskakuje na kanapie. – Po tym wyznaniu muszę napić się wina. Czy w lodówce masz jeszcze jedną butelkę?

– Tak, jest jeszcze chardonnay.

Anthony zapobiegliwie ją dla nas zostawił. Prawdę powiedziawszy, sama nie pogardziłabym kieliszkiem.

– Bomba.

– Edie! – wołam, kiedy drepcze do kuchni, głos mi drży. – Nie powiesz nic Anthony'emu, dobrze?

– Za kogo ty mnie masz? – Rzuca mi gniewne spojrzenie. – Oczywiście, że nie. Latami kryłaś mój sekret przed mamą.

Chyba wszystkie twoje sekrety, poprawiam ją w myślach.

– Jak mogłabym o tym zapomnieć? – Palcami pokazuje gest zamykania ust. – Buzia na kłódkę.

ROZDZIAŁ 59

Życie toczy się dalej. Otwieram Cukiernię Fay, Lija na szczęście stawia się w pracy jak zawsze. Choć teraz jest cicha jak myszka i w mojej obecności nie pozwala sobie na niewybredne komentarze. Musi ją to wiele kosztować.

Edie jeszcze śpi, jej ciało wciąż funkcjonuje w nowojorskim rytmie. Poprzedniego dnia poszłyśmy do łóżka po drugiej w nocy. Jestem totalnie wykończona, ale miło było siedzieć razem na kanapie i plotkować do białego rana. Myślę, że z czasem znów stałybyśmy się sobie bliskie.

– Fay? – Lija przerwa moje rozważania.

– Tak?

– Nie chciałabyś zanieść świeżych ciast na Ślicznotkę? Upiekłam wczoraj kilka babek cytrynowych, bo chyba zaczynało ich brakować.

– Oczywiście.

Podaje mi tacę, na której układa pół tuzina babek – to nasze najlepiej sprzedające się ciasto – a potem przytrzymuje mi drzwi wyjściowe.

Dzień jest pogodny, wróciło słońce. Choć trawa wciąż jest wilgotna i w drodze na łódź całkiem przemakają mi stopy.

Wchodząc na pokład i otwierając kajutę, z wielką uwagą podtrzymuję tacę. Szkoda by było, gdyby babki wpadły mi do wody. Spaliłabym się ze wstydu.

Wewnątrz jest przytulnie, drewno pod wpływem promieni słonecznych rozgrzało się i teraz emanuje piękną woń. Czasem nawet wydaje mi się, że czuję tu zapach taty. Ze smutkiem zastanawiam się, czy ta stara łódź doczeka się kiedyś powrotu do czasów świetności. Układam na półkach wypieki Lii i sprawdzam, czy nie brakuje jeszcze innych smakołyków.

Kiedy przeglądam szafki, słyszę warkot łodzi cumującej za Ślicznotką. Pewnie pierwszy klient. Nie przerywam jednak liczenia ciast, skrupulatnie notując, czego nam brakuje. Przydałoby się więcej dżemu truskawkowego. Cieszy się dużą popularnością, a przed nami sezon na truskawki.

Kiedy tak rozmarzam się nad smakiem truskawek, dobiega mnie stukot butów na pomoście, a mojej serce przyspiesza swój rytm. To niemożliwe, prawda? Ale chwilę później pojawia się nowy odgłos: radosne dreptanie psich łap po drewnianych deskach i jedyne w swoim rodzaju szczekanie. Mrozi mnie.

– Diggery! – Słyszę Danny'ego. – Do nogi!

Mam ochotę zapłakać. Z radości. Wrócił. Danny wrócił.

Potem paraliżuje mnie nowa myśl. A jeśli nie jest sam? Spodziewam się, że zaraz pomoże uroczej Siennie wyskoczyć z łodzi, i stoję jak słup soli.

Odgłos kroków zbliża się do Ślicznotki, ale nie ruszam się.

Sekundę później, o wilku mowa, Danny już tu jest. Kuca na pomoście na wysokości drzwi do kajuty i zagląda do środka.

– Cześć! – wita się radośnie. – Jest tam kto?

Wysuwam się z cienia.

Uśmiech rozświetla mu twarz, wskakuje na łódź i podchodzi do drzwi.

– Hej. – Uśmiecha się, aż uginają się pode mną kolana. – Cieszę się, że cię widzę.

Próbuję uspokoić serce wściekle walące w piersi i z trudem powstrzymuję się przed wpadnięciem w jego ramiona.

– Wzajemnie.

Przechyla głowę na bok.

– Skąd ten chłód?

– Przepraszam – reflektuję się. – Nie chciałam. Jestem miło zaskoczona.

– Miło zaskoczona? – przedrzeźnia mnie. – Czy tak teraz będziemy się bawić?

Wchodzi do środka. Zawsze szczelnie wypełniał sobą każdą przestrzeń, jakby jego osoba wchłaniała wszystkie cząstki powietrza. Z trudem oddycham. Z niepokoju kłuje mnie w klatce.

– Chciałbym ci coś powiedzieć – oznajmia.

– Tak?

– To dobra wiadomość – uspokaja mnie. – Nie ma powodu do obaw.

Od pewnego czasu słyszę same złe wieści, stąd z góry reaguję paniką.

– Spotkałem faceta przy śluzie w okolicy Leighton Buzzard. Chciał się pozbyć zbędnego silnika. Pomyślałem, że przyda się Ślicznotce Merryweather.

– Wspaniale. Ile za niego chciał?

– Jeśli się zgodzisz, zajmę się tym – deklaruje. – Handel wymienny. Gdy ma się ręce zdolne do pracy, można sobie pozwolić na wiele rzeczy. Tak czy siak, silnik jest nieco zużyty. Potrzebuje małej naprawy. Ale podejrzewam, że przy odrobinie szczęścia wciąż działa. Warto spróbować.

– Byłoby cudownie. Cieszę się, że o mnie pomyślałeś.

– W porządku. – Nasze spojrzenia się spotkają. – Ale nie dlatego przyjechałem.

Nie wiem, co odpowiedzieć.

– Teraz możemy albo kontynuować tę rozkoszną, choć nieco dziwaczną rozmowę o pogodzie, albo od razu przejść do trudnych tematów – mówi.

– Rozmowa o pogodzie – oferuję.
– Trudne tematy – ripostuje.
Nie mogę się nie uśmiechnąć.
– Musiałem wrócić, Fay. Nie zamierzałem – przyznaje. – Ale nie mogłem tak po prostu odjechać.
To chyba dobrze.
– Muszę wiedzieć, jak to jest z nami. Zostawiłaś mnie rano bez słowa – ciągnie. – Nic. Żadnego żegnaj, do widzenia. Cokolwiek byłoby lepsze.
– Przepraszam.
– Spędziliśmy całą noc... – urywa. – Sama doskonale wiesz jak. Wydawało mi się, że coś nas połączyło. Nie podobało ci się?
– Och, Danny. – Cała płonę pod jego natarczywym i niespokojnym spojrzeniem. – Oczywiście, że tak.
– W czym zatem problem?
– Po raz pierwszy w życiu znalazłam się w podobnej sytuacji – przyznaję. – Nie wiedziałam, co powinnam zrobić, co powiedzieć. Musiałam zebrać myśli. Liczyłam, że przyjdziesz później do domu.
– Przyszedłem – mówi. – Po zamknięciu kawiarni. Nie chciałem cię kłopotać w czasie pracy. Obawiałem się, że mnie przegonisz, uznając naszą wspólną noc za pomyłkę. Wolałem zatem poczekać, aż wszyscy sobie pójdą. Ale kiedy przyszedłem, nikogo nie było w domu.
– Och.
– Potem, kiedy zobaczyłem, jak zapalają się światła, przyszedłem raz jeszcze. Ale był z tobą Anthony. W sypialni. Nie wyglądało na to, że ucieszyłabyś się z gościa.
– To wcale nie było tak, jak myślisz – zapewniam go.
Chowam twarz w dłoniach. W ciągu ostatnich dni za dużo na mnie spadło. Wszystkie targające mną emocje, pozytywne i negatywne, sprawiają, że czuję się wyciśnięta niczym cytryna.

– Zabrano wtedy mamę do szpitala, bo źle się poczuła – wyjaśniam. – W karetce dostała wylewu.

– Och, Fay – smuci się. – Nie miałem pojęcia.

– Skąd miałbyś wiedzieć? Nawet nie znam twojego numeru telefonu.

– Strasznie mi przykro.

– Anthony zachował się wzorowo. Pojechał ze mną do szpitala. Potem został na noc. Nie chciałam być sama, Danny. Czy miałam inne wyjście?

– Boże – mówi. – Wszystko naraz. Czy już czuje się lepiej?

Kręcę głową. Nie wiem, jak mu to powiedzieć.

– Miała zawał i wczoraj zmarła.

Resztką sił trzymam się w ryzach, choć jestem bliska płaczu.

Danny dłońmi przejeżdża po twarzy.

– Tak mi przykro.

– Nic nie wiedziałeś.

– Chryste. Teraz czuję się jak totalny dupek.

– Przyszłam się z tobą spotkać – mówię. – Ale już cię nie było. Założyłam, że wolałeś uciec.

– Wydawało mi się, że niepotrzebnie skomplikowałem ci życie. Prowadzisz kawiarnię, masz ułożone, spokojne życie. Masz Anthony'ego. Jesteście ze sobą od tak dawna. Nie chciałem wchodzić do twojego życia z butami. Lepiej ci będzie beze mnie, Fay. Tutaj jest twoje miejsce. – Głęboko wzdycha. – Co mógłbym ci zaoferować? Bez stałej pracy. Bez domu. Mieszkam w łodzi. No i bez pieniędzy.

– To nieważne.

– Ledwie z prędkością światła umknąłem wielkiemu miastu i jeszcze nie mam ochoty osiadać na stałe. Nie chcę się tu zatrzymać na zawsze. Jeszcze nie teraz. Chcę nacieszyć się wolnością. Pragnę szeroko rozłożyć skrzydła, póki mogę.

Czuję się zbyt skołowana, aby się nad tym zastanowić. Nawet bez mamy wciąż jestem związana z domem. Mam Liję, Stana, Anthony'ego. Jest też Edie. Ciężar tych wszystkich zobowiązań przygniata mnie ku ziemi. Nie dziwię się, że Danny nie ma ochoty wiązać się w podobny sposób.

Milczę, wtedy on pyta:

– Co zatem teraz zrobimy?

– Nie wiem. Pogrzeb mamy odbędzie się za tydzień. Edie przyjechała do domu. Nie potrafię teraz trzeźwo myśleć.

– A ja tylko utrudniam ci sytuację.

– Nie. Cieszę się, że cię widzę. Naprawdę, nie kłamię. Trudno mi jednak zebrać myśli po tym wszystkim.

– Mam wrażenie, że namieszałem ci w życiu, Fay. Jak mógłbym ci pomóc?

– Potrzebuję tylko trochę czasu – mówię. – Musimy razem się nad tym zastanowić.

– Powinienem odjechać – mówi. – Powinienem trzymać się z daleka. Nie potrzebujesz mnie teraz. Łatwo jednak powiedzieć, a trudniej to zrobić. – Jego twarz ciemnieje z niepokoju. – Boże, jedyne, o czym teraz myślę, to żeby cię pocałować.

Przyciąga mnie do siebie, a kiedy znów jestem w jego ramionach, czuję wielką radość. Na chwilę znika ból wypełniający moje serce.

Nagle dobiega mnie wołanie:

– Fay! Gdzie jesteś!?

Diggery szczeka.

– To Edie – wyjaśniam Danny'emu.

Pod wpływem impulsu odsuwam się od niego, a jego ręce ciężko opadają w dół. Nie chcę, żeby Edie nakryła nas na przytulaniu. Szczerze, to wcale nie chcę, żeby nas znalazła. Pragnę jeszcze parę chwili cieszyć się bliskością Danny'ego.

– Czy chcesz, żebym się ulotnił? – pyta mnie.

– Nie. Powiedziałam jej o tobie. O nas. – Rumienię się. – Wie o wszystkim. – Słyszę jej kroki na pomoście i rzucam mu przepełnione smutkiem spojrzenie. – Poza tym chyba za późno na ucieczkę.

ROZDZIAŁ 60

– Przyszłam rzucić okiem na tego starego, gnijącego rupiecia – szczebiocze Edie, wsuwając głowę pod zasłonę z brezentu. – Wciąż śnią mi się koszmary o naszych okropnych, deszczowych wakacjach, które spędziliśmy na tej paskudnej łajbie...

Przerywa w pół słowa, widząc, że nie jestem sama.

– Och – wzdycha.

– Dzień dobry, Edie.

Moja siostra mierzy Danny'ego wzrokiem od stóp do głów.

– A ty kim jesteś?

– Jestem Danny – przedstawia się, wyciągając rękę, żeby jej pomóc wejść na pokład.

Edie wciąż ma na sobie kusą piżamkę, ale pożyczyła sobie mój szlafrok, który swobodnie zwisa jej z ramion. Na stopach ma błyszczące od brokatu klapki, zupełnie przemoczone po spacerze przez trawnik.

– Moje kondolencje – mówi Danny.

– Dziękuję – odpowiada nieprzytomnie, wciąż patrząc to na mnie, to na niego.

Położyłyśmy się wczoraj jak dwie przyjaciółki, ale widzę, że z rana powróciło dzielące nas napięcie.

Danny także czuje się wyraźnie speszony.

– Będę się zbierał, Fay, ale przemyśl to.

Nie chcę, żeby odchodził, ale jak mam go zatrzymać w obecności Edie? Lepiej, żeby odpłynął. Moje życie jest dostatecznie skomplikowane, a on chce korzystać z wolności, którą daje mieszkanie na łodzi.

Pragnę, żeby został u mego boku już na zawsze. Ale mówię tylko:

– Miło było znów cię zobaczyć.

– Wszystko, co powiedziałem, jest prawdą – mówi z utkwionym we mnie spojrzeniem. – Tamtej nocy na Łapaczu Snów. Każde słowo. Nic się nie zmieniło.

Jego oczy wyznają to ponownie. Kocham cię.

Następnie wychodzi. Strzela palcami i Diggery rusza w ślad za nim.

Patrzymy, jak się oddala. Potem Edie odwraca się w moją stronę.

– Uroczy. – Oczy jej błyszczą. – I nie mam na myśli psa.

Uśmiecham się.

– Kto to był? – pyta. – Jeśli się nie mylę, między wami aż iskrzyło, siostrzyczko.

– To Danny – odpowiadam. – Opowiadałam ci o nim.

– Ten, z którym spędziłaś noc?

Przytakuję skinieniem głowy.

– Ty. Chyba. Sobie. Ze. Mnie. Kpisz. – Jej konsternacja tylko się pogłębia. – Z tym czymś uprawiałaś przygodny seks?

– Z tym kimś – poprawiam ją.

Dlaczego mówi się „przygodny seks"? Noc z Dannym znacząco skomplikowała moje życie. Dla mnie nie było to nic przygodnego.

Oczywiście Danny pociągał mnie dużo wcześniej, nim się ze sobą przespaliśmy, ale z czasem pewnie uznałabym to za szczenięce oczarowanie. Jest dobrym człowiekiem. A przy okazji uroczym i przystojnym mężczyzną. Teraz po wspólnej nocy nasza relacja przeszła na nieznany mi wyższy poziom. Wszystko uległo zmianie.

Wciąż myślę o nim. Stałam się jego częścią, a on wchłonął fragment mnie. Powrót do poprzedniego życia nie jest już możliwy.

Poza tym przy nim jestem zupełnie inną osobą i uwielbiam to. Przestaję być nudnym, postarzałym przed czasem i zmęczonym życiem czupiradłem. Staję się zabawną, lekko frywolną i szalenie namiętną kobietą.

– Dobry Boże, nie dziwię się, że mu uległaś. Sama bym tak zrobiła.

Edie na pewno by się nie wahała, a potem wcale nie miałaby wyrzutów sumienia, które mnie dręczą.

– Rozumiem, że misją Ślicznotki Merryweather jest odrzucanie wszystkich gości.

– Zabawne – komentuję. – Przyszedł porozmawiać o wymianie silnika.

– Czy to jakiś szyfr?

– Nie.

– Och, jak romantycznie.

– Jest miły. Zabawny.

– I tak dalej – rzuca mi spojrzenie pełne dezaprobaty. – A ty pozwalasz mu odejść?

– Jest jeszcze Anthony – przypominam jej. – Nie mogłabym go zranić.

– Pieprzyć Anthony'ego! – rzuca.

Tego akurat nie robię. Przynajmniej nie za często.

– Tu chodzi o ciebie, Fay. Czy ty sama wiesz, czego chcesz?

– Nie mogę rzucić dla niego wszystkiego – mówię. – Popatrz na niego. Jest młody, wolny i niezależny. Czemu miałby się wiązać akurat ze mną? Znudzi się mną. Na pewno.

– Powinnaś popracować nad swoją samooceną – zauważa Edie.

– Nie ja jedna – odgryzam się.

Edie wygląda, jakbym ją uderzyła.

– Przepraszam – reflektuję się.

– Twierdzisz, że Brandon nie jest dla mnie odpowiednim partnerem.

– Tak. Nie. – Biorę głęboki wdech. – Sama musisz o tym zadecydować, Edie. – Spuszczam wzrok, nie mogąc znieść jej miażdżącego, zimnego spojrzenia. – Jeśli chodzi o miłość, to obie musimy samodzielnie podjąć decyzję, co jest dla nas właściwe. Różnimy się z Dannym. Mamy odmienne cele w życiu. Anthony jest dla mnie odpowiedniejszym partnerem. Poświęciłam mu dziesięć lat życia. Najlepszych lat mojego życia. Czy mogę go teraz porzucić?

– Czy ty się w ogóle słyszysz?

– Mam kawiarnię. Mam Liję. Mam pewne zobowiązania. Nie mogę nagle wszystkiego rzucić, bo przez jedną noc uprawialiśmy fantastyczny seks.

Na twarzy Edie z wolna pojawia się uśmiech.

– Było zatem fantastycznie?

– Tak – chcąc nie chcąc, przyznaję.

– Widzę, że go kochasz. Ty też nie jesteś mu obojętna. – Nagle Edie poważnieje. – Taka miłość zdarza się tylko raz w życiu, Fay. Nie przegap jej.

Łatwo powiedzieć, trudniej zrobić. Nie mogę zwyczajnie zostawić owoców pracy całego życia, rzeczy, które budowałam od początku.

Moja siostra tylko wzdycha.

– Przyszłam powiedzieć, że dzwonił notariusz. Zaprosił nas do siebie dzień po uroczystości żałobnej w krematorium. Mimo że go błagałam, nie chciał umówić się wcześniej. Dlatego zgodziłam się na jego propozycję.

– W porządku.

Na pewno planuje odczytanie testamentu mamy, co na pewno jest znacznie bardziej kluczowe z punktu widzenia mojej przyszłości niż sprawy sercowe.

ROZDZIAŁ 61

Przed uroczystością żałobną mamy zbieramy się w kuchni w zaledwie kilka osób. Edie wygląda jak współczesne wcielenie Audrey Hepburn, elegancko się prezentując w czarnej, dopasowanej kreacji z tafty. Odkrywająca ramiona sukienka ozdobiona pasem wysadzanym diamencikami sięga jej tuż ponad kolano. Do tego moja siostra założyła ogromne okulary przeciwsłoneczne i niedawno zakupione markowe szpilki, jednak jej elegancki strój niezbyt pasuje do skromnej ceremonii w miejscowym krematorium. Ale Edie lubi błyszczeć niezależnie od okazji.

Całe jej ubranie, łącznie z dodatkami, w tym dopasowaną do całości kopertówką, został zakupiony w pobliskim centrum handlowym dzięki uprzejmości mojej karty kredytowej. Ja oczywiście zadowoliłam się wyciągnięciem niezbyt sfatygowanego ciucha z dna szafy, który na siebie wcisnęłam.

Jest też Lija ubrana w ponurą, czarną sukienkę pożyczoną od koleżanki i czarne martensy. Może z mamą nie pałały do siebie wielką miłością, ale na pewno przyszła ze względu na mnie. Teraz w fartuszku szykuje kanapki, żeby gotowe czekały na nas po powrocie.

Kawiarnia jest dziś zamknięta, bo nie mam innego wyjścia. Choć pewnie mogłam poprosić o pomoc Danny'ego. Zgodziłby się bez wahania. Nie pomyślałam o tym w porę, a teraz już go nie ma. Dlatego poszłam do latarni stojącej u wylotu uliczki, aby przykleić kartkę papieru schowaną w plastikową koszulkę, na której napisałam, że kawiarnia jest zamknięta ze względu na nieprzewidziane okoliczności.

Otworzyłam jednak Ślicznotkę Merryweather, aby przepływający kanałem klienci mogli zakupić ciasta i inne delicje. Liczę na ich uczciwość, dlatego zostawiłam skarbonkę, choć nawet gdyby ktoś zamierzał ukraść smakołyki bez płacenia, to nie mam zamiaru się tym zamartwiać.

Jest też Stan. Zanim mama zległa na dobre w łóżku, przyjaźnili się. Potem nie pozwalała nikomu przekraczać progu sypialni. Z czasem wszystkie przyjaciółki z koła gospodyń i inni znajomi, jak na przykład Stan, powoli się wykruszyli.

Stan wygląda bardzo szykownie. Ma na sobie dobrze skrojony czarny garnitur, bielutką koszulę i krawat. Pierś lśni od zawieszonych na połach marynarki orderów.

– Wyglądasz wspaniale, Stan – mówię, strącając mu z ramienia niewidoczne kłaczki kurzu. Wskazuję na medale. – Za co je dostałeś?

– Och, za różne takie. – Jest wyraźnie zmieszany. – Lubię je od czasu do czasu przewietrzyć. Pomyślałem, że to dobry sposób na okazanie szacunku Mirandzie.

Przyglądam się im z bliska. Nie jestem wielką znawczynią wojskowych odznaczeń, ale jeden z orderów wydaje mi się znajomy.

– Czy to Krzyż Wiktorii?

Stan wygląda na zawstydzonego.

– Och, to? Tak. Tak.

– To najwyższe brytyjskie odznaczenie wojenne. Prawda? Za co je dostałeś?

– Za nic takiego – nieśmiało odpowiada. – Robiłem to, co należało.

Całuję go w policzek.

– Założę się, że znacznie więcej, ale nie będę cię męczyć. Nie wiedziałam, że jesteś bohaterem wojennym.

– Wcale bym tak o sobie nie powiedział – upiera się.

W krematorium mam się jeszcze spotkać z doktorem Ahmedem, teraz zaś czekamy na ostatniego marudera, czyli Anthony'ego. Zarezerwowaliśmy tylko jeden samochód, którym mamy jechać za karawanem, bo przedsiębiorca pogrzebowy zapewnił nas, że wszyscy się w nim zmieścimy. Wychodzimy na zewnątrz, bo trzeba wyruszyć lada chwila, żeby się nie spóźnić na wyznaczoną godzinę.

Kiedy postanawiam napisać do Anthony'ego, żeby zapytać, gdzie się podziewa, jego samochód wjeżdża na podjazd.

– Przepraszam – mówi, wysiadając, zaczerwieniony i zdyszany. – Przepraszam za spóźnienie.

Całuję go w policzek.

– Jesteś w samą porę.

– Gotowi? – pyta Edie.

– Jak najbardziej – odpowiadam.

ROZDZIAŁ 62

Ceremonia według mnie jest bardzo stosowna. Wikary z parafii Świętego Anzelma intonuje hymn *Anielski orszak*, którego słowa nieśmiało mamroczemy pod nosem całą szóstką. Mama całe wieki nie była w kościele, zresztą zawsze byliśmy rodziną, która chodziła na msze od wielkiego dzwonu, ale jeśli już jej się to zdarzyło, wybierała właśnie ten. Na ścianie wyświetlono zdjęcie mamy. Ma na nim około trzydziestki. Edie je wybrała, przeglądając pudło fotografii trzymanych w kredensie w jadalni.

Patrzę, jaka jest uśmiechnięta. Szczupła, silna i szczęśliwa, jakby stała na progu wspaniałego życia. Wygląda na kobietę wolną od trosk, dlatego po raz kolejny ze smutkiem zastanawiam się, co ją pchnęło do zamknięcia się w narzuconym sobie więzieniu, choć mogłaby jeszcze latami cieszyć się dobrym zdrowiem. O czym marzyła, z czym wiązała nadzieje, kiedy była młoda? Czy kochała ojca? Bo czasem miałam co do tego wątpliwości.

Wikary wygłasza piękną mowę na jej cześć, całkowicie przemilczając jej trudny, marudny charakter, choć na uroczystość nie przyszedł prawie nikt, jakby przez siedemdziesiąt siedem lat życia nie zdobyła żadnych przyjaciół. Mimochodem tylko wspomina, że leżała przykuta do łóżka z własnej woli.

Przez tak wiele lat wolała nie wychodzić poza mury swojej sypialni, choć przy odrobinie pomocy było to w zasięgu jej możliwości. Czy zmęczyła się życiem? Czy w ten sposób zwracała na siebie uwagę? Czy mimo najlepszych starań lekarzy była jakaś ukryta przyczyna, której nie dostrzegli? Patrzę na trumnę stojącą na środku, uświadamiając sobie, że nigdy się tego nie dowiemy. Kiedy wikary kończy kazanie, trumna przesuwa się, znikając za kurtyną.

Anthony ściska mnie za rękę. Edie głośno szlocha, ja jednak nie płaczę, tylko w duchu gorzko żałuję, że mimo bycia przez ostatnie lata całodobową opiekunką mamy, nie znałam jej lepiej.

Godzinę później ceremonia dobiega końca i wracamy do domu. Doktor Ahmed musi prosto z krematorium wracać do przychodni, dlatego zostaje nas tylko piątka.

Edie wciąż zanosi się łzami.

– Powinnam była częściej bywać w domu. Nikt nie myślał, że umrze, prawda?

Jestem podobnego zdania jak Edie, ale to nieodpowiedni dzień na obrzucanie się wzajem oskarżeniami, dlatego tylko poklepuję ją po dłoni.

– Wiedziała, że ją kochasz, i uwielbiała cię.

Łzy płyną po policzkach mojej siostry.

– Będzie mi jej brakować.

Nie jest to też najlepszy moment, żeby jej przypominać, że wcale nie chciała przyjeżdżać do domu ani spotykać się z mamą, póki jeszcze żyła.

Anthony jest bardzo troskliwy. Chucha i dmucha na mnie, co jest niezwykle miłe z jego strony. Kładzie dłonie na moich ramionach.

– Napijesz się jeszcze herbaty, kochanie?

– Z przyjemnością, dziękuję.

Słońce mocno świeci, siedzimy w ogrodzie. Lija zsunęła dwa stoliki i dzięki temu wszyscy się zmieścili. Przed nami stoi talerz z kanapkami i kawałki ciasta specjalnie upieczonego przez Liję na tę okazję, pijemy mnóstwo herbaty. Lija jest bardzo uprzejma dla każdego, co wydaje się wielce niepokojące.

Ciągle łapię się na tym, że chcę pobiec sprawdzić, co u mamy na górze, ale wtedy uświadamiam sobie, że już jej nie ma i że już więcej nie zastuka laską w podłogę. Skończyło się podawanie leków, kąpanie, mycie i czesanie włosów. Mogę wychodzić i wracać do domu według własnego widzimisię, ale z zaskoczeniem pojmuję, że dopiero muszę się do tego przyzwyczaić.

To wszystko jest ciągle zbyt nierzeczywiste. Jutro znów wstanie słońce, a kawiarnia zostanie otwarta dla gości. Edie z pewnością kupi bilet powrotny do Nowego Jorku i życie będzie toczyło się dalej.

– Usiądę na chwilę nad wodą – mówię Anthony'emu.

– Chcesz, żebym poszedł z tobą?

– Nie. Nie trzeba.

– Mógłbym w takim razie wrócić do biura? Nie masz nic przeciwko temu?

– Oczywiście, że nie. – Dotykam go w ramię. – Byłeś dziś cudowny. Dziękuję.

– Dziś wieczorem pewnie pogadacie z Edie, ale wpadnę jutro po pracy.

Całuje mnie w policzek.

Kiedy odchodzi, biorę herbatę i schodzę na pomost. Siadam na skraju wody i zdejmuję buty, pozwalając luźno zwisać bosym stopom. Trzymam palce zaledwie centymetr, może dwa nad wodą. Choć pochowaliśmy dzisiaj mamę, myślę o tacie. Smutno mi, bo bardzo rzadko jeżdżę na cmentarz, na którym zostały złożone jego prochy. Ale zawsze czuję jego bliskość w tym miejscu, nad wodą. Przychodzę powspominać go tutaj, a nie tam, gdzie go złożono do zimnej ziemi wbrew jego ostatniej woli. Ciekawa jestem, co by pomyślał, gdyby mnie teraz zobaczył? Czy byłby dumny z tego, co osiągnęłam, czy raczej uznałby, że zmarnowałam sobie życie?

Parę minut później schodzi do mnie Edie i staje obok. Patrzy na swoją nową, elegancką sukienkę, a potem na brudne deski pomostu i zrezygnowana siada z głośnym westchnieniem.

– Podoba ci się tutaj?

– Tak. To mój mały skrawek nieba.

– Dla mnie to piekło na ziemi.

Patrzę na nią z uśmiechem.

– Zawsze się od siebie różniłyśmy.

– Czasem zastanawiałam się, czy nie podmienili mnie w szpitalu zaraz po urodzeniu – mówi. – Tak bardzo różniłam się od ciebie i taty.

– Bo jesteś wykapana mama.

– Boże – wzdryga się Edie. – Nie mów tak. W połowie jestem jak ona. To mnie przeraża. Nie chciałabym skończyć podobnie do niej, zrzędząc w samotności w czterech ścianach sypialni. Tobie dostały się lepsze geny.

Śmieję się.

– Jesteś kowalem własnego losu.

– Ty też – odcina się.

– Martwię się, co się teraz stanie – przyznaję. – Muszę zebrać pieniądze, aby cię spłacić, i sama nie wiem, jak tego dokonam.

– Nie dojdzie do tego – zapewnia mnie Edie. – Zostałyśmy tylko we dwie. Ty i ja, siostrzyczko. Coś wymyślimy. Jesteśmy w końcu rodziną. – Przysuwa się, opierając głowę na moim ramieniu. – A rodzina trzyma się razem.

ROZDZIAŁ 63

Kilka dni później siedzimy z Edie w poczekalni u notariusza. Prawie się do siebie nie odzywamy. Moja siostra od rana jest w bardzo dziwnym nastroju, nie wiem dlaczego. Teraz uparcie mnie ignoruje i udaje, że czyta gazetę, którą wzięła ze stolika.

Nie muszę się martwić o kawiarnię, bo zostawiłam ją w rękach Lii. Wykorzystuję zatem wolną chwilę i myślę o Dannym. Przywołuję w pamięci jego sylwetkę, jego sposób poruszania się. Oczami wyobraźni widzę, jak stoi na rufie Łapacza Snów i z uśmiechem się na mnie ogląda.

– Panny Merryweather – męski głos przyzywa mnie z powrotem do rzeczywistości.

Podnosimy z Edie wzrok.

– Zapraszam do środka.

Nieczęsto korzystamy z usług notariusza, ale jeśli nadarza się taka konieczność, uciekamy się do pomocy pan Crawleya. Musi mieć ponad siedemdziesiąt lat. Na tyle przynajmniej wygląda.

Wchodzi do pokoju przed nami. Siada za biurkiem, prosty i wytworny, my zajmujemy miejsca naprzeciw niego. Mam wrażenie, jakbym znalazła się w gabinecie dyrektora szkoły.

– Zatem – zaczyna łagodnym głosem. – Przykro mi w związku ze śmiercią waszej matki. Dziś natomiast zebraliśmy się tutaj, aby rozporządzić jej ostatnią wolą.

Nie sądzę, żeby mama rozporządzała wielkim majątkiem. Na jej bankowym koncie jest tylko niewielka suma, poza tym nie posiadała nic wartościowego. Głównym przedmiotem sprawy będzie zatem dom i jego umeblowanie. Ciekawe, czy pan Crawley jest świadom, że prowadzę w nim kawiarnię. Nie wiem, kiedy mama po raz ostatni aktualizowała swój testament, ale notariusz był u nas w domu dwu- czy trzykrotnie w ciągu ostatnich lat.

Pan Crawley z całym ceremoniałem przekłada leżące przed nim dokumenty, a następnie wczytuje się w nie, podczas gdy razem z Edie siedzimy z dłońmi na kolanach, starając się trzymać nerwy na wodzy.

Wreszcie ściąga okrągłe okulary, chowa je do kieszeni i patrzy na nas, marszcząc usta.

– Obawiam się, że to będzie nieco trudne.

Kiedy nic więcej nie dodaje, pytam:

– Czy z testamentem mamy jest jakiś problem?

– Nie – odpowiada. – Mam go tutaj i wszystko jest zgodne z prawem. – Wodzi spojrzeniem ode mnie do Edie i z powrotem. – Czy panie znają ostatnią wolę matki?

Kręcę głową.

– Nie.

Edie odpowiada jak echo.

– Nie

– Mój Boże.

Wtedy mnie oświeca. A jeśli mama zostawiła dom tylko mnie, wydziedziczając Edie? Wiem, że cierpiała z powodu nieobecności mojej siostry. Co, jeśli postanowiła się zemścić i ukarać ją w najokrutniejszy możliwy sposób? Nie byłoby to aż tak nieprawdopodobne. Gdyby się uparła, mogłaby tak postąpić. To byłoby okropne. Patrzę ze smutkiem na Edie.

– Co? – pyta. – Co?

– Cokolwiek jest w testamencie – mówię – ułożymy się między sobą.

Nie ścierpiałabym, gdyby została wydziedziczona.

– Zgoda – niepewnie mi przytakuje.

Edie najwyraźniej martwi się w równym stopniu jak ja.

Pan Crawley chrząka.

– Możemy zaczynać?

Na nowo wyciąga z kieszeni okulary, rozkłada je i zakłada na nos. Czyta na głos formułę prawną otwierającą testament, a my wciąż czekamy, bo liczy się dla nas przede wszystkim jego zasadnicza część.

Potem przerywa nieskory do przekazania nam złej wiadomości. Głośno wzdycha i zerkając na nas ponad ramkami okularów, mówi:

– Mojej córce, Edie Merryweather, zostawiam dom i wszystkie jego ruchomości.

Obie z Edie nabieramy powietrza w usta, każda z innego powodu.

– Fay Merryweather zostawiam łódź Ślicznotkę Merryweather.

Następnie bla, bla, bla, przechodzi do informacji o koncie bankowym i polisie ubezpieczeniowej wartej czterysta funtów, które w całości przechodzą na Edie. Siedzę w milczeniu całkiem zaskoczona i zupełnie skołowana. Mama zapisała wszystko Edie. Wszystko. Nie rozumiem dlaczego.

Dlaczego? – pytam się w duchu. Dlaczego tak postanowiła?

Notariusz opiera dłonie o blat biurka.

– Nie tego się spodziewałyście?

– Nie – odpowiadamy zgodnie.

Mam wrażenie, że całkiem pobladłam, natomiast policzki Edie nieco się zaróżowiły.

– Zostawiła ci list, Fay – dodaje pan Crawley. – Nie znam jego treści, ale mam nadzieję, że nieco rozjaśni ci decyzję matki.

– Dziękuję.

Podnoszę się, żeby wziąć małą, błękitną kopertę z jego guzowatych dłoni. Z emocji ściska mnie w żołądku.

Patrzę na Edie, nową właścicielkę mojego domu, mojej kawiarni. Cała promienieje, nawet nie starając się z tym kryć.

ROZDZIAŁ 64

– Chodźmy na kawę – proponuję, kiedy wychodzimy na ulicę.

Stanowczo nie czuję się na siłach, żeby prowadzić. Ledwo się trzymam na nogach, a w głowie mi wiruje. Mama mnie wydziedziczyła. Kompletnie.

Edie zerka na zegarek. Przecież nigdzie jej się nie spieszy.

– Okej. – Choć najwyraźniej nie ma na to ochoty.

– Chciałabym przeczytać ten list.

– Może powinnaś zrobić to w samotności – sugeruje.

– Nie jesteś ciekawa, dlaczego wszystko przypadło tobie, a mnie nic?

– Zapisała ci łódź – odgryza się Edie.

– Dostałaś dom wart pół miliona funtów. Dom, w którym mieszkam i prowadzę kawiarnię – przypominam jej. – Mnie zaś zostawiła czterdziestopięcioletnią łódź, która nawet nie pływa.

Ruszam w dół ulicy, a Edie drepcze w ślad za mną, stukając swoimi śliczniutkimi, żółtymi pantofelkami na małych obcasikach.

Kiedy dochodzimy do pierwszej kawiarni po drodze, wchodzę do środka. Jest dużo ludzi, ale zauważam wolny stolik przy oknie. Od razu do niego podchodzę i siadam. Dłużej nie utrzymałabym się na nogach.

– Napiję się latte – mówię do Edie.

Jeśli myśli, że sama podejdę do kontuaru, to powinna jeszcze raz się dobrze nad tym zastanowić. Wyciągam z torebki i wręczam jej dziesięć funtów.

– Coś jeszcze? – Ledwie na mnie patrzy.

– Nie.

Moja siostra idzie złożyć zamówienie, a ja ujmuję w drżące ręce kopertę, którą mi wręczono.

Nie wiem, co czuję. Złość, gniew, rozpacz, upokorzenie, rozczarowanie. Wszystko naraz. W głowie mi się kręci i nie jestem w stanie nad tym zapanować. Dlaczego mama tak zrobiła? Z jakiego powodu tak podle mnie potraktowała, na czym całkowicie skorzysta Edie. Przypominam sobie każdą godzinę, którą spędziłam na opiekowaniu się nią. Czy naprawdę zasługiwałam na podobną zniewagę? Może to tylko okrutna pomyłka. Może panu Crawleyowi ze starości pomieszało się w głowie i źle zinterpretował wolę mamy albo przeczytał inny testament.

Za szybą mocno świeci słońce, aż oblewam się potem, mdli mnie. Z trudem zmuszam się do przeczytania listu, nie mam jednak innego wyjścia. Dłonie mi drżą tak bardzo, że niemal upuszczam kopertę na podłogę, dlatego mocno ściskam papier. Kiedy na moment udaje mi się zapanować nad dygotaniem całego ciała, rozdzieram kopertę. Widzę charakterystyczne, równe pismo mamy, nie mam co do tego żadnych wątpliwości.

Droga Fay!

Miałam ci o tym powiedzieć już dawno temu. Nie wiem, czemu z tym zwlekałam. Prawdopodobnie przez obietnicę daną twojemu ojcu, że ci nie powiem.

Zostawiam wszystko Edie, bo tylko ona jest moją rodzoną córką. Kiedy zaczęliśmy się spotykać z twoim ojcem, miałaś już roczek. Niedawno owdowiał i został sam z dzieckiem, dlatego traktowałam cię jak własną córkę.

Był biedny. Kiedy go poznałam, miał tylko łódź. Uwielbiał ją, podobnie jak jego pierwsza żona, twoja matka, dlatego zapisuję Ślicznotkę *Merryweather tobie. Dom został kupiony z okazji naszego ślubu przez moją rodzinę, dlatego przekazuję go Edie. Musi pozostać w rodzinie. Mojej rodzinie.*

Byłaś dla mnie bardzo dobra przez ostatnie lata, ale nie łączą nas więzy krwi. Zresztą zawsze byłaś nieodrodną córką swojego ojca.

Twoja Miranda

Cała dygoczę, kiedy wraca Edie, niosąc nasze kawy. Moje życie przewróciło się do góry nogami i nie wiem, jak temu stawić czoło. Kobieta, którą kochałam od dziecka, nie była moją biologiczną matką i nigdy wcześniej, przez jedną minutę czy sekundę, nawet tego nie podejrzewałam.

– Co? – pyta Edie na widok mojej udręczonej, smutnej miny.

Podaję jej list, który szybko przebiega oczami.

– O kurde – dziwi się. – Nawet nie jesteśmy siostrami.

– Jestem twoją siostrą – poprawiam ją. – Co o tym myślisz?

– Więc... – Edie urywa. – Nawet nie wiedziałam, że tata był wcześniej żonaty. A ty?

– Nie. Nie miałam pojęcia.

Gwałtownie podnosi głowę.

– Jest moim ojcem, tak?

– Oczywiście, że tak – warczę. – Problem dotyczy mnie, nie ciebie.

– Phi – prycha.

– Dzięki za odrobinę współczucia, Edie.

Nie mogę uwierzyć, że Miranda nie była moją matką. Jak jej się udało utrzymać to w sekrecie przez te wszystkie lata? A tata? Powinien był mi powiedzieć. Oboje powinni. Kobieta, którą uważałam za matkę, była moją macochą. Kim zatem była moja prawdziwa mama?

– Właśnie wszystko, w co wierzyłam, okazało się kłamstwem.

– Wiem – przytakuje Edie. – Ale jaja.

– Jaja? Nie tylko okazało się, że osoba, którą całe życie uważałam za matkę, nią nie jest, ale na dodatek ty odziedziczyłaś mój dom i kawiarnię, podczas gdy mnie wyrzucono na bruk. Co ja teraz zrobię?

Edie głośno wciąga powietrze.

– Masz mały problem.

– Ogromny problem.

– Może mnie spłacisz – proponuje.

– Połowę?

– Hm...

– Gdyby wyszło w drugą stronę, czyli gdyby wszystko zostawiła mnie, podzieliłabym się z tobą po równo.

Rzuca mi niedowierzające spojrzenie.

– Skąd niby mam wiedzieć.

– Bo cię kocham. Wychowano nas jako siostry. Cokolwiek jest tu napisane – gwałtownie potrząsam niebieską kartką – jesteśmy rodziną. Powinnyśmy o siebie dbać.

Chcę, żeby Edie podeszła i mnie uściskała, żeby powiedziała, że wszystko się dobrze skończy. Ale nawet nie drgnie, jakby zamarła na krześle. Mój świat się wali, a ona ma to w nosie.

– Nie chcę tego durnego domu – mówi. – Nienawidzę go. Możesz go zatrzymać. Pragnę jak najszybciej wrócić do Brandona, ale sama wiesz, jak wygląda moja sytuacja. Cienko przędę. On stracił pracę. Potrzebujemy pieniędzy, żeby być razem. Mógłby odejść od żony. To odpowiedź na moje modły.

– A dla mnie to istny koszmar.

Patrzy na mnie ze złością, nie rozumiejąc, co stanowi problem.

– Po prostu potrzebuję pieniędzy.

I tu leży pies pogrzebany.

– Nie dam rady wykupić od ciebie całości. Żaden bank nie udzieli mi tak dużego kredytu. – Kryję twarz w dłoniach. – Musi być inne wyjście. Na pewno jest jakiś sposób.

Ale nic nie przychodzi mi do głowy.

ROZDZIAŁ 65

Jest trzecia w nocy, kiedy się budzę. Leżę w łóżku, odkryta, zlana potem, niespokojna, ze spiętym ciałem. Tępo patrzę w sufit. Niepewna, które z moich zmartwień należy do najbardzicj naglących, próbuję ogarnąć wszystkie moje problemy naraz.

To jednak nie działa.

Moja mama, którą kochałam jak przystało na córkę przez całe życie, okazała się nie być moją matką, ale macochą. Z trudem przyjmuję ten fakt do wiadomości.

Czy wydziedziczyła mnie dlatego, że przez te wszystkie lata w sekrecie żywiła do mnie urazę? Zawsze byłam ulubienicą taty, nie przeczę. Ale Edie była jej ulubienicą. Uważałam, że tak właśnie bywa. Czy u innych nie jest podobnie? Choć odrobinę? Bardzo bym chciała porozmawiać teraz z tatą. On jeden mógłby mi powiedzieć o mojej prawdziwej matce. Kiedy i jak umarła, i dlaczego związał się z Mirandą? Czy opieka nad małym dzieckiem tak bardzo go przerastała? Czy powinnam być wdzięczna Mirandzie, że mnie przygarnęła: na pewno opieka nad cudzym dzieckiem nie jest prosta. Nie mogę narzekać na swoje dzieciństwo, bo było bardzo szczęśliwe. Zawsze wiedziałam, że tata mnie ubóstwia. Ale czasami w chwilach smutku wydawało mi się, że w głębi mnie zieje dziura, może podświadomie brakowało mi matki?

Co z ojcem? Czy to jego pierwsza żona, a nie druga była miłością jego życia? Czy dlatego właśnie Miranda postanowiła się na mnie zemścić? Próbowałam z wczesnych wspomnień z dzieciństwa wyłowić obraz prawdziwej matki, ale bezskutecznie, co mnie dogłębnie smuciło. Muszę jak najszybciej dowiedzieć się, kim była. Inaczej grożą mi kolejne bezsenne noce. Teraz jednak inne sprawy wydały mi się znacznie bardziej naglące.

Mimo niepokoju związanego z prawdą o mojej mamie, muszę wysilić się na niewątpliwie genialne rozwiązanie, aby zachować dom i cukiernię. Próbowałam po raz kolejny poruszyć ten temat z Edie wieczorem, ale moja siostra była dziwnie niechętna. Zaraz po kolacji, którą zjadłyśmy w prawie kompletnym milczeniu, wymknęła się do swojego pokoju, gdzie przez większość czasu konwersowała z cholernym Brandonem.

Z samego rana zadzwonię do banku, żeby zaczerpnąć informacji w sprawie pożyczki potrzebnej do spłacenia Edie. Liczę także, że zmieni zdanie po przebudzeniu, uświadamiając sobie słuszność sprawiedliwego podziału majątku po równo na nas obie. Gdyby tak się stało, mogłoby mi się, z wielkim wysiłkiem, udać tu zostać. Jeśliby plan wzięcia kredytu spalił na panewce, może zadowoliłaby się wynajmem, płaciłabym jej co miesiąc czynsz. Ale Edie nie wydaje mi się zdolna do podobnej wielkoduszności. Znam ją aż za dobrze. Niewiele mówiła, ale jestem przekonana, że chce sprzedać dom najszybciej jak to możliwe, bo potrzebuje pieniędzy na niekończące się wydatki. Gdyby choć Edie lubiła dom albo planowała w nim zamieszkać, byłoby mi mniej przykro, tak jednak nie jest. To ja tu mieszkam. To mnie się tu podoba.

U notariusza przez jedną krótką chwilę uwierzyłam, że mama zapisała cały majątek mnie. Przez lata się nią opiekowałam, a Edie nawet jej nie odwiedzała. Czy to się w ogóle nie liczyło?

Najwyraźniej nie.

Gdyby sytuacja była odwrotna, nigdy nie pozwoliłabym zostać Edie z niczym. Poruszyłabym niebo i ziemię, żeby oddać należną jej część.

Kolejnym wyjściem jest zamążpójście. Anthony co prawda nigdy nie poprosił mnie o rękę, ale byliśmy ze sobą już dostatecznie długo, żeby wiedzieć, że jesteśmy na siebie skazani. Gdybyśmy się pobrali, mógłby sprzedać swój dom i wtedy, wraz z kredytem, byłoby nas stać na wykupienie Edie. Wiem, że lubi ten dom. Może w mniejszym stopniu niż ja, ale na pewno by się zadomowił. Zrozumie, dlaczego chcę tu zostać. Jestem o tym przekonana. Zadbałby w ten sposób o naszą przyszłość. Zresztą od śmierci mamy zachowywał się cudownie, wspaniale. Czy mogłam chcieć więcej?

Wtedy moje trzewia skręcają się z nagłej tęsknoty i ze wstydem muszę przyznać, że wcale nie za Anthonym.

Wstaję, otwieram okno i patrzę na kanał. Powietrze stoi, nie ma nawet najlżejszego podmuchu wiatru. W świetle księżyca woda wygląda jak stalowoszara wstęga. Czuję, że to wszystko łączy mnie z Dannym, który gdzieś tam śpi spokojnie na pokładzie Łapacza Snów.

Tęsknię za nim. Dobry Boże, jak bardzo za nim tęsknię. Tak bym chciała z nim teraz porozmawiać. Opowiedzieć mu, co się wydarzyło. Ale co on mógłby mi poradzić? Jak mógłby mi pomóc w tej sytuacji? Miał rację, moja przyszłość nie wiąże się z nim, tylko z Anthonym. Nie powinnam zakochiwać się w tak nieodpowiedniej dla mnie osobie. Powinnam się związać z osobą ustatkowaną, która jest na miejscu, aby okazywać mi wsparcie. Powinnam wyjść za Anthony'ego. To jest dokładnie to, co należy zrobić.

Nie ma sensu próbować zasnąć, dlatego schodzę na dół i zaczynam codzienną krzątaninę. Muszę przygotować kawiarnię na przyjście klientów, ale po raz pierwszy w życiu nie wkładam w to serca. Gdy tylko otworzą bank, zadzwonię z pytaniem, czy mogą mi zaoferować jakieś rozwiązania na moje bolączki. Nie poddam się łatwo.

Zamiast jednak zająć się tym, czym powinnam, siadam przy stole z kubkiem herbaty, w którą patrzę, doszukując się odpowiedzi. Żadnej jednak nie dostrzegam.

Wciąż tam siedzę, kiedy przychodzi Lija. Jest ósma rano. Rzuca torbę i siada naprzeciwko mnie.

– Herbaty? – pytam.

Kiwa głową. Wyjmuję kubek i nalewam jej herbaty.

– Wyglądasz podle – zauważa.

– Tak też się czuję.

– Mogę ci pomóc?

Posyłam jej pełne znużenia spojrzenie.

– Tylko jeśli znajdziesz mniej więcej pół miliona funtów, aby dać je mojej siostrze.

Cierpliwie czeka na wyjaśnienia.

– Wczoraj mój świat się zawalił – ciągnę, kiedy wreszcie udaje mi się poskromić łzy. – Moja mama, która okazała się wcale nią nie być, zapisała cały majątek Edie. Dom, wszystkie sprzęty, pieniądze.

– Co? – zapala się Lija. – Jak mogła? Stary, podły babsztyl.

W tej chwili nie potrafię się z nią nie zgodzić.

– Nie jest twoją matką?

– Nie, jest moją macochą.

– Nie wiedziałaś o tym?

– Nie miałam pojęcia. Okazało się, że ojciec był wcześniej żonaty, ale owdowiał. Miranda przygarnęła mnie, kiedy byłam malutka. Ale przez całe życie ani przez chwilę nie uważała mnie za swoją córkę.

– Wypruwałaś sobie dla niej żyły. – Lija wrze ze wściekłości. – Nie potraktowała cię sprawiedliwie.

– Och, zapisała mi Ślicznotkę Merryweather.

Uwielbiam łódź, ale w tej chwili niezbyt mnie to podnosi na duchu.

– Dlaczego? – pyta Lija. – Dlaczego ci to zrobiła?

– Sama się zastanawiam, od chwili kiedy się dowiedziałam o wszystkim u notariusza, i wciąż nie znalazłam dobrej odpowiedzi.

– Co teraz zrobisz?

– Zadzwonię do banku, zobaczę, czy coś mi pomogą. Spróbuję zebrać pieniądze, żeby wykupić dom od Edie.

– Nie wiem, co powiedzieć. Twoja siostra na pewno na to nie pozwoli.

W tym momencie na dół schodzi Edie. Spodziewałam się, że o tak wczesnej porze wciąż będzie w piżamie, ale jest już ubrana.

– Wiem, że to trudne, Fay – mówi.

Ciekawe, jak długo nas podsłuchiwała.

– Bardzo trudne – zgadzam się z nią.

– Muszę pojechać do miasta – informuje mnie. – Czy mogłabym pożyczyć twój samochód?

– Tak. Oczywiście. Kluczyki wiszą na kołku.

– Nie możesz zrobić tego własnej siostrze – zwraca się do niej poruszona do żywego Lija. – Gdzie będzie mieszkać? Jak będzie zarabiać na życie?

– Nie ja to wymyśliłam – wyniośle odpowiada Edie. – Takie było życzenie umierającej kobiety.

– Naszej matki – wtrącam.

– Mojej matki – poprawia mnie.

Edie bierze kluczyki i wychodzi, ma jednak w sobie przynajmniej na tyle przyzwoitości, żeby wyglądać na zażenowaną.

ROZDZIAŁ 66

Dzwonię do banku. Śmieją mi się w twarz. Najwyraźniej plan z pożyczką nie zadziała.

Następnie dzwonię do notariusza.

– Czy jest jakakolwiek podstawa prawna, żeby podważyć testament? – pytam pana Crawleya.

– Zawsze można spróbować – odpowiada. – Ale nie masz dobrego powodu, a to generuje duże koszty. Jeśli zdecydujesz złożyć w sądzie sprawę przeciwko Edie, proces może się ciągnąć latami.

Dręczy mnie brak zdecydowania.

– Choć to nic nie zmieni, uważam, że to bardzo krzywdząca decyzja ze strony twojej matki – stwierdza. – Odradzałem jej ten krok, ale była nieugięta, uparła się, że tego właśnie chce. Potrafiła być niesamowicie trudną osobą.

Właśnie doświadczam jak bardzo.

– Edie może jeszcze zmienić zdanie – pociesza mnie. – Pieniądze, spadki zawsze wyciągają z ludzi to, co najgorsze. Kiedy się nad tym zastanowi, może zadecyduje inaczej.

Obawiam się, że nie mam co na to liczyć.

Lija gotuje zupę na lunch, kiedy przekazuję jej złe wieści.

– Bank nie pożyczy mi złamanego pensa – mówię. – Zresztą nawet nie miałabym wystarczających środków na zadatek.

Głównie dlatego, że Edie wyciągnęła ode mnie pieniądze, które oszczędzałam na remont Ślicznotki. Uznaję, że lepiej nie mówić o tym Lii.

Z powodu porannych trosk bardziej przeszkadzam, niż pomagam jej w kuchni, ale nie skarży się, jak to ma w zwyczaju. Choć od czasu do czasu rzuca pod nosem cichutkie przekleństwa.

Oczywiście, jak na złość, w kawiarni jest dziś duży ruch. W tej chwili wszystkie stoliki są zajęte, a kilkoro dzieci biega po ogrodzie, bo w szkole już zaczęły się wakacje.

– Przyszedł Stan – odzywam się, kiedy zauważam, gdy wchodzi przez boczną bramę.

– Pieczarkowa zupa krem – mówi, wręczając mi talerz.

– Jego ulubiona – mówimy, równocześnie wybuchając śmiechem.

To w dniu dzisiejszym pierwszy radosny moment.

– Co teraz zrobi śmierdzący Stan? – pyta Lija. – Kiedy ciebie nie będzie, żeby się nim opiekować?

– Nie wiem. – Nawet nie chcę o tym myśleć. – Ale mam jeszcze jeden chytry plan.

Unosi pytająco brew. Może nie powinnam się jej zwierzać, ale nie mam nikogo innego, komu mogłabym o tym powiedzieć.

– Poproszę Anthony'ego, żeby się ze mną ożenił.

Lija wygląda na kompletnie osłupiałą.

– Nie możesz – oponuje.

– Chodzimy ze sobą już dostatecznie długo. Sformalizowanie związku dobrze nam obojgu zrobi. Mógłby sprzedać swój dom i wprowadzić się tu. – Gdyby dostał dobrą cenę, wtedy razem moglibyśmy wykupić dom od Edie. – To idealne rozwiązanie.

– Nie, nie – powtarza Lija.

– Zawsze będziemy razem, Lijo. Równie dobrze możemy sformalizować sprawy.

– Nie – upiera się. – Kochasz Danny'ego.

– Spędziłam z nim jedną noc, Lijo. Jedną szaloną noc. A gdzie on teraz się podziewa? Anthony natomiast jest tutaj, przy mnie. Z nim wiążę swoją przyszłość.

– Nie zachowuj się jak cholerna idiotka. – Sfrustrowana Lija uderza otwartą dłonią w skroń. – To rozumowanie godne wariatki.

– Nie mam innego wyjścia.

Nie powinnam była nic jej mówić. Wiedziałam przecież, że tego nie pochwali. Szybko biorę do ręki talerz z zupą Stana.

– Lepiej mu ją zaniosę, nim ostygnie.

Pędzę do ogrodu, a Lija odprowadza mnie do drzwi, cały czas wrzeszcząc:

– Nie możesz wyjść za mąż za Anthony'ego, bo go, do kurwy nędzy, nie kochasz!

Wszyscy siedzący w ogrodzie patrzą na mnie z otwartymi ustami.

Moje policzki płoną.

– Przepraszam. – Słodziutko uśmiecham się do matek, które dłońmi zakryły uszy swoim dzieciom, posyłając mi rozwścieczone spojrzenia. – Bardzo mi przykro.

– O co poszło? – pyta Stan, kiedy wręczam mu zupę.

Streszczam mu pokrótce katastrofę, która spadła na mnie w ciągu ostatniej doby.

– Edie brakuje zasad, które dla ciebie są naturalne – mówi. – Ale jestem pewien, że cię nie skrzywdzi.

Sama nie jestem tego taka pewna, rzecz jasna.

– Wszystko, co uważałam za niepodważalne i stałe w moim życiu, okazało się tak kruche, że nie pozostało mi za wiele nadziei.

– Miranda cię kochała – mówi. – Na swój sposób.

– Trudno mi w to uwierzyć.

– Chciałbym ci jakoś pomóc.

Jak to się dzieje, że ludzie, z którymi nie łączyło mnie żadne pokrewieństwo, pragnęli mnie wspierać, natomiast ci z definicji najbliżsi traktowali mnie jak popychadło?

– Gdybym zdobyła pieniądze potrzebne na wykup domu, wszystko by się ułożyło – mówię. – Ale w banku kazali mi spadać.

– Gdybym miał pieniądze, oddałbym ci je.

– To miłe.

Nagle jego oczy zapalają się.

– Mam przecież ordery – cieszy się Stan. – Sprzedamy je.

– Stan – wzruszam się. – Nie mogłabym.

– Krzyż Wiktorii jest wart niemało – ciągnie niezrażony. – Są ludzie, którzy je kolekcjonują. Weź je, Fay. Po co mi one? Nie mam rodziny, której mógłbym je przekazać.

– To bardzo miłe z twojej strony, ale nie mogłabym. Dostałeś je w uznaniu swoich zasług, swojej odwagi. Nigdy bym ich nie sprzedała.

– Uszczęśliwiłabyś jednego staruszka, gdybyś tak zrobiła.

Kręcę głową.

– Nawet przez myśl by mi to nie przeszło. Dam sobie radę. – Podnoszę się. – Zabiorę zupę, żeby ją podgrzać. Tak długo rozmawialiśmy, że na pewno wystygła.

– Co dziś mamy?

– Pieczarkowa zupa krem.

– Och, cudownie – mówi. – Moja ulubiona.

Aż łzy mi stają w oczach.

– Zjem zimną – upiera się. – Nie chciałbym rozzłościć Lii. Wydaje się dziś w nieco drażliwym humorze.

Stan nerwowo rzuca okiem w stronę kuchni, skąd dochodzi głośne stukanie garnków i rondli.

– Po prostu martwi się o mnie – zgaduję. – I o swoją pracę, jak podejrzewam. Ale to wcale nie tłumaczy, dlaczego miałbyś jeść zimną zupę.

– Nie przeszkadza mi to.

Śmieję się.

– Stan, nie boisz się chyba drobnej sprzeczki o zupę. Dostałeś Krzyż Wiktorii. Musiałeś własnoręcznie zwalczyć całe Luftwaffe albo coś w tym stylu.

– No, tak – mówi. – Ale przecież teraz chodzi o Liję.

ROZDZIAŁ 67

Anthony jak zazwyczaj przyjeżdża w drodze z pracy do domu. Wygląda na przybitego i nie jestem pewna, czy naprawdę chcę zacząć rozmowę, którą zamierzałam z nim przeprowadzić.

Edie jeszcze nie wróciła, kilkakrotnie dzwoniłam na jej komórkę, ale nikt nie odbierał. Odprawiłam Liję wcześniej, żebyśmy mogli być z Anthonym sam na sam.

– Co za dzień – żali się Anthony. – Co za dzień!

Zdejmuje marynarkę i odwiesza ją na oparciu krzesła.

Jestem pewna, że problem wykroczeń budowlanych zblednie i straci na ważności w obliczu relacji z mojego dnia.

Cmoka mnie w policzek, a potem siada, wyciągając swoje masywne nogi na kuchennej podłodze. Podaję mu kieliszek czerwonego wina, który zawczasu przygotowałam.

– Jak uroczo – cieszy się. – Czy wyglądam, jakbym go potrzebował?

– Tak. A nawet gdybyś nie potrzebował teraz, to za chwilę na pewno będziesz.

Zniża głos do szeptu.

– Kłopoty z siostrą?

– Tak jakby. Nie ma jej teraz.

– Och, a gdzie jest?

– Nie wiem – odpowiadam. – Wyszła z samego rana i dotąd nie wróciła.

Powinnam była napisać jej SMS-a, ale nie zrobiłam tego.

– Pokłóciłyście się?

– Gorzej, Anthony. Chyba powinieneś napić się jeszcze wina, nim to usłyszysz.

Upija łyk.

Jak najzwięźlej i najkrócej mogę, opowiadam o testamencie i liście mamy.

Siedzi z rozdziawionymi ustami, nic nie mówiąc, tylko słucha. Od czasu do czasu popija wino, żeby sobie ulżyć. Nalewam mu kolejny kieliszek.

– Nie wierzę – wreszcie wydusza z siebie. – Zwyczajnie nie mogę w to uwierzyć.

– Ja też nie.

– Na pewno coś możemy zrobić. Musi być jakieś wyjście. – Cieszy mnie, że mówi „my". – Testament z pewnością można podważyć, prawda?

– Pan Crawley mówi, że to byłoby trudne. Mama była w pełni władz umysłowych, bla, bla, bla. Ostrzegł, że proces byłby kosztowny, poza tym posiadłość zostałaby na długie lata zablokowana.

– Dobry Boże. – Anthony sam dolewa sobie wina.

– Chcę wykupić dom od Edie – mówię mu. – Jest na to jeden jedyny sposób. – Biorę głęboki i raczej niespokojny oddech. – Nie będzie to może najbardziej romantyczny moment twojego życia, ale chyba znamy się już dostatecznie długo.

Anthony wygląda na z lekka wystraszonego, ale nie zrażam się. Tłamszę w duchu wszelkie możliwe wątpliwości. Wiem, że nie jestem ideałem, ale postanawiam zamknąć tamten rozdział. Skoro całe moje życie przewróciło się do góry nogami, czemu nie miałabym wyrzucić z niego także Danny'ego Wilde'a? Anthony wybaczy mi to jedno potknięcie, jestem o tym przekonana. Przez całe dziesięć lat raz tylko spojrzałam na innego mężczyznę. Danny był błędem, nic poza tym. Zobowiązuję się być, do końca życia, wierną i lojalną towarzyszką Anthony'ego.

– Kocham cię – wyznaję. – Wiesz o tym.

Niepewnie mi przytakuje skinieniem głowy.

– Jedną z dróg wyjścia z obecnego kryzysy jest zjednoczenie sił – ciągnę. – Wiem, że poproszę cię teraz o wiele, ale zastanawiałam się, czy nie rozważyłbyś poświęcenia wszystkiego, aby ratować mnie, mój dom i biznes.

Anthony wciąż milczy.

– To właśnie chciałam powiedzieć – przechodzę przez kuchnię i staję przed nim.

Biorę kolejny głęboki wdech, aby się uspokoić i przyklękam na jedno kolano na podłodze u jego stóp. Mam ręce mokre od potu, a duszę na ramieniu.

– Anthony Bullmorze, czy zechciałbyś uczynić mi zaszczyt zostania moim mężem?

Szczęka mu opada.

Wtedy dobiega nas z ulicy głośny zgrzyt, po którym następuje potężny huk. Podbiegam do okna i wyglądam na zewnątrz.

– To Edie – mówię. – Właśnie wjechała w bramę.

ROZDZIAŁ 68

Moja siostra jest pijana. Pijaniusieńka. Obydwoje z Anthonym wybiegamy na zewnątrz, wtedy otwiera drzwi od samochodu – zmiażdżone drzwi od mojego samochodu – a potem upada na podjazd.

– Cześć, skarbie – bełkocze. – Wróciłam.

– Och, Edie. Gdzie byłaś?

– Testowałam bary i puby w Costa del Keynes.

– Najwyraźniej się nie oszczędzałaś.

Próbuje popatrzeć na mnie, ale bezskutecznie.

– Przepraszam, Fay. Cholernie przepraszam. Zapłacę za naprawę samochodu.

Jej nogi są jak z gumy, dlatego wspierając Edie o siebie nawzajem, częściowo niesiemy, a częściowo wleczemy ją z Anthonym do kuchni. Kiedy usadzamy ją na krześle, jej głowa opada bezwładnie.

Anthony patrzy na nią z odrazą.

– Czy nie powinniśmy jej położyć od razu do łóżka.

– A jeśli zwymiotuje? Mogłaby się udławić.

– Kawy, zatem – postanawia. – Trzeba zrobić jej kawy.

Ruszam w stronę czajnika, żeby go włączyć, ale kiedy tylko odchodzę od Edie, zaczyna osuwać się na podłogę.

– Nie jest w stanie prosto siedzieć. Trzeba ją położyć – mówię. – Zanieśmy ją na kanapę, podeprzemy ją tam poduchami.

Wspólnymi siłami zaciągamy ją do salonu i układamy na kanapie. Jak na taką chudzinę, jej bezwładne ciało zdaje się ważyć tonę. Dawniej to było na porządku dziennym. Edie regularnie upijała się jako nastolatka, a ja pomagałam jej dojść do pokoju tak, żeby mama nic nie zauważyła.

– Musimy porozmawiać – mamrocze.

– Później – mówię. – Kiedy wytrzeźwiejesz.

– Teraz – upiera się. – Teraz. Muszę ci coś powiedzieć.

Potem opada na kanapę niczym szmaciana lalka.

Układam poduszki, aby było jej wygodnie, poprawiam też jej spódniczkę dla zapewnienia minimum przyzwoitości. Choć ślina tocząca się z jej ust i włosy jak u stracha na wróble skutecznie uniemożliwiają poprawę jej wyglądu. Chyba zgubiła też jeden but.

– Niezły bajzel – mruczy Anthony.

– Przepraszam – mówię.

Choć tak właściwie nie jestem pewna, czemu mam przepraszać za zachowanie mojej siostry.

– Na czym stanęliśmy?

Śmieję się zakłopotana.

– Właśnie poprosiłam cię o rękę.

– Och, tak – miesza się Anthony. Przeczesuje dłonią włosy, a na policzki wstępują mu rumieńce. – No tak.

Wcale nie wygląda na zachwyconego.

– Co o tym myślisz?

– Ech...

Nerwowo chichoczę.

– Czy chciałbyś, żebym raz jeszcze uklękła?

– Ja... ten...

Edie unosi się z poduszek. Przebiega wzrokiem po pokoju, aż wreszcie zatrzymuje spojrzenie na naszej dwójce.

– Wiesz przecież, że pieprzyła się z kimś innym – oznajmia.

Potem znów opada na poduszki.

Anthony wygląda tak, jakby wymierzyła mu policzek.

Czuję, jak krew odpływa mi z twarzy.

Anthony wpatruje się we mnie z otwartymi ustami.

– Fay?

Gwałtownie wypuszczam powietrze z płuc. Atmosfera między nami jest tak gęsta, że można ją ciąć nożem. Stoję tak z potwornym poczuciem winy, czekając na najgorsze.

– Więc? – pyta. – Czy to prawda?

– Tak.

Czy miałam inne wyjście, niż się przyznać? Dlaczego Edie akurat teraz puściła parę z ust, nie mam pojęcia. Alkohol musiał rozwiązać jej język. Tak czy siak, czuję się jak przyłapana na gorącym uczynku. Mój wstydliwy sekret wyjrzał na światło dzienne.

Anthony zachowuje się, jakby miał trudności z oddychaniem. Nieznacznie kołysząc się na piętach, odzywa się drżącym głosem:

– Chyba wypiłbym jeszcze trochę tego czerwonego wina.

– Ja też.

Wychodząc z salonu, palcem grożę nieprzytomnej Edie. Nie wiem, czy mnie słyszy, ale mówię:

– Z tobą policzę się później, moja panno.

W krępującej ciszy razem z Anthonym wracamy do kuchni.

– Weźmy wino i chodźmy na zewnątrz. Jest taki przyjemny wieczór.

Moja uwaga jest idiotyczna, przecież nie mogło chyba być gorzej.

Niosę kieliszki, a Anthony trzyma butelkę. Żadne z nas się nie odzywa. W dole ogrodu siadamy na stojących tam dwóch krzesłach, ustawionych tak, że oboje patrzymy w wodę. To ulubione miejsce Stana.

Na nadbrzeżnej ścieżce wciąż kręci się sporo ludzi korzystających z promieni zachodzącego słońca. Wpatrzeni w wodę wciąż milczymy. Anthony nalewa nam po kieliszku, potem zaczyna wolno sączyć swoje wino. Siedzę, czując się podle. Napięcie między nami jest wręcz namacalne.

– Przepraszam – zaczynam, czując w końcu, iż najwyższy czas coś powiedzieć. – Nie wiem, czy kiedykolwiek uda mi się dostatecznie cię przeprosić.

Z trudem podnoszę oczy, żeby na niego spojrzeć. Mam mdłości od ciążącego mi poczucia winy. Jak w ogóle mogłam do tego dopuścić?

– Nie wiem, co mnie naszło. Gdybym mogła cofnąć czas, nie wahałabym się ani przez chwilę.

– Jak długo to już trwa? – oschle pyta Anthony.

– To była jedna noc – odpowiadam. – Tylko jedna noc.

Nawet teraz w trudnym dla mnie i Anthony'ego momencie, kluczowym dla naszej przyszłości, muszę odpędzać się od wspominania chwil spędzonych z Dannym.

– Kim on jest? – Anthony patrzy na mnie z ukosa. – Przecież ty nigdzie nie chodzisz, z nikim się nie spotykasz.

To jest bolesne, choć adekwatne podsumowanie mojego życia.

– Chyba nie Stan, prawda? – śmieje się z zażenowaniem.

– To był Danny – przyznaję i zawstydzona spuszczam głowę. – Ten chłopak z Łapacza Snów.

– On? – moje wyznanie chyba nieco zaskakuje Anthony'ego.

Przytakuję.

– Przysięgam, że nigdy wcześniej, od kiedy jesteśmy razem, nawet nie spojrzałam na innego mężczyznę.

– I to był tylko raz?

Ponownie kiwam głową.

– Kiedy?

– W noc moich urodzin. Czułam się taka samotna – tłumaczę się. – Wiem, że byłeś w szpitalu z Deborah, ale... to znaczy... nie ma chyba dla mnie usprawiedliwienia.

– To takie do ciebie niepodobne, Fay.
– Spędziliśmy razem wieczór, upiłam się, upaliłam.

To go zdumiewa jeszcze bardziej niż moje przyznanie się do jednorazowego skoku w bok.

– Nie myślałam trzeźwo – dodaję, jakby miał jeszcze co do tego jakieś wątpliwości.

Ale mimo że przykro jest mi z powodu konsekwencji i ubolewam nad tym, że zraniłam Anthony'ego, to samej nocy z Dannym nie żałuję ani przez chwilę.

Anthony, mężczyzna, z którym spotykałam się od tak dawna, głośno wypuszcza powietrze z ust.

– Rozumiesz chyba, że moja odpowiedź brzmi: nie, prawda?
– Oczywiście.
– Nie mogę się z tobą ożenić, Fay.
– Miałam nadzieję, że będziesz w stanie mi wybaczyć, ale widzę, że nie jest to możliwe. Bardzo mi przykro, Anthony. To, co zrobiłam, jest niewybaczalne.

Patrzy mi prosto w oczy i wzdycha.

– Nie mogę się z tobą ożenić, bo kocham inną.

Nie wiem dlaczego, ale nie jest to dla mnie żadne zaskoczenie.

– Deborah – zgaduję od razu.

Teraz wszystko do siebie pasuje. Te dodatkowe próby zespołu, odwożenie do domu, SMS-y, szpital.

– W wieczór moich urodzin pojechałeś z nią do szpitala, bo byłeś z nią w czasie, kiedy skręciła rękę.
– Tak – przyznaje.

Kryję twarz w dłoniach.

– Dlaczego nic nie zauważyłam?

Twarz Anthony'ego płonie rumieńcem.

– Najwyraźniej oboje posunęliśmy się o krok za daleko.

Przez ten cały czas, kiedy dręczyłam się w związku z uczuciami żywionymi do Danny'ego, Anthony zachowywał się podobnie, choć pewnie, jak podejrzewałam, w jego przypadku trwało to znacznie dłużej. Odpłacił mi równą monetą.

– Nie zamierzam dociekać dlaczego i kiedy, Anthony. Nie moja sprawa. Ale chciałabym wiedzieć, bo podejrzewam, że wasz związek ciągnie się już od pewnego czasu, czy to prawda?

– Tak, od chwili, kiedy dołączyła do zespołu. – Jego oczy lśnią. – To była miłość od pierwszego wejrzenia.

Smutno mi na myśl, że mój Anthony ma w sobie tyle żaru.

– A facet z internetu?

– Chciała mnie sprowokować do podjęcia decyzji. Bała się, że nigdy od ciebie nie odejdę. Bardzo cię lubię, Fay. Nie chciałem cię skrzywdzić.

Lubi mnie. Poświęciłam dziesięć lat życia mężczyźnie, który mnie lubi. To boli. Nie powinno się wychodzić za mąż za człowieka, który tylko cię lubi.

– Deborah sprawia, że czuję się najwspanialszym mężczyzną pod słońcem. – Twarz Anthony'ego jaśnieje. – Przy niej mogę być naprawdę sobą.

– Cieszę się – szczerze przyznaję. – Naprawdę.

– Przykro mi, Fay. Nie wiedziałem, czy kiedykolwiek zdołam ci o tym powiedzieć.

Ułatwiłam mu to zadanie. Jedna uwaga spitej do nieprzytomności Edie rozbiła w pył dziesięć lat mojego życia.

– Czy mogliśmy się bardziej postarać, Anthony? Czy było coś, co mogliśmy zmienić?

– Nie wiem, Fay. Przed spotkaniem Deborah wcale nie uważałem, że nam czegoś brakuje. Pewnie mordowalibyśmy się ze sobą jeszcze latami.

Nie brzmi to jak recepta na szczęście. Mordować się ze sobą.

Anthony chrząka.

– Czy rozpalił twoje serce? – pyta. – Ten Danny?

To nietypowo emocjonalne pytanie jak na Anthony'ego. Mojego drogiego Anthony'ego, który każdego ranka je te same płatki, który nosi tylko sznurowane buty i białe koszule. Teraz nagle rozmawiamy o miłości rozpalającej serca. W oczach stają mi łzy. Rozczula mnie, że przez wszystkie lata w naszym związku tego nam właśnie brakowało.

– Tak – odpowiadam mu szczerze.

– Może w takim razie lepiej, żebyś się z nim związała.

Może ma rację, ale nawet nie wiem, gdzie Danny jest teraz.

Anthony przysuwa swoje krzesło do mojego. Obejmuje mnie ramieniem, zapewne po raz ostatni w życiu opieram głowę o jego bark.

– Myślę, że się kochaliśmy, Fay – mówi. – Na swój sposób. Ale żadne z nas nie kochało drugiego dostatecznie mocno.

Anthony jest zakochany w kobiecie, która bardziej na niego zasługuje. Nie przykłusuje zatem na białym rumaku, aby uratować mnie, mój dom i moją kawiarnię. Moje życie właśnie zubożało o kolejną drogą mi osobę.

Kiedy wcześniej pomyślałam, że nie mogło już być gorzej, myliłam się.

ROZDZIAŁ 69

Czy znacie to uczucie, kiedy całą noc leżycie w łóżku, nie mogąc zmrużyć oka, nie mogąc wyciszyć gonitwy myśli i tym samym odpłynąć w spokojny sen? Tak, właśnie to.

Rano, kiedy przychodzi Lija, czuję się zmęczona i mam zaczerwienione oczy. Wsypuję trzy łyżeczki kawy rozpuszczalnej do małego kubka. Niestety, to nic nie pomaga.

– Wyglądasz, jakby w nocy ktoś ci dał nieźle popalić.

– Ostatnia noc nie należała do najlepszych.

– Wciąż opłakujesz matkę?

– Tak, choć teraz to tylko połowa moich zmartwień.

– Czy będę potrzebować kawy?

– To chyba dobry pomysł.

Lija parzy kawę i ukrawa sobie kawałek ciasta marchewkowego, które zostało z wczoraj. Następnie zajmuje miejsce naprzeciwko mnie – najwyraźniej stworzyłyśmy nowy rytuał. To rzeczywiście miły sposób na rozpoczęcie dnia. Żałuję jedynie, że nie mam jej do przekazania lepszych wieści, tylko niezmiennie rozpaczam nad rozpadem mojego życia.

Lija upija spory łyk kawy.

– Mów.

– Oświadczyłam się wczoraj Anthony'emu.

Lija wypluwa ciasto, które właśnie jadła. Nie wygląda to zbyt przyjemnie.

– Co?! Chyba do szczętu oszalałaś!

– Na to wygląda.

– Nie możesz wyjść za niego. Zabraniam ci. Mam nadzieję, że cię odrzucił.

– Właśnie tak się stało.

– Przynajmniej jedno z was okazało się nie być idiotą. Bogu dzięki.

– Edie wczoraj wróciła do domu tak pijana, że wjechała autem w słupek przy bramie.

Lija masuje sobie skronie.

– Czy w ogóle można cię zostawić samą choć na pięć minut?

– Będzie gorzej – ciągnę. – Edie zdradziła Anthony'emu, że przespałam się z kimś innym.

– Niedobrze. Wręcz fatalnie – ocenia Lija. – Ale to nie koniec świata.

– Potem Anthony przyznał się do romansu z Deborah.

– Do diabła! – krzyczy Lija. – To lepsze niż telenowela. A mnie tu nie było, jaka szkoda, taki ubaw. Mam nadzieję, że wykopałaś oboje na zbity pysk.

– Nie, oczywiście, że nie. – Patrzę na Liję i wzdycham. – Razem z Anthonym zanieśliśmy Edie do łóżka, a potem siedziałam przy niej, aby się upewnić, że nie będzie wymiotować.

– Zbytek uprzejmości – rzuca Lija. – Zawsze jesteś za dobra.

– Wierzę, że tak trzeba – tłumaczę. – Nie jestem podstępna. Zawsze gram w otwarte karty.

– Czasami wydajesz się tak głupia, że dziw bierze, iż jeszcze żyjesz. – Cmoka z dezaprobatą.

– Niestety, oznacza to, że mój wspaniały plan poślubienia Anthony'ego i zamieszkania z nim w szczęściu i spokoju na długie lata rozpadł się niczym domek z kart. Od początku nie był to najlepszy pomysł.

– Dlatego właśnie mu się oświadczyłaś?

– Nie byłam w stanie wymyślić innego sposobu na zachowanie domu i kawiarni, Lijo. Nie mam pieniędzy, a bank mi nie pożyczy, Edie zaś zamierza wszystko sprzedać.

W oczach kręcą mi się łzy.

– Co takiego przyszło Edie do głowy? – pyta ze złością. – Potrafi być taka okrutna.

– Była pijana – mówię. – Bardzo pijana. Na pewno dziś będzie się czuć fatalnie.

– Nie możesz jej pozwolić sobą pomiatać. Musi zmienić zdanie. Powinnaś walczyć o swój dom – dopinguje mnie. – Jest dla ciebie bardzo ważny.

– Nie sądzę, żeby Edie zrobiła to naumyślnie.

W tej samej chwili moja siostra schodzi po schodach. Ma na nosie słoneczne okulary, a w ręku trzyma walizkę.

– Co miałam zrobić naumyślnie? – pyta zachrypniętym głosem.

– Wczoraj wieczorem powiedziałaś Anthony'emu, że przespałam się z kimś innym – wyjaśniam jej cierpliwie. – W konsekwencji mnie rzucił.

Nie mam pewności, czy powinnam wprowadzać ją w szczegóły romansu Anthony'ego z uroczą Deborah. Przynajmniej nie w tej chwili. Nie zaszkodzi, jak trochę pocierpi.

– Och – zawstydza się. – Bardzo mi przykro, Fay. – Przez chwilę wygląda na nieco zmieszaną. – Mogę cię tylko przeprosić... – Milknie zażenowana.

Celowo rzucam okiem na stojącą przy jej nogach walizkę.

– Jak się dziś czujesz?

– Sytuacja jest bardzo niezręczna – mówi.

Żałuję, że nie mogę jej pocieszyć, ale przeważa złość na nią i jej zachowanie. To ona przecież powinna zaoferować mi wsparcie, mam jednak wrażenie, że wręcz przeciwnie, kawałek po kawałku demontuje mi życie.

– Wyprowadzam się – oznajmia. – Do hotelu. Tam zostanę do końca mojego pobytu. Uważam, że tak będzie najlepiej.

Ściska mnie w sercu. Jest moją siostrą. Jedyną bliską mi osobą. Nie mogę pozwolić jej tak po prostu odejść.

– Nie wyprowadzaj się, Edie. Dogadamy się. Naprawdę nie ma potrzeby, żebyś się przenosiła do hotelu. Obu nam jest przykro, obie cierpimy. Zaistniała sytuacja jest bolesna i dla mnie, i dla ciebie.

Choć z wyrazu jej twarzy mogę odczytać, że jej cierpienie jest nieco mniejsze.

Próbuję inaczej.

– Jesteśmy siostrami. Musimy usiąść razem i przemyśleć, co teraz zrobić. To w końcu nasz dom.

– To mój dom – poprawia mnie. – Tylko mój. Wystawiłam go na sprzedaż, Fay.

Czuję, jak krew odpływa mi z twarzy.

– Wczoraj byłam w biurze nieruchomości. – Jak każde rozpuszczone dziecko wyzywająco zadziera nos. – Przyjadą dzisiaj przed południem ustawić informację o sprzedaży przed domem. Agent twierdzi, że dom powinien się sprzedać bez większych problemów.

– Och, Edie – wzdycham.

Ogarnia mnie przytłaczające znużenie. Jestem gotowa położyć się na kuchennej podłodze i łkać.

– Jak mogłaś mi to zrobić?

– Znasz moje położenie – mówi.

– A ty moje – odpowiadam jej.

– Nie sądzę, aby podobna dyskusja do czegokolwiek nas doprowadziła. – Podnosi walizkę. – Dlatego najlepiej będzie, jeśli się wyprowadzę.

– Musisz zadzwonić po taksówkę – radzę jej. – Rozbiłaś wczoraj mój samochód. Nie powinnaś prowadzić.

– Och – głos jej się załamuje. – Zapomniałam o tym.

– Najwyraźniej w ciągu ostatnich dni ciągle o czymś zapominasz.

W odpowiedzi zaciska dłoń na walizce i wychodzi.

ROZDZIAŁ 70

Wkrótce, kiedy krzątamy się z Liją w kuchni, bo mamy już kilku klientów czekających na wczesny lunch, przyjeżdża pracownik biura nieruchomości i ustawia tabliczkę z informacją o sprzedaży. Kiedy pyta, czy mógłby ustawić jeszcze jeden znak w ogrodzie nad wodą, żeby był widoczny dla ludzi spacerujących nadbrzeżną ścieżką, nie zgadzam się. To drobny i prawdopodobnie zupełnie bezużyteczny gest oporu z mojej strony. Ale dzięki temu czuję, że coś robię.

Edie sprzedaje mój dom, w ogóle nie licząc się ze mną, a ja jestem zupełnie bezsilna, nie mogę jej w żaden sposób powstrzymać.

– Drań – złorzeczy pod nosem Lija, rzucając zabójcze spojrzenia biednemu człowiekowi, który tylko wykonuje swoją pracę.

Mam całkowitą pewność, że Edie się rozmyśli, że się opamięta. Musi. Jestem o tym przekonana. Kiedy uświadomi sobie, co właściwie robi, na pewno odda mi sprawiedliwość. Dlaczego miałaby tak nie postąpić?

Wtedy sobie uświadamiam, że znalazłam się w obecnym położeniu, bo moja własna matka nie potraktowała mnie sprawiedliwie. To znaczy kobieta, którą uważałam za matkę. Ta myśl na nowo krąży mi w głowie.

Aby uciec od tych myśli, nalewam Stanowi zupę i schodzę do ogrodu.

Dzień jest pochmurny, dlatego kawiarnia świeci pustkami. Ponad nami suną ciężkie, ciemne obłoki. W prognozie zapowiadali deszcz i już teraz wieje chłodny wiatr. Nawet woda w kanale wygląda mizernie, szaro i odpychająco.

Stan ma na sobie ulubioną tweedową marynarkę, a wokół szyi zawiązał szalik. Przyszedł dziś, podpierając się laską, co zazwyczaj oznacza, że czuje się nieco zmęczony.

– Nie wolałbyś zjeść w środku, Stan? Jest chłodno. Nie chciałabym, żebyś się przeziębił. Możemy ci nakryć w jadalni, jeśli masz ochotę. To zajęłoby dosłownie minutkę.

– Nie – opowiada. – Dziękuję, Fay, ale niezależnie od pogody wolę, o ile to możliwe, siedzieć na zewnątrz.

– Lija ugotowała dziś zupę z soczewicy na boczku. Dzięki niej na pewno się rozgrzejesz.

– Jasny gwint, nie cierpię soczewicy – mówi wesoło, wpatrując się w talerz. – Ale nic nie mów Lii. Zjem wszystko.

Śmieję się.

– Przyniosę ci coś innego.

– Nie trzeba – mówi. Potem głową wskazuje w kierunku domu. – Widziałem, że ustawiono tabliczkę z informacją, że dom jest na sprzedaż.

– To, obawiam się, sprawka Edie. Uparła się, żeby go sprzedać, bo potrzebuje pieniędzy. Nie mam pojęcia, jak mogłabym ją od tego odwieść.

– To smutne.

– Przykro mi, że sprawię ci zawód, Stan. Gdzie teraz będziesz chodził na lunch?

– Och, na pewno dam sobie radę. Może z musu otworzę czasem puszkę lub dwie. – Dotyka mojego ramienia. – Moja propozycja sprzedaży orderów jest wciąż aktualna, Fay. Nie wiem, ile dokładnie są warte, ale powinnaś to zrobić, jeśli znajdzie się kupiec. Chciałbym, żebyś choć wzięła to pod uwagę.

Przecząco kręcę głową.

– To bardzo miłe, ale nie skorzystam. Nie mogłabym.

– Co zrobisz po sprzedaży domu?

– Nie mam pojęcia, Stan – przyznaję. – Nie opracowałam żadnego planu, liczę, że każdy potencjalny kupiec z miejsca się zniechęci.

Jednak wcale się tak nie dzieje. Rzecz jasna. Tabliczka jeszcze dobrze nie osiadła w ziemi, kiedy dzwoni agent, żeby umówić pierwszych chętnych na obejrzenie domu. Wyjaśnia, że dom został już wyceniony i spodziewa się dużego zainteresowania. Jego słowa należy zinterpretować, że cena nie jest wygórowana i zamierzają go szybko opchnąć bez dodatkowych ceregieli.

Sprawy nabierają takiego tempa, że z trudem łapię oddech.

Pan Wakeman zjawił się o trzeciej w towarzystwie najmłodszego agenta nieruchomości, jakiego w życiu widziałam. Ściska moją dłoń, ale ledwo na mnie patrzy zajęty oceną walorów domu, mojego domu.

Pan Wakeman to elegancko ubrany biznesmen, który rozgląda się po pokojach metodycznie, bez cienia wzruszenia, z niezmiennym wyrazem twarzy. Toczę się w ślad za nim i młodziutkim agentem, ale czuję się jak piąte koło u wozu.

W ogrodzie pan Wakeman z kamienną twarzą patrzy na kanał, a potem, wskazując na Ślicznotkę Merryweather, pyta:

– Czy jest tu zacumowana na stałe?

– Nie – odpowiadam ze ściśniętym gardłem.

Mam taką nadzieję. Ale kiedy i gdzie popłynie, skoro jej silnik nie działa?

– Dobrze. Nie chciałbym się jej sam pozbywać.

Ani ja, myślę.

Niedługo później, o czwartej, ledwie mam czas zebrać się w sobie, przyjeżdża potworne małżeństwo w towarzystwie dwojga egzaltowanych dzieci, Mabel i Eliego. Państwo Everson-Green szczegółowo sprawdzają każdy kąt, otwierają szafy, kręcą nosem nad moją łazienką w starym stylu, a także biadolą nad miejscem pracy, czyli kuchnią z masą zniszczonych półek i szafek.

W ogrodzie Eli dostaje szału i próbuje wdrapać się na jabłonkę. Ociera sobie kolano, co pociąga za sobą lawinę łez i krzyków. Powinnam przynieść mu środek dezynfekujący i opatrunek, ale nie mogę. Jestem tym wszystkim zbyt zmęczona. Może znienawidzą ogród, uznając go za niebezpieczne miejsce, potencjalne źródło bólu i zadrapań. Mabel obrywa pąki z kilku kwiatów. Mam ochotę ją rozszarpać. Jej zadzierająca nosa mamusia nawet nie przeprasza.

Cała rodzina schodzi w dół ogrodu, rzucając okiem na kanał.

– Zbiornik wodny przy ogrodzie to wielkie ryzyko, zwłaszcza przy małych dzieciach – zauważam.

Rzeczone dzieci patrzą na mnie wilkiem.

Ich rodzice wydają się rozczarowani posiadłością. Ulga, którą odczuwam, wprawia mnie w pozytywny nastrój, razem z Liją parzymy sobie herbatę i zjadamy po kawałku bananowego ciasta, które jeszcze zostało.

– Nie spodobało im się – mówię z szerokim uśmiechem.

Lija przybija ze mną piątkę.

– Bez jaj, Sherlocku.

ROZDZIAŁ 71

O wpół do siódmej państwo Everson-Green składają ofertę na dom o dziesięć tysięcy niższą niż cena, z jaką został wystawiony. Pół godziny później agent dzwoni z informacją, że moja siostra przyjęła ich ofertę.

Jestem całkowicie zszokowana. Mówiąc szczerze, to nawet nie sądziłam, że im się tu podobało.

– Czekamy jeszcze na finalizację transakcji – ciągnie agent, ale ledwie go rozumiem. – Ich dom wciąż jest w ofercie, ale znalazł się bardzo zainteresowany kupiec. Nie przewiduję zatem większych problemów.

– Co z cukiernią? – wyduszam z siebie. – Czy wciąż będzie otwarta?

– Och, nie – zaprzecza wyniośle. Najwyraźniej prowadzenie tak podrzędnego biznesu jest poniżej ich aspiracji. – To będzie ich dom.

Mój dom zatem trafił pod młotek, a urocza Cukiernia Fay wkrótce przestanie istnieć.

– Będziemy w kontakcie – żegna się agent. – Liczę na szybką finalizację sprawy.

Przez ciebie będę bezdomna, myślę. Stracę dach nad głową. Czy naprawdę musisz być aż tak akuratny i zadowolony z siebie?

Zamiast sączyć jad, grzecznie odpowiadam:

– Dziękuję.

On tylko wykonuje swoją pracę. Gorzkie słowa powinnam zachować dla Edie.

Odkładam słuchawkę, siadam przy kuchennym stole, kryjąc twarz w dłoniach, pogrążona w milczeniu. Nie sądzę, abym kiedykolwiek wcześniej czuła się tak odrętwiała ze zgryzoty. Jak to możliwe, że wszystko dzieje się tak szybko?

– Co? – dopytuje się Lija. – I co?

– Sprzedany – odpowiadam. Tak po prostu. – Edie przyjęła ofertę.

– Jak mogła.

– Ci okropni ludzie kupili mój dom – wyrzucam z siebie.

To jest zbyt potworne, żeby o tym myśleć.

– Ci z dwójką potwornych bachorów?

– Tak.

Lija ciężkim krokiem podchodzi do lodówki i wraca, stawiając butelkę wina na stole.

– Urżniemy się.

Kręcę głową.

– Co to da?

– Nic – przyznaje. – Nie mam jednak nic lepszego do zaoferowania.

Sama też nie wymyślam niczego, dlatego zgadzam się:

– Okej. Napijmy się.

Lija napełnia tanim białym winem dwa kieliszki. Wychylamy je bez słowa. Potem nalewa drugą kolejkę. Wolno, acz konsekwentnie opróżniamy całą butelkę. A potem następną.

– Szkoda, że nie znam numeru Danny'ego – wydusza z siebie zamroczona winem Lija. – Zadzwoniłabym do niego.

– Po co?

– Boby cię rozśmieszył – mówi. – Mnie się nie udaje.

– Doceniam jednak twoje starania – dziękuję jej.

– Zostanę na noc – oferuje. – Nie chcę, żebyś była sama.

– Cieszę się – zgadzam się. – Nie chcę być sama.

– Włączymy sobie jakiś durny film i posiedzimy do późna.

Idziemy do salonu i razem siadamy na kanapie, podobnie jak robiłam to z Edie kilka dni wcześniej.

Lija znajduje film *Chłopaki też płaczą*, który rzeczywiście okazuje się bardzo słaby, ale od czasu do czasu dla towarzystwa śledzę akcję i nieśmiało zaśmiewam się wraz z Liją, która wydaje się znacznie mniej wybredna niż ja. Potem moja pomocnica przekopuje niewielki stosik moich płyt DVD i włącza coś innego, ale nawet nie jestem w stanie powiedzieć co.

W mojej głowie kotłują się niespokojne myśli. Jak długo potrwa finalizacja kupna? Państwo Everson-Green muszą wcześniej sprzedać własny dom, czekamy zatem na rozwój wydarzeń, tyle wiem. Nie są zainteresowani prowadzeniem Cukierni Fay, co mnie smuci. Cała moja ciężka praca, nie wspominając o wkładzie Lii, zwyczajnie ulotni się i zniknie. Jestem wściekła na Edie. Nawet nie dała mi czasu, żebym się zorganizowała na przyszłość. Gdzie zamieszkam? Co będę robić? Jak zarobię na życie, skoro kawiarnia zostanie zamknięta?

Sięgam po kieliszek. To dobry pomysł. Bardzo dobry pomysł.

Drugi film kończy się po północy, ale jestem zbyt podminowana, żeby usnąć.

Lija sięga po zmiętoszoną paczkę papierosów leżącą na stoliku.

– Zaparz herbatę – każe. – Idę zapalić.

Następnie wychodzi na zewnątrz, a ja nastawiam czajnik i czekając, aż woda się zagotuje, opieram się o parapet i z melancholią wyglądam przez okno na ogród.

Moja kochana impulsywna pomocnica z werwą przechadza się tam i z powrotem, zaciągając się dymem i prowadząc ożywioną rozmowę przez telefon. Rozżarzona do czerwoności końcówka papierosa i biel jej mlecznej cery wyraźnie odcinają się w ciemności. Mam nadzieję, że znajdzie nową pracę i że jej nowy pracodawca dostrzeże, jaka urocza i troskliwa osobowość kryje się pod jej szorstką powierzchownością. Powinnam chyba pozwolić jej odejść wcześniej niż później. Egoistycznie chcę ją zatrzymać przy sobie aż do smutnego końca. Ale nie byłoby to w porządku.

Będę za nią tęskniła, myślę. Naprawdę będzie mi jej brakowało.

Potem urywam kawałek ręcznika papierowego i cichutko płaczę, mając nadzieję, że zbiorę się w sobie, nim wróci, bo znowu mi się dostanie.

ROZDZIAŁ 72

Mija tydzień, w ciągu którego nie mam okazji porozmawiać z Edie. Komunikujemy się ze sobą poprzez agenta nieruchomości i przedsiębiorcę pogrzebowego. Nie odpowiada na moje telefony, nie odpisuje na SMS-y, pogłębiając tylko mój smutek. Jest jedyną bliską mi osobą na całym świecie, a nigdy nie czułam się bardziej od niej oddalona. Jednocześnie zdrowo złorzeczę na jej cholerne, egoistyczne zachowanie. Idzie do celu po trupach, ale wiem, że pewnego dnia pożałuje swoich samolubnych decyzji. Przynajmniej taką żywię nadzieję.

Prochy mamy mają zostać pochowane na cmentarzu u boku taty, a ja nawet nie wiem, czy jej rodzona córka stawi się na miejscu. Przedsiębiorca pogrzebowy informuje mnie, że Edie została powiadomiona, sama też jej o tym napisałam, ale, niestety, po raz kolejny nie otrzymałam żadnej odpowiedzi.

Podejrzewam, że mogłabym podzwonić po okolicznych hotelach, aby dowiedzieć się, gdzie się zatrzymała, ale nie mam do tego serca. Czuję się, jakbym zanurzyła się pod wodę, poruszam się niemrawo, z trudem próbując wypłynąć na powierzchnię. Szkoda, że brakuje mi energii i werwy, bo wtedy z pewnością znalazłabym wyjście z tej paskudnej sytuacji, tak jednak nie jest.

W wyznaczonym czasie, w dniu zbyt pięknym i słonecznym na podobną okazję, stawiam się w krematorium. Zostawiam kawiarnię na kilka godzin pod pieczą Lii. Zauważam, że przez ostatnich kilka dni jest nadzwyczaj spokojna. Może ją także męczy wizja niepewnej przyszłości.

Stoję przy wejściu do kaplicy u boku przedsiębiorcy pogrzebowego, w miejscu, które sam wyznaczył na nasze spotkanie, kiedy podjeżdża taksówka, a z niej wysiada Edie. Nie mogę spojrzeć jej prosto w oczy, bo ma na sobie okulary przeciwsłoneczne.

Jest ubrana w tę samą czarną sukienkę, którą miała na sobie w dniu kremacji i wygląda niczym gwiazda filmowa. Bardziej pasowałaby na czerwony dywan w Cannes niż na cmentarz w Milton Keynes.

Zastanawiam się, gdzie mieszka i co robiła od czasu wyprowadzki z domu. Może mi powie, a może nie. Z Edie nigdy nic nie wiadomo. Teraz jestem też znacznie bardziej nieufna wobec jej słów.

– Cześć, Edie.

Moja siostra patrzy na swoje designerskie szpilki.

– Fay.

– Kiedy będą panie gotowe – taktownie odzywa się przedsiębiorca pogrzebowy, ruszając w stronę cmentarza.

Niesie urnę z prochami mamy, ruszamy w ślad za nim. Obie milczymy, mijając piękny ogród, a potem przemierzając teren cmentarza.

To nowy, dobrze utrzymany cmentarz, ale nagrobki są stłoczone ciasno jeden przy drugim. Kiedy zbliżamy się do grobu taty, zauważam, że wykopano tam niewielki otwór w ziemi.

– Czy chciałyby panie powiedzieć kilka słów? – pyta szeptem przedsiębiorca pogrzebowy.

– Nie, dziękuję – odpowiadam.

– Pa, pa, mamusiu – wydusza z siebie Edie i zaczyna szlochać.

Następnie przedsiębiorca pogrzebowy wkłada urnę do ziemi i odchodzi na bok.

Obie z Edie stoimy wpatrzone w dół i zatopione każda we własnych myślach. Wciąż nie mogę ogarnąć ostatnich wydarzeń. Kobieta, którą przez całe życie uważałam za matkę, nie była nią i sama nie wiem, czy opłakuję teraz ten właśnie fakt, czy samą śmierć Mirandy. Ostatnio mam wrażenie, że gaszę pożar za pożarem, i dlatego do końca nie potrafię zdefiniować własnych uczuć.

Wpatrzona w urnę z prochami mamy czuję się jak sparaliżowana, poza tym zieje we mnie uczuciowa pustka. Jakby to wszystko przydarzało się innej osobie. Obok mnie Edie głośno szlocha, łzy płyną jej po policzkach, wiem, że potrzebuje pocieszenia, ale nie jestem w stanie zmusić się do objęcia jej ramieniem.

Chwilę później przedsiębiorca pogrzebowy chrząka, co odczytuję jako znak do odejścia, bo chwilę potem odwraca się i odprowadza nas z powrotem do kaplicy.

– Proszę przyjąć moje kondolencje – odzywa się cicho. – W razie potrzeby w przyszłości polecamy nasze usługi.

– Dziękuję – mówię. – Dziękuję za wszystko.

Ściska nasze dłonie, a potem zostawia nas same. Stoimy z Edie bez ruchu.

Kiedy upewniam się, że nic innego się nie wydarzy, odzywam się do niej:

– Tak więc, to koniec.

Moja siostra ociera oczy chusteczką.

– Nie wiem, co powinnyśmy teraz zrobić.

– Ja tym bardziej.

– Może pójdziemy się czegoś napić? – proponuje z płaczem. – Nie pogardziłabym kieliszkiem brandy.

Kiwam głową.

– Jeśli chcesz.

– Mamy kilka spraw do przedyskutowania – mówi.

Jako że mój samochód wciąż nie jest na chodzie, a ja nie zrobiłam nic, żeby go naprawić, musimy wezwać taksówkę. Powinnam jednak szybko wstawić go do warsztatu, bo kończą się nam zapasy i wkrótce trzeba będzie pojechać do hurtowni. Wtedy jednak myślę, że za kilka miesięcy, a może nawet tygodni już i tak nie będzie cukierni.

Dzwonię pod numer firmy przewozowej, której taksówką przyjechałam na cmentarz.

Na szczęście samochód przyjeżdża po nas w zaledwie kilka minut, podczas których obie z Edie tylko stoimy zakłopotane. Obie siadamy z tyłu, ale jak najdalej od siebie.

– Proszę nas zawieźć do najbliższego pubu – mówię. – Wszystko jedno którego.

Kierowca wyjeżdża na główną drogę i rusza w pożądanym kierunku. Okazuje się, że to nieco zapyziały lokal. Nie ma to jednak znaczenia. Nie wybieramy się tam na towarzyski lunch.

Płacę za kurs i wchodzimy do środka.

To pub o prostym wystroju, należący do znanej sieci. W środku kilku facetów w niechlujnych, kraciastych koszulach i znoszonych dżinsach opiera się o kontuar. Wykładzina aż lepi się od zwietrzałego piwa.

Wybieramy stolik, przy którym siada Edie, a ja podchodzę do baru zamówić brandy dla niej i dzbanek herbaty dla siebie. Nie pytam, czy chce coś zjeść, wybór dań nie zachęca do jedzenia. Nie ma kelnera, dlatego czekam, aż zaparzą mi herbatę, a potem zanoszę wszystko do stolika.

Stawiam brandy przed Edie, a sama siadam obok z herbatą.

– Było całkiem przyzwoicie – ocenia Edie. – Bez żadnej pompy, ale generalnie przyzwoicie.

– To prawda – zgadzam się, choć wcale tak nie czuję, cała sytuacja była raczej niekomfortowa.

Edie dłońmi oplata kieliszek i sączy brandy.

Wygląda, jakby marzyła jej się podwójna porcja alkoholu.

Potem następuje kilka chwil kłopotliwego milczenia, które w końcu przerywam, mówiąc:

– Rozumiem, że sprzedaż domu jest nie do uniknięcia.

– Tak – upija kolejny łyk brandy. – Sprawy posunęły się do przodu. Dziś z samego rana.

Widzę, że stara się zachować pełen powagi wyraz twarzy, ale trudno jej ukryć ekscytację. Natychmiast nabieram podejrzeń.

– Jak to do przodu?

– Pojawił się nowy kupiec z gotówką w ręce – wyjaśnia, a z jej głosu przebija radość. – Mimo wstępnej umowy z Eversonami odstępujemy od sprzedaży. Tym razem dostaję pięć tysięcy więcej i nie muszę czekać. Dlatego się zdecydowałam. Mam nadzieję, że się zgadzasz.

– Wydaje mi się, że nie mam tu nic do powiedzenia, Edie.

Ignoruje moją uwagę i ciągnie dalej:

– Oznacza to, że finalizacja umowy nastąpi błyskawicznie. Najwyraźniej dysponują już całą kwotą. Muszą to tylko udowodnić agentowi.

Oprócz małżeństwa Everson-Green dom oglądał jeszcze tylko jeden zainteresowany, dlatego zakładam, że nowym kupcem musi być pan Wakeman, biznesmen, który przyszedł sam. Podejrzewam, że posesja stanowi atrakcyjną nieruchomość, ale ponieważ nigdy wcześniej nie byłam zaangażowana w transakcję kupna czy sprzedaży domu, nie wiedziałam, w jakim tempie rozwijają się podobne sprawy.

– Teraz pozostało nam tylko dopełnienie formalności. – Edie nie potrafi powstrzymać uśmiechu. – Nie powinno to zająć więcej niż miesiąc, może nawet uda się szybciej.

Po pełnych niespodziewanych wrażeń tygodniach czeka mnie jeszcze jeden niespokojny miesiąc.

– W jakim mnie to stawia położeniu, Edie? – wyrzucam z siebie. – Gdzie w tym wszystkim jest moje miejsce?

– Wiem, że to dla ciebie trudne, Fay – odpowiada oschle. – Ale nic na to nie poradzę. Działam zgodnie z życzeniami mamy.

– Ona przecież nie kazała ci sprzedawać domu, Edie. Chciała, żebyś w nim zamieszkała, żeby pozostał w rękach rodziny. Z tego właśnie pokrętnego powodu postanowiła mnie wydziedziczyć.

– Ale to niewykonalne, przecież wiesz – dąsa się. – Moje życie jest w Nowym Jorku. U boku Brandona.

– Mogłabym go od ciebie odkupić. Gdybyś dała mi więcej czasu, na pewno byśmy coś wymyśliły.

– Nie wyobrażam sobie, co to by miało być – zauważa z przekąsem. – Poza tym tak jest najlepiej.

– Dla ciebie. Nie dla mnie.

– Masz klika tygodni na wyprowadzkę – mówi.

– Dzięki.

Wtedy, rychło w czas, czuje się winna.

– Co teraz zrobisz?

– Nie wiem, Edie. Choć miło, że pytasz.

– Nie musisz się na mnie boczyć, Fay – mówi. – Takie było życzenie mamy, nie moje.

– Zostawiasz mnie bez dachu nad głową, bez złamanego szeląga przy duszy, czyż nie tak?

– Oddam ci pieniądze, które mi pożyczyłaś, gdy tylko sfinalizuję umowę sprzedaży. Zrobię ci przelew najszybciej, jak to będzie możliwe.

– Czy ty w ogóle się słyszysz? Wysłałam ci te pieniądze, kiedy nie miałaś nic i groziła ci utrata mieszkania. Wysłałam ci te pieniądze, choć u mnie się nie przelewało. Oddałam ci całe moje oszczędności i zrobiłam to z dobroci serca.

– To tylko dziesięć tysięcy – sarka Edie. – Oddam ci teraz wszystko bez najmniejszego problemu.

– Tak – zgadzam się. – Teraz nie masz problemu. Bo dostaniesz prawie pół miliona funtów ze sprzedaży domu.

– Mogę dać ci więcej, jeśli chcesz – niechętnie oferuje. – Żeby ci pomóc, aż staniesz na nogi. Kolejne dziesięć tysięcy.

– Nie kłopocz się – dziękuję jej. – Oddaj mi to, co jesteś mi dłużna. Dam sobie sama radę.

Dopijam herbatę i podnoszę się.

– Mam nadzieję, że będzie wam razem dobrze, tobie i twoim pieniądzom, Edie – zanoszę się łzami. – Dbaj o siebie.

Ruszam do wyjścia.

– Fay! – woła. – Fay! Wracaj!

Nie zatrzymuję się jednak, tylko idę dalej przed siebie.

ROZDZIAŁ 73

Zatem. W ciągu miesiąca straciłam mamę, siostrę, partnera, dom i źródło dochodu. I pewnie także zdrowie psychiczne.

Sprzedaż domu odbywa się błyskawicznie. Jedyna rzecz, o którą się modlę, aby się nie spełniła, rzecz jasna wydarza się, i to całkiem gładko. Na dziś zaplanowano rozsyłanie umów i jeśli wszystko rozwinie się zgodnie z planem, sprawa zostanie zamknięta przed końcem tygodnia. Świadomość tego bardzo mi ciąży na sercu. Tak bardzo chcę, żeby ktoś mnie przytulił i powiedział, że wszystko dobrze się skończy. Ale nie ma przy mnie ani Anthony'ego, ani Danny'ego. Jestem sama z tym wszystkim.

Nocą leżę w łóżku, myśląc o Dannym. Chciałabym powiedzieć, że dzięki temu czuję się lepiej, ale tęsknota za nim wzmaga jedynie moje poczucie osamotnienia i smutku. Mam wrażenie, że żyję jak we mgle.

Pobieżnie przeglądam internet w poszukiwaniu mieszkania, ale jak bez pracy mogę zobowiązać się do płacenia czynszu? Szczerze, to wcale się do tego nie przykładam. Mogę zamieszkać na Ślicznotce Merryweather, póki pogoda dopisuje, ale to wymaga mnóstwa pracy i pieniędzy, aby przywrócić ją do stanu używalności. Ponadto muszę płacić za cumowanie, bo jestem przekonana, że nowy właściciel nie zgodzi się, żebym mu się kręciła po ogrodzie.

Klienci nieświadomi, że kawiarnia zostanie wkrótce zamknięta, tłumnie przychodzą. Jesteśmy ciastkarskim centrum wszechświata.

Jak dotąd jest to najlepsze lato, do czego na pewno w dużej mierze przyczyniła się wspaniała pogoda, która nas wciąż rozpieszcza. Od samego rana z Liją nie mamy chwili wytchnienia, a właśnie trwa gorączka okołolunchowa. Zmarnowanie tak wspaniale rozwijającego się biznesu powinno być karalne. We właściwych rękach dałoby się rozwinąć kawiarnię i może nie czułabym się aż tak fatalnie, wiedząc, że nowy właściciel chciałby kontynuować moje dzieło, udoskonalając je w sposób, jaki dla mnie pozostawał zawsze poza zasięgiem.

Mój podły nastrój potęguje fakt, że Lija wkrótce straci pracę, a wcale nie spieszy się z szukaniem nowej. Przynajmniej nie prosi o wolne w związku z rozmowami o pracę. Choć pewnie od razu znajdzie nowe zajęcie, oby tylko ujarzmiła swoją kłótliwą naturę. Martwię się o nią. Pomimo szorstkiego obycia to w głębi duszy fantastyczna i serdeczna dziewczyna. Pracujemy razem od dawna i czuję się za nią odpowiedzialna. Jak będzie wiązać koniec z końcem bez pracy w kawiarni? A jak mnie ma się to udać?

– Rozchmurz się – mówi Stan, kiedy zanoszę mu zupę. – Nie może być aż tak źle.

– Niestety, tak właśnie jest – uświadamiam mu.

Stawiam miskę z zupą, obok układam sztućce i talerz z kromkami chrupkiego chleba. Potem siadam obok niego.

– Dziś po południu mają skończyć redakcję umowy. Moje dni są policzone.

– Ach.

Szkoda, że Stan nie może okazać się moim baśniowym ojcem chrzestnym. Czyż nie byłoby cudowne, gdyby wstał i oznajmił, że tak naprawdę jest milionerem i w podzięce za wszystkie przepyszne zupy i ciasta, które miał przyjemność przez lata jeść w Cukierni Fay, chciałby odwzajemnić naszą dobroć garncami gotówki potrzebnej do ocalenia mojego domu i firmy? Potem zaś za pomocą magicznej różdżki spełniłby wszystkie moje marzenia. W prawdziwym życiu jednak tylko stygnie mu zupa.

– Na pewno wszystko dobrze się skończy – mówi pełen optymizmu. – Zawsze tak jest.

– Masz rację – zgadzam się, choć w tej właśnie chwili wcale w to nie wierzę. – Wracam do kuchni, bo inaczej Lija mnie obedrze ze skóry. Smacznego.

– Co dziś mamy?

– Dyniowa na ostro.

– Och – wzdycha, a jego pomarszczona twarz się rozpromienia. – Moja ulubiona. Taka egzotyczna.

Muszę wstać i odejść, nim dojrzy moje łzy. Jak bardzo będzie mi brakować tego miejsca, Lii, Stana.

Całą drogę powrotną do kuchni zalewam się łzami, zatrzymuję się na skraju werandy, żeby przetrzeć twarz fartuchem, dzięki temu Lija nie zauważy, że znów płakałam.

Kiedy jednak tylko staję na progu, patrzy na mnie spode łba.

– Znowu płakałaś?

– Nie, skąd – zaprzeczam. – To tylko katar sienny. Dziś jest wyjątkowo duże stężenie pyłków.

Unosi brwi, ale nim zdąży zasypać mnie kolejnymi pytaniami, dzwoni jej telefon. Wyciera ręce i zerka na ekran, żeby zobaczyć, kto dzwoni.

– Muszę odebrać – mówi.

Lija wychodzi na zewnątrz i przez chwilę patrzę, jak w skupieniu pochyla głowę, a potem przechadza się po ulicy ze słuchawką przy uchu. Zajmuję się przygotowaniem kanapek dla rodziny siedzącej pod jabłonią. Kilku stałych klientów wpada kupić ciasta i przez chwilę z nimi rozmawiam, kiedy pakuję dla nich zakupy.

Kiedy wracam do kuchni, Lija czeka na mnie oparta o blat, mocno oplatając się ramionami. Choć zazwyczaj jej kamienna twarz nie zdradza żadnych emocji, teraz wygląda na podenerwowaną.

– Musimy porozmawiać – oznajmia.

– Cokolwiek masz mi do powiedzenia, chyba gorzej być nie może – mówię. – Widzę jednak, że jesteś wzburzona.

Spodziewam się usłyszeć od niej, że znalazła nową pracę. Może ma zacząć już jutro, a nie chce mnie zostawić na lodzie. Jeśli o to chodzi, jestem przygotowana. Lija musi robić to, co dla niej najlepsze.

Nim jednak zdąży cokolwiek powiedzieć, odzywa się mój telefon. Dzwoni agent nieruchomości. Serce mi pęka.

– Daj mi chwilę – proszę. – To nie potrwa długo.

Odbieram telefon i wychodzę do salonu.

– Dzień dobry, panno Merryweather – wita się wesoło. – Chciałem tylko poinformować, że umowa kupna została dziś podpisana. Bez najmniejszego problemu. Ustalono, że transakcja wejdzie w życie w najbliższy piątek. Moje gratulacje!

Najwyraźniej nie zna szczegółów mojego położenia i nie rozumie, jak bardzo mnie to boli.

– Dziękuję – mówię.

– Pani siostra powiedziała, że wyprowadzi się pani w ciągu kilku dni.

Naprawdę? Jak miło z jej strony. Nie pozostaje mi nic innego. Wygląda na to, że tak właśnie zrobię. Nie nadejdzie w ostatniej chwili żadne ułaskawienie. Edie niespodziewanie nie zmieni zdania. Moja głowa leży na pieńku, a ona z radością unosi topór. Moja własna siostra, którą zawsze wspierałam, zostawia mnie samą sobie w chwili, gdy najbardziej potrzebuję pomocy. Mój smutek chyba nie może być już większy.

– Tak – przytakuję.

Potem rozłączam się. Mam tego dość. To Edie spieszyła się ze sprzedażą domu, niech teraz zajmuje się formalnościami. Mnie pozostaje spakowanie rzeczy i wyprowadzka.

Siadam na kanapie, kryję twarz w dłoniach i z szoku zamieram. Stało się. Straciłam dach nad głową.

ROZDZIAŁ 74

Nie wiem, jak długo tak trwam w osłupieniu, aż wreszcie Lija wchodzi do salonu.

– Przepraszam, przepraszam – mówię, ocierając twarz rękawem. – Już idę. Muszę tylko zebrać się w sobie. Pewnie masz masę zamówień.

– Pieprzyć zamówienia – rzuca.

Tak, to prawda, pieprzyć zamówienia. Czemu mam się przejmować? Nawet gdyby kawiarnia popadła w ruinę, mam to w nosie. Choć kogo zamierzam nabierać? Oczywiście, że wciąż mi zależy.

Lija zaczyna obgryzać paznokcie.

– Muszę ci coś powiedzieć.

– Nie teraz, proszę, Lijo. Nie sądzę, abym dała radę z kolejną porcją złych wieści. Czy to nie może poczekać?

– Nie. – Klęka przede mną. – Muszę ci to powiedzieć teraz.

Wzdycham mentalnie, szykując się na cios.

– Okej, wal śmiało.

– Nie wiem, jak zacząć.

Ocieram łzy wierzchem dłoni, a Lija uroczystym gestem wręcza mi pomiętoszony kawałek ręcznika papierowego.

– Niech zgadnę. Znalazłaś nową pracę?

– Nie. Gorzej. A może lepiej. – Lija bierze głęboki wdech, z jej ciemnych oczu bije zakłopotanie. – Sama nie wiem.

– Musisz wrócić na Łotwę?

Przeszywa mnie wzrokiem niczym sztyletem.

– Nie gadaj głupstw.

– Och, okej. – Napięcie jest nie do zniesienia, dlatego mówię: – Wyrzuć to z siebie.

Mocno zaciska dłonie w pięści i oznajmia:

– Kupiłam dom.

Aż mi głowa podskakuje.

– Dom? Jaki dom?

– Ten dom.

– Kupiłaś?

– Kupiłam.

– Na pewno?

– Tak. Zapłaciłam gotówką.

Ze zdumienia mimo łez pozwalam sobie na śmiech.

– Co? Jak? Czemu? Kiedy?

– Pożyczyłam pieniądze od mojej szemranej ciotki z Rosji, która prowadzi szemrane interesy.

– Jak bardzo szemrane?

Wzrusza ramionami.

– Bardzo.

Śmieję się raz jeszcze. Tym razem nieco histerycznie.

– Czy to prawda? Nie może być.

Przytakuje.

– Dlaczego? I w ogóle jak to zrobiłaś?

– Nie mogłam patrzeć, jak tracisz dom. Nie mogłam patrzeć, jak tracisz źródło utrzymania.

– Byłam pewna, że kupił go ten biznesmen, który tu był. Jak on się nazywał? Pan Wakeman. Czy to nie on złożył ofertę kupna w gotówce?

Wprawdzie nawet nie przyszło mi do głowy, żeby zapytać, przecież to Edie zajmowała się sprzedażą. Z góry założyłam, że to on, bo na oglądanie domu stawiło się tylko dwoje zainteresowanych kupnem.

– Nie. To ja. Co miałam zrobić, Fay? – mówi w nadzwyczajnym jak na nią uniesieniu. – Nie mogłam pozwolić, żeby kupiła go ta okropna rodzina z dwójką okropnych dzieciaków. – Lija ucieka wzrokiem, kiedy dodaje: – Też kocham ten dom. Ciebie również.

To nie lada wyznanie jak na Liję.

Masuję skronie.

– Och! Wciąż nie mogę w to uwierzyć. Jesteś pewna?

Kiwa głową.

– Nie musisz się wyprowadzać. Możemy razem prowadzić kawiarnię. – Nerwowo zagryza wargę. – Mogłabyś mi pomóc w spłaceniu pożyczki i zostałybyśmy wspólniczkami.

Po raz kolejny śmieję się jak wariatka.

– Jesteś na mnie zła? – Na jej śnieżnobiałej cerze pojawiają się dwie szkarłatne plamy. – Myślałam, że tak będzie najlepiej.

– Zrobiłaś to dla mnie?

– Dla siebie też – przyznaje. – Mam teraz udział w kawiarni, a przy okazji całkiem ładny dom.

– Och, Boże.

Nie wiem, co zrobić ani co powiedzieć.

– Możemy zamieszkać tu razem, Fay. – Błaganie bije z jej ciemnych, niespokojnych oczu. Potem pociera nos. – Choć nie zamierzam spać w pokoju starej jędzy.

– Och, Lijo.

– Nie cieszysz się?

– Jestem zachwycona. – Choć mój mózg jest tak wyczerpany, że obawiam się, iż zaraz eksploduje. – Dlaczego nic nie mówiłaś?

– Nie byłam pewna, jak zareagujesz. Bałam się, że mi nie pozwolisz.

Rzucam jej smutne spojrzenie.

– Tak bym właśnie zrobiła.

– Ale uda nam się – mówi. – Wiem, że tak. Mam masę pomysłów.

Po raz pierwszy widzę Liję tak rozentuzjazmowaną.

– Pożyczyłam od mojej szemranej ciotki ciut więcej na remont. Danny mógłby wrócić, żeby nam pomóc.

Danny. Nawet Lija chce, żeby tu wrócił. Uśmiecham się. Ciekawe, gdzie jest teraz, co robi. Może znalazł inne zajęcie, które równie dobrze mu służy.

– Muszę wracać do kuchni. – Lija rzuca mi zaniepokojone spojrzenie przez ramię.

– Niech cię najpierw uściskam – mówię.

Podnoszę się i moja bystra, energiczna przyjaciółka o wielkim sercu pozwala się wziąć w ramiona.

– Nie jesteś zła?

– Jestem szczęśliwa – mówię. – Bardzo szczęśliwa.

Choć wciąż do końca nie dociera do mnie, że naprawdę to zrobiła.

Kto by przypuszczał, że moja baśniowa matka chrzestna zjawi się w postaci szczupłej i dość trudnej do opanowania młodej Łotyszki? Zalewa mnie fala ciepłych uczuć, kiedy o niej myślę. Cieszę się, że chce się tu urządzić, zamieszkać i prowadzić kawiarnię z cukiernią.

– Uwielbiam ten dom i nie wyobrażam sobie, żeby mógł trafić w lepsze ręce.

Pozwala sobie na niepewny uśmiech.

– Znów będzie jak dawniej. Nic się nie ziemi.

Kiedy jednak patrzę, jak szybko śmiga z powrotem do kuchni, w głębi serca czuję, że myli się. Wszystko się zmieniło. Nic już nie będzie takie jak przedtem.

ROZDZIAŁ 75

Spaceruję wzdłuż nadbrzeżnej ścieżki pogrążona w myślach. Jest kolejny upalny dzień. Nie wybiło jeszcze południe, a oślepiające słońce już mocno grzeje.

Poprzedniej nocy nie mogłam zasnąć. Zaczęło mi to chyba wchodzić w nawyk. Przyczyną mojej ostatniej bezsenności było wyznanie Lii, że niedługo zostanie właścicielką domu i Cukierni Fay. Może wkrótce trzeba będzie nawet zmienić nazwę. Będzie to na przykład: Cukiernia Lii, choć może jej właścicielka wymyśli coś zupełnie nowego, bardziej szykownego.

Cieszę się za nią. Oczywiście, że tak. Dom przecież miał być sprzedany, i tak właśnie się stało, i nie ma lepszej osoby, która mogła go kupić. Wzruszyło mnie, że za jej decyzją leżała chęć pomocy mi, ale mam nadzieję, że przede wszystkim zrobiła to dla siebie. Szkoda jednak, że wcześniej ze mną tego nie przedyskutowała, choć, jak słusznie podejrzewała, pewnie starałabym się ją od tego odwieść. Dom jest ogromny, a prowadzenie kawiarni to duża odpowiedzialność. Lija jest bardzo młoda, dlatego nie chciałam, żeby przytłoczyło ją zbyt wiele trosk i trudów. Powinna przecież cieszyć się życiem.

Mimo niespodziewanego zwrotu wydarzeń wciąż czuję, że dryfuję. Wszystko, co wiązało mnie z tym miejscem: mama, Anthony, kawiarnia, już jest poza mną. Czy powinnam zostać, żeby pracować dla Lii? Czy tego właśnie chcę?

W mojej głowie kłębi się tysiące sprzecznych myśli i nie jestem w stanie sensownie myśleć. Musiałam wyjść na kilka godzin, żeby oczyścić umysł, bo niektóre rzeczy wymagają czasu.

Kiedy dochodzę do śluzy w Cosgrove, siadam na belce, oplatając kolana ramionami, i patrzę na otaczający mnie świat. Najbardziej relaksuje mnie bliskość wody, dlatego czuję, jak z wolna powracam do wewnętrznej równowagi.

Nad kanałem nigdy nie jest się samemu, bo zawsze coś się dzieje. Macham do rowerzystów i joggerów, którzy mijają mnie, ciężko dysząc. Potem z niemym zachwytem obserwuję kaczkę przeprowadzającą siedmioro piskląt wokół śluzy, aby w końcu skoczyć z nimi do wody z drugiej strony. To wszystko wnosi tak potrzebne pozytywne światło w ten niemiłosiernie ciemny okres mojego życia.

Jedynym jasnym promykiem ostatnio był Danny, który oczywiście zawsze w myślach jest blisko mnie. Ciekawe, czy kiedykolwiek wróci i czy wtedy ja też tu jeszcze będę.

Kilka minut później podpływa nieznana mi łódź. Wciąż są wakacje i na wodach kanału mijają się barki z całego kraju. Lija w odpowiedzi na nieprzerwany popyt ciast sprzedawanych z pokładu Ślicznotki Merryweather i serwowanych w kawiarni, wręcz nie odchodzi od piekarnika.

Łódź, która kieruje się do śluzy, nazywa się Cztery Wiatry. Steruje nią para wyglądająca na zaprawionych w boju żeglarzy. Stojący na rufie mężczyzna z dredami głośno mnie pozdrawia, a ja macham do niego. Kobieta z różowymi włosami, w ogrodniczkach, wyskakuje, żeby zająć się śluzą.

– Cześć – witam się, kiedy podchodzi bliżej. – Płyniecie z daleka?

– Aż z Warwickshire – odpowiada, otwierając wrota. – A ty?

– Mieszkam tutaj – kiwam głową w kierunku łodzi ojca zacumowanej w oddali. – Niedaleko stąd prowadzę cukiernię nad kanałem.

Wtedy uświadamiam sobie, że wcale nie. Teraz kawiarnia znalazła się w czułych rękach Lii. Należy do niej i tylko do niej.

– Ładnie tu macie – mówi kobieta. – Nie byliśmy tutaj od dawna.

– Mieszkacie na łodzi?

– Tak. Już od ponad dziesięciu lat.

– Musi się wam podobać.

– Teraz nie wyobrażam sobie powrotu na ląd. Choć kiedy zimą torujemy drogę przez zamarzniętą rzekę, krusząc lód, muszę sobie o tym przypominać. Kocham wolność, którą daje takie życie. Mieliśmy ochotę na zmianę otoczenia i oto jesteśmy.

– Nie widzieliście po drodze może łodzi o nazwie Łapacz Snów?

Śmieje się.

– Tak, z dziesięć.

– Och, faktycznie.

To bardzo popularna nazwa.

Podnoszę się, żeby pomóc jej przy wrotach. Jej mąż dziękuje mi, unosząc dłoń, kiedy wpływa łodzią do śluzy.

– Interesuje cię konkretna łódź?

– Tak, z przystojnym facetem u steru.

Kolejny wybuch śmiechu.

– Taką bym na pewno zapamiętała. Ale nie, nie widzieliśmy akurat tego Łapacza Snów.

Moje nadzieje były płonne. Danny może teraz być gdziekolwiek. Nawet nie wiem, w którą stronę wyruszył. Sieć kanałów ciągnie się aż do samego Londynu, a jeśli wypłynął na północ, to mógł być teraz w Shropshire czy Leicestershire. Gdziekolwiek w sumie.

Kiedy Cztery Wiatry mijają śluzę, macham im na pożegnanie i ruszam dalej w kierunku Dwóch Barek z nadzieją na ukojenie myśli.

Po drodze zrywam polne kwiaty, które rosną w zaroślach, komponując podobny bukiet, jaki dostałam na urodziny od Danny'ego z wrotyczy, trybuli, złocieni i wiązówki. Kiedy docieram do pubu, zamawiam przy barze dietetyczną colę i zajmuję stolik w nasłonecznionym miejscu. Dzwonię po taksówkę, żeby wrócić do domu, i czekając na auto, opieram się wygodnie na ławce i z wpółprzymkniętymi oczami delektuję słońcem grzejącym mi twarz.

Chwilę później zauważam, że zbliża się do mnie dwoje ludzi. Śmieją się, trzymając się za ręce, najwyraźniej zakochani. Kiedy otwieram oczy, wyłaniam ich sylwetki ze słonecznego blasku i poznaję, że to Anthony i Deborah. Mój były partner wygląda na szczęśliwszego, niż był od lat.

Kiedy podchodzą bliżej, odrywają od siebie wzrok i mnie zauważają. Oboje momentalnie zatrzymują się, a ich twarze zamierają.

– Cześć – witam się najradośniej, jak potrafię. – Cudowny dzień.

– Cześć – odpowiada Anthony, rzucając niespokojne spojrzenia w stronę Deborah.

– Miło was widzieć – mówię. – Siadacie na zewnątrz?

– Tak – potwierdza. – Wpadliśmy na lunch.

– Możecie zająć ten stolik – proponuję. – Stoi w uroczym miejscu. Zwalniam go za dwie minuty.

Z cieniem wahania oboje podchodzą i siadają koło mnie. Deborah bawi się nerwowo kosmykami włosów mocno utapirowanych na lata osiemdziesiąte. Promienieje to za mało powiedziane, ma na sobie jak zawsze obcisłą sukienkę, a do tego dopasowane pod kolor szpilki i paznokcie. Dziś króluje odcień jaskrawoniebieski. W samych szortach i zmiętoszonej białej, bawełnianej koszulce czuję się nieswojo. Mówiąc szczerze, to nie jestem pewna, czy w ogóle pamiętałam o uczesaniu włosów dziś rano.

Anthony z dumą obejmuje ją ramieniem, a z jego oczu bije taki blask, jakiego nigdy nie zauważyłam w moim towarzystwie.

– Przykro mi... – zaczyna Deborah, ale przerywam jej gestem dłoni.

– Nie ma potrzeby. – Nie chcę ani przeprosin, ani wyjaśnień. Ani tym bardziej ich współczucia. – Nie ma nic do powiedzenia.

Jeśli obawiają się niemiłych konsekwencji w związku ze swoim romansem, oboje są w błędzie. Życzę im tylko i wyłącznie szczęścia. Anthony jest niesamowicie wyluzowany i ma na sobie modną koszulę, której najwyraźniej sam sobie nie kupił. Odejmuje mu lat. Założył także markowe sportowe okulary przeciwsłoneczne, co wywołuje mój uśmiech. Najwidoczniej Deborah wzięła go na zakupy, choć niełatwo namówić Anthony'ego na wydawanie pieniędzy. Może następnym razem przekona go do kupna kombinezonu.

– Życzę wam jak najlepiej – mówię. – Z ręką na sercu.

Zauważam, że nieco im obojgu ulżyło.

Czy mogłam w ogóle żałować im szczęścia? Razem wyglądają cudnie. Ponadto spędziliśmy z Anthonym taki szmat czasu, że mimo zerwania liczę na utrzymanie przyjaznych stosunków. Ale patrząc na niego teraz, zastanawiam się, jak w ogóle mogłam pomyśleć o wychodzeniu za niego za mąż. Lubię go, ale nie kocham. Teraz jestem o tym przekonana. Nie potrafił, jak sam powiedział, rozpalić mojego serca. Komu innemu przypadł ten przywilej. Raz jeden przez krótką chwilę mogłam posmakować prawdziwej miłości i mam pewność, że prędzej umrę jako stara panna niż zadowolę się jej namiastką.

– Jak tam sprzedaż domu? – ostrożnie pyta Anthony. – Czy Edie zmieniła zdanie?

– Nie – odpowiadam. – Już sprzedany. Interesowały ją tylko pieniądze.

– Wielka szkoda. Przykro mi, Fay.

– Mnie również. – Podnoszę bukiet, nieświadomie rolując między palcami jeden z płatków. – Lija go kupiła.

– Lija?

Kiwam głową.

– Za pieniądze jakiejś lewej ciotki z Rosji.

– Jak się z tym czujesz?

– Cieszę się razem nią – odpowiadam zgodnie z prawdą.

– Ale co teraz zrobisz?

Mogłabym wymyślić coś niesamowitego, powiedzieć, że mam same ekscytujące plany na przyszłość, ale nie starcza mi chyba wyobraźni. Mój mózg wciąż jest w stanie szoku i nie działa nawet na najprostszym z poziomów.

– Szczerze powiedziawszy, nie mam pojęcia.

– Jeśli mógłbym ci jakoś pomóc... – Anthony urywa w pół zdania.

– Będzie dobrze, naprawdę. – Moje problemy już nie należą do jego zmartwień i nie zamierzam go nimi obarczać. – Ale dziękuję.

Taksówka zajeżdża na parking.

– To moja – mówię, wskazując na samochód. Dopijam colę i żegnam się: – Muszę lecieć.

Całuję w policzek Anthony'ego, a potem Deborah. Serdecznie się do mnie uśmiecha. Jest uroczą kobietą i bardzo do siebie pasują. Będzie dla niego lepszą partnerką niż ja kiedykolwiek byłam.

– Musisz przyjść na następny występ Dźwięcznych Gracji – rzuca mi na odchodnym Anthony. – Zarezerwuję dla ciebie miejsce.

– Byłoby miło.

Myślę jednak, że prędzej piekło zamarznie, niż zmuszę się do wysłuchania melodii dzwonków.

– Powodzenia, Fay – życzy mi Anthony.

– Dziękuję.

Idąc do czekającej na mnie taksówki, czuję, że na pewno mi się przyda.

ROZDZIAŁ 76

Ruszam spod kaplicy na cmentarz. Tym razem, kiedy jestem sama, dostrzegam więcej szczegółów. Na niektórych nagrobkach leży jedynie kilka kwiatów, które marnieją w upale, na innych znów postawiono przedmioty układające się w historię życia zmarłego w obrazkach: resoraki, butelki piwa, miniaturowe buteleczki whisky, medale, zdjęcia w postrzępionych, plastikowych koszulkach przyklejonych do marmuru; dzięki tym drobiazgom możemy dowiedzieć się więcej o spoczywających tu osobach.

Widok dziecięcych nagrobków usłanych wyblakłymi misiami i zniszczałymi na deszczu lalkami rozdziera serce. Jeden z nich opleciono lśniącą urodzinową wstęgą, pod którą rozstawiono kartki z życzeniami dla: „wyjątkowego syna, kochanego wnuczka i najlepszego siostrzeńca". Wielobarwne, wdzięczne pamiątki stoją na nagrobku noworodka, który przed dziesięciu laty „urodził się pogrążony we śnie", i aż łzy stają mi w oczach. Jego życie skończyło się, nim w ogóle zdążyło się zacząć.

Na końcu alejki stoi ławka, przy której rośnie drzewo. Na jego gałęziach ludzie latami zawieszali drobne pamiątki: drewniane serca z wygrawerowanymi lub uplecionymi z witek imionami, szklane kule, wirujące na wietrze miedziane dzwoneczki. Teraz kołyszą się targane delikatną bryzą.

Wreszcie podchodzę do grobu mamy i taty. Na wieczność razem. Zastanawiam się, czy tego właśnie oboje pragnęli? Myślę o mojej prawdziwej matce. Ciekawe, gdzie została pochowana? Nagle czuję, że muszę się tego dowiedzieć. Czy ojciec kiedykolwiek chodził na jej grób? Myślę o tym przez chwilę. Mógł mnie tam ze sobą zabrać.

Najwyraźniej któregoś dnia zabrano kamień nagrobny do grawera, bo został na nim wyryty świeży napis. Poniżej imienia taty dopisano: „Miranda Merryweather, ukochana matka i żona". Następnie daty narodzin i śmierci mamy. Te skąpe informacje niewiele o niej mówią, lecz czy owa niewielka płyta nagrobna byłaby w stanie pomieścić treść jej życia?

Siadam na trawie przy grobie i wpatrzona weń rozważam, co powiedzieć. Słychać jedynie świergot ptaków pośród drzew i nieprzerwany szum ruchu drogowego z szosy biegnącej za cmentarnym murem.

W końcu zbieram myśli w jako tako spójną całość.

– Dlaczego? – pytam ją. – Tylko to chciałabym wiedzieć. Czemu to zrobiłaś? Skłóciłaś nas z Edie, choć wcale nie było takiej potrzeby. Kochałam cię i dbałam o ciebie jak rodzona córka. A mimo to przez cały ten czas nie traktowałaś mnie jak własne dziecko. Skąd takie okrucieństwo?

Miło by było otrzymać jakiś znak z nieba na potwierdzenie, że moja macocha, Miranda Merryweather, którą od zawsze uważałam za rodzoną matkę, słyszy to, co mam jej do powiedzenia. Na przykład promień słońca padający na pojedynczą różę, wirujące białe pióro czy barwny ptak przysiadający na gałęzi. Coś w tym rodzaju. Nic się jednak nie dzieje. Mama odeszła na wieki, zostawiając za sobą chaos i zgliszcza.

– Czy w ogóle mnie kochałaś? – ciągnę. – Po tym, co mi zrobiłaś, nie potrafię w to wierzyć.

Siedzę dalej w milczeniu, ale upewniwszy się, że nie dostanę żadnej odpowiedzi, podnoszę się gotowa do wyjścia.

– Przebaczam ci – mówię. – Zraniłaś mnie. Trudno zaprzeczyć. Może taki był twój zamiar. Ale wydaje mi się, że znacznie bardziej zraniłaś Edie. Twoja córka wyda pieniądze w mgnieniu oka. A potem co się z nią stanie?

Kręcę głową i dodaję:

– Zniszczyłaś naszą relację najprawdopodobniej na dobre. Zawsze dbałam o Edie. Nie miałaś pojęcia, jak naprawdę wyglądało jej życie, i może to był mój błąd, że zataiłam przed tobą prawdę. Nie była, jak wierzyłaś, kochaną córeczką. Daleko jej do ideału. Mogłam być dla niej niezawodnym oparciem. Zawsze mogła wrócić do mnie, do domu. Teraz to się skończyło i martwię się o nią.

Kładę na grobie polne kwiaty, które zerwałam po drodze.

– Niemniej jednak wciąż cię kocham i będę ci przynosić kwiaty. Byłaś dla mnie matką. Jedyną, jaką znałam. Ale zamierzam też poszukać mojej prawdziwej mamy. Chcę ją poznać, dowiedzieć się, kim była. Ciekawe, czy dręczyła cię myśl, że tata zawsze kochał ją bardziej niż ciebie?

Potem, nie wiedząc, co więcej mogłabym dodać, odwracam się i wracam do kaplicy. Rozmowa z mamą, póki żyła, nie należała do najłatwiejszych, teraz, po jej śmierci, jest jeszcze trudniejsza.

ROZDZIAŁ 77

Cukiernia jest dziś zamknięta, ale musimy z Liją usmażyć truskawkową konfiturę, bo prawie całą sprzedałyśmy. Z radością wybrałabym się na pobliską plantację, na której można samemu zrywać owoce, ale ostatnio nie ma takiej możliwości, bo na terenach wielu gospodarstw wybudowano domy. Dobrym rozwiązaniem byłoby założenie własnej uprawy, dzięki której latem nie brakowałoby nam owoców. Jestem pewna, że udałoby nam się wydzielić grządkę w ogrodzie. Jednak teraz decyzja należy do Lii.

Wobec tego jedziemy na pobliski targ, żeby uzupełnić owocowe zapasy. Dziś dzień targowy przypada w Woburn. Ten sposób jest oczywiście kosztowniejszy, ale wolę zapłacić więcej, aby wesprzeć lokalnych rolników, niż zaoszczędzić na zakupach hiszpańskich lub meksykańskich truskawek w supermarkecie. Na bazie pysznych miejscowych owoców przygotujemy pyszny miejscowy dżem.

Wiem, że od następnego dnia, kiedy sfinalizuje się sprzedaż domu, o wszystkim będzie decydować Lija. Staram się jednak jak najbardziej ułatwić jej proces przekazywania wszystkich spraw. Chcę, żeby patrzyła na przyszłość z optymizmem, wolna od obaw. Wydawałoby się, że podobna perspektywa powinna mi ciążyć, ale jest inaczej, czuję niesamowitą lekkość w sercu. Wyspałam się wreszcie, a to zawsze pomaga, czyż nie? Śnił mi się Danny, nie pierwszy zresztą raz, i wcale z tego powodu nie cierpiałam.

– Musimy zadzwonić po taksówkę – mówię Lii. – Mój samochód wciąż nie jest na chodzie. – Jego zmiażdżony bok ma zostać wkrótce naprawiony dzięki uprzejmości mojej siostry. – Musisz zrobić prawo jazdy. Dzięki temu będziesz sama jeździć do hurtowni. Gdybyś za każdym razem zamawiała taksówkę, poszłabyś z torbami.

– Wiem. Mam prawko – informuje mnie. – Ale nie lubię prowadzić. Zresztą nie mam samochodu.

– Naprawimy mój. Na pewno będę mogła dodać cię do ubezpieczenia.

Nie wiem, dlaczego nigdy wcześniej o tym nie pomyślałyśmy.

Kamienny wyraz twarzy Lii nie zmienia się.

– Powinniśmy wstawić słoiki do zmywarki – dodaję. – Wysterylizują się i będą gotowe na nasz powrót.

– Wiem – cierpko zgadza się ze mną.

– Przepraszam. Po prostu staram się ci pomóc oswoić z rolą właścicielki – wyjaśniam.

– Nic się nie zmieni – upiera się. – Nic a nic.

– Racja.

Zabieramy torby na zakupy i wyruszamy.

W taksówce do Woburn Lija milczy. Kurs jest krótki, ale przejeżdżamy przez najpiękniejszą okolicę w naszym sąsiedztwie. Lija patrzy przez okno. Kiedy dojeżdżamy na miejsce, płacę za przejazd i ruszamy główną ulicą w stronę placu targowego. Lija wlecze się za mną niczym nadąsana nastolatka.

Otaczam ją ramieniem.

– Zanim zaczniemy zakupy, napijmy się kawy i zjedzmy po ciastku. Niech nas obsłużą dla odmiany. Czy dzięki temu twój nastrój się poprawi?

Uśmiecha się, ale z oporami.

– Być może.

– Nazwijmy to badaniem rynku – ciągnę. – Nic przecież złego w sprawdzaniu, co słychać u konkurencji.

Zatrzymujemy się w pierwszej kawiarni po drodze. Na zewnątrz stoi kilka stolików, jeden jest wolny. Śmigamy prosto do niego, uradowane, że trafia nam się taka wyborna miejscówka.

Kelnerka podchodzi po nasze zamówienia i naprawdę miło dla odmiany znaleźć się z drugiej strony. Obie zamawiamy po latte i imbirowym ciastku z kremem.

– Będzie dobrze – zapewniam ją. – Nie masz powodów do obaw.

Lija zwraca do mnie swoją posępną twarz.

– Wzięłam na barki ogromne zobowiązanie – mówi. – Jestem przerażona, Fay. Nigdy nie chciałam prowadzić kawiarni. Praca dla ciebie dawała mi satysfakcję.

– Będę na miejscu, żeby ci pomagać. Dziś wieczorem powinnyśmy przejrzeć rachunki, żebyś wiedziała, na czym stoisz. Nie zaszkodzi nam małe wsparcie w postaci lampki wina.

Lija zanosi się łzami.

– Czuję się potwornie. To twoja kawiarnia. Ukradłam ci ją.

– Nie, nie, nie. – Przytulam ją. – Co ty w ogóle mówisz? Pomyśl przez chwilę, dom mógł wpaść w ręce tych okropnych ludzi, którzy zamknęliby cukiernię. Uratowałaś ją.

– Czuję się jak kupa gówna. Wydawało mi się, że to najlepsze rozwiązanie. Teraz nie jestem już taka tego pewna.

Przytulam ją, delikatnie poklepując, podczas gdy wypłakuje się w moje ramię.

– Cicho, cichutko – grucham jak do dziecka. – To jest najlepsze rozwiązanie. Przysięgam. Po prostu się przestraszyłaś. Popracujemy nad tym – zobowiązuję się. – Razem. Ty i ja.

Lija sięga po serwetkę, w którą wyciera nos.

– Kurwa – klnie, aż przechodząca obok nas starsza kobieta podskakuje.

Staruszka posyła nam pełne pogardy spojrzenie.

– Przepraszam – mówię. – Przepraszam.

Ale kobieta tylko chrząka i rusza w swoją stronę.

– Ta dzisiejsza młodzież – mruczy pod nosem.

Nie zna jednak dobrze tej właśnie przedstawicielki dzisiejszej młodzieży, która jest cudowną, skorą do pomocy dziewczyną. Przecież tak wiele dla mnie zrobiła. Więcej niż moja własna siostra.

ROZDZIAŁ 78

Wieziemy pokaźny zapas truskawek do domu. Obie teraz umieramy z głodu, szybko szykuję kanapki, a jedną zanoszę Stanowi do domu.

Kiedy pukam, całe wieki zajmuje mu otwarcie mi drzwi, dlatego stoję z duszą na ramieniu, aż wreszcie przychodzi. Pewnego dnia będę czekać na próżno i nie jestem nawet w stanie o tym myśleć.

Ma potargane włosy i nieprzytomny wzrok.

– Drzemałem w ogrodzie – wyjaśnia, ziewając.

– To bardzo dobrze. – Podaję mu talerz owinięty folią spożywczą. – Dziś tylko kanapka, Stan. Z serem cheshire i cebulową marmoladą naszej własnej produkcji.

– Och. – Jego oczy lśnią. – Moja ulubiona.

– Mamy dziś z Liją dzień smażenia dżemów, dlatego czas na mnie.

– Jestem wdzięczny za każdy posiłek, który od ciebie dostaję, Fay. Jesteś cudowna.

Bywają dni, takie jak dziś, że wydaje się taki mizerny. Ma bladą cerę i zasnute mgłą oczy. Przypominam sobie jednak, w jakim jest wieku i że nie będzie żył wiecznie. Mam jednak nadzieję, że nie stanie się to zbyt szybko, bo nie jestem gotowa na kolejną życiową stratę.

– Jeśli masz ochotę, to wpadnij do nas później na ciasto. Herbata też się znajdzie.

– Nie dzisiaj – wymawia się. – Czuję się zbyt zmęczony.

– Odpocznij zatem. Czy chciałbyś, żebym później przyniosła ci kolację?

– Nie – dziękuje. – Wyciągnę coś z zamrażarki.

– Na pewno?

Kiwa głową.

– Okej. Ale zadzwoń, gdybyś tylko czegoś potrzebował? Dobrze?

– Obiecuję.

– Widzimy się jutro w kawiarni w porze lunchu?

– Nie ma takiej siły, która mogłaby mnie zatrzymać.

Powoli wracam do domu, zerkając przez ramię na jego mieszkanie i starając się zbytnio nie zamartwiać.

Zaraz po wejściu do kuchni muszę szybko się skupić, bo zawrotna jam session właśnie się zaczyna. Koło gospodyń nie dorasta nam do pięt. Przeobrażamy się z Liją w niezawodne maszyny do produkcji dżemu. Obie to zresztą uwielbiamy. Myjemy owoce, a potem zaparzamy herbatę w dużym dzbanku. Siadamy przy kuchennym stole z kubkami w zasięgu ręki i zabieramy się do szypułkowania truskawek, co zabiera nam trochę czasu.

Dzielimy owoce na cztery równe części, kiedy bowiem przesadzi się z ilością, to dżem nie chce zgęstnieć. Nalewam nam herbaty i włączam radio – znacznie lepiej szypułkuje się przy muzyce.

Lija wydaje się teraz radośniejsza. Nie uśmiecha się, oczywiście, tego byłoby już za wiele. Szybko pracuje, ostrym nożem odkrawając szypułkę wraz z twardym rdzeniem owocu.

– Co? – pyta, zauważywszy mojej spojrzenie. – Czemu się tak patrzysz?

– Nic – odpowiadam, uśmiechając się ciepło. – Po prostu nie mogę uwierzyć, jak daleko zaszłaś od chwili, gdy zaczęłaś u mnie pracować. Jestem z ciebie bardzo dumna.

– Przestań – prosi. – Bo znów się rozpłaczę.

– Masz zakaz płakania. Skoncentruj się na przyszłości. Jestem przekonana, że zdziałasz tu same wspaniałe rzeczy.

– Jutro potwierdzi się sprzedaż domu.

– Wiem. Przyznaję, że nieco dziwnie się z tym czuję, ale teraz ty zasiądziesz u steru.

– Zostaniesz tutaj? – pyta Lija. – Musisz. Bardzo tego chcę. Pomyślałam, że mogłybyśmy obie zamieszkać na górze. Który pokój wybierasz?

– Wolałabym zostać w tym, w którym jestem, jeśli nie masz nic przeciwko temu. – Prowadzenie rozmowy na temat domu, który jak dotąd był moim domem, jest frapujące. – Zajmiesz pokój mamy? Jest największy. Posprzątam jej rzeczy, nim się wprowadzisz. Odświeżę go. Można go też odmalować. Naprawdę to przydałby się tam mały remont.

– Tak. Wprowadzę się do pokoju Mirandy.

Zauważam, że od kiedy odeszła, Lija nie nazywa jej już „starą jędzą".

– Wyszłam na samoluba. To teraz twój dom, a nie mój. Sama się tam wprowadzę, jeśli wolisz mój pokój. – Zastanawiam się, jak długo będziemy się tak krygować.

– Nie – protestuje. – Już postanowione. – Potem nerwowo zagryza wargę. – Pomyślałam, że może... mogłybyśmy przerobić pokój Edie na biuro, a w dodatkowej sypialni urządzić salon.

– Rety – zachwycam się. – Rewelacyjny pomysł. – Że też sama nigdy na to nie wpadłam.

– Wtedy mogłybyśmy rozszerzyć kawiarnię o salon na dole. Byłoby więcej miejsca na stoliki. Zwiększyłoby to obroty.

– Nieźle. Widzę, że wszystko gruntownie przemyślałaś.

– Bo o niczym innym nie mogę myśleć.

Śmieję się.

– Wszystko się dobrze ułoży, Lijo. Sama się przekonasz.

Ośmielona ciągnie dalej:

– Moglibyśmy otwierać także wieczorami. Wprowadzić do menu kolacje. Może też moglibyśmy urządzać stałe spotkania tematyczne. Nie codziennie, ale w niektóre wieczory. Musimy wykorzystać to miejsce do maksimum.

Jeszcze nie widziałam u Lii podobnej ekscytacji. Uśmiecham się, widząc, jak jej blada cera nabiera radosnych rumieńców. Ale równocześnie uświadamiam sobie, że kawiarnia definitywnie wyślizguje się z moich rąk.

– Masz moje poparcie dla każdej swojej decyzji, Lijo – szczerze deklaruję.

– Będziemy organizować sobie spotkania – oznajmia uroczystym tonem. – Burze mózgów.

Tłamszę uśmiech. Na moich oczach przeobraża się w drugiego Alana Sugara*.

Wszystkie truskawki są już odszypułkowane, wyciągam teraz cztery wielkie gary do robienia dżemów i ustawiam je na kuchence. Każdy zajmuje jedno miejsce na płycie. Wkrótce owoce będą w nich wesoło pyrkać.

Lija bierze truskawki i wsypuje po równo do każdego gara.

– Co Edie zamierza zrobić ze sprzętami domowymi, z meblami? – pytam.

Z tego, co wiem, planowała sprzedaż wszystkich ruchomości, więc w jakim położeniu stawiało to Liję? Palcem nie kiwnęłam w kierunku przygotowań do wywózki sprzętów. Jeśli tego właśnie chce Edie, to nie jestem na bieżąco. Trzeba rozporządzić drobiazgami należącymi do mamy, jest jeszcze pokój Edie, w którym nic nie ruszałam, od kiedy się wyprowadziła. Na pewno chciałaby zachować dla siebie kilka pamiątek, ale nie mieszam się, to jej problem.

– Wyposażenie kuchni to minimum, którego będziesz potrzebować.

---

* Angielski biznesmen, założyciel i prezes firmy Amstrad. Pochodzący z niezamożnej rodziny, w 2009 roku został zaklasyfikowany na listę stu najbogatszych ludzi przez brytyjski tygodnik „Sunday Times".

– Wszystko od niej kupiłam – informuje mnie Lija. – Dosłownie wszystko. Dała mi naprawdę dobrą cenę.

– Och. – Moja siostra starannie taiła przede mną swoje decyzje.

– Może chciałabyś sobie coś zachować? – pospiesznie proponuje Lija. – Tylko powiedz i jest twoje.

– Nie – kręcę głową. – Nie chcę nic, co należało do tej rodziny. Cieszę się, że kupiłaś wszystko. Jestem pewna, że nie dbasz o rzeczy należące do mamy, dlatego zajmę się tym.

– Nie ma pośpiechu, Fay. – Z wahaniem muska mnie w ramię. – Zajmiemy się tym w swoim czasie.

– Pewnie. – Ale w głębi serca czuję, że im szybciej to zrobimy, tym lepiej.

Dosypuję cukier do każdego gara i czekamy, aż owoce się zagotują. Lija ma prawdziwe wyczucie w kwestii dżemów, dlatego zostawiam truskawki na jej głowie, a sama zabieram się za wyciąganie wysterylizowanych słoików ze zmywarki, ustawiam je gotowe do napełniania na blacie. Następnie wkładam kolejną porcję słoików do umycia.

– Gotowe – kilka minut później Lija rzuca przez ramię.

Zdejmuje gary z kuchenki i ustawia je na stole.

– Wygląda pysznie. – Kuchnię wypełnia zniewalający zapach. – Poczekajmy, aż zgęstnieje, wtedy napełnimy słoiki.

– Napijmy się zatem po kieliszku wina, mamy co świętować – proponuje Lija.

– Świetny pomysł. – Nagle czuję się potwornie zmęczona. – Padam z nóg. Odpocznijmy z dziesięć minut nad wodą.

ROZDZIAŁ 79

Wyciągamy z Liją butelkę wina z lodówki i siadamy na pomoście, nasze stopy zwisają tuż nad powierzchnią wody. Nalewam nam po kieliszku. Przygotowanie dżemów zajęło nam większość dnia i czuję się zmęczona. Nie dziwi mnie to, bo przecież znowu sypiam w kratkę. Raz śpię jak kamień, innym razem błąkam się do świtu. Pieką mnie oczy, a powieki są jak z ołowiu. Stres ostatnich miesięcy był nie do zniesienia, dlatego z niecierpliwością czekam, aż to wszystko dobiegnie końca. Gdy tylko Edie wróci do Stanów, a Lija przejmie kawiarnię, będę mogła zająć się własnym życiem.

Lija stuka swoim kieliszkiem w mój.

– Za nas.

– Za nas – powtarzam.

Wzdycham, czując, jak napięcie opuszcza moje ciało. Mam zesztywniały kark, jest niczym kawał betonu, poza tym mam wrażenie, jakby w ramiona wetknięto mi wieszak na ubrania, wino jednak zdecydowanie mi pomaga. Wieczór jest uroczy, słonce wciąż świeci na niebie. Powietrze stoi, nieporuszane nawet przez najmniejszy podmuch wiatru. Ważki śmigają w porastających brzeg kanału zaroślach, w których krząta się mała, ruchliwa kurka wodna. Na ścieżce naprzeciwko nie brakuje joggerów, właścicieli psów i spacerujących ręka w rękę par, które najprawdopodobniej zmierzają do Dwóch Barek.

– Ostatnio tylko tutaj, nad wodą, jestem w stanie się zrelaksować – zwierzam się Lii. – Uwielbiam to miejsce. Edie z mamą nigdy nie lubiły kanału w przeciwieństwie do mnie i taty.

– Szkoda, że nie poznałam twojego ojca. Musiał być wspaniałym człowiekiem.

– To prawda. – Wino jest aż za dobre, nalewam nam po kolejnym kieliszku. – Marzy mi się, żeby wyremontować Śliczknotkę Merryweather. Tacie spodobałoby się, gdyby znów można było na niej pływać.

W akcie strzelistym dziękuję, że mama jednak mi zostawiła łódź. Gdyby zapisała ją Edie, moja siostra pewnie zatopiłaby ją z czystej złośliwości.

– Wtedy trzeba będzie znaleźć inne miejsce na składowanie ciast i dżemów.

– Dobrym rozwiązaniem byłaby altana – proponuję. – Wybudowanie jej w ogrodzie nie powinno być kosztowne.

– Niegłupi pomysł, ale wydaje mi się, że urok sklepu na pokładzie łodzi jest tym, co przyciąga ludzi.

– Nie odpłynę na niej już jutro, Lijo – uspokajam ją. – Dużo jeszcze wody upłynie, nim będzie mnie stać na remont starej, biednej Ślicznotki.

Jestem jak moja łódź, stara i biedna, pomyślałam.

Ponownie napełniam nasze kieliszki i kładę się na pomoście, z radością grzejąc twarz na słońcu. Lija zrzuca martensy i rozciąga się u mojego boku. Jej niewiarygodnie szczupłe nogi, mimo rekordowo ciepłego lata, wciąż są białe jak mleko, i myślę, że nigdy, przenigdy się nie opali.

– Dżem już pewnie całkiem ostygł – zauważa Lija. – Będę musiała go podgrzać.

– Odłóżmy to na rano. Za dużo wypiłyśmy, żeby teraz zajmować się wekami. Moja sprawność w manewrowaniu warząchwią została zaburzona przez procenty i cały dżem tylko skończyłby na podłodze.

– Zajmiemy się tym później – zgadza się Lija. – Zasłużyłyśmy na odpoczynek.

– Popieram.

Leżymy zatem wpatrzone w błękit nieba. Musimy się nim nacieszyć, bo niedługo kończy się lato i kanał wraz z ogrodem wkrótce przybiorą zimową szatę.

– Tęsknisz za nim? – pyta, kiedy obie patrzymy na sunące ponad nami puchate, białe chmury.

– Za Anthonym?

– Nie rozśmieszaj mnie.

Z jej odpowiedzi wnioskuję, że chodzi o Danny'ego.

– Tak, każdego dnia.

Mimo że odpłynął już kilka tygodni temu, wciąż nieustannie o nim myślę. W każdym momencie czuję jego obecność.

Lija odwraca się, żeby na mnie spojrzeć.

– Wróci. Jestem o tym przekonana.

– Mam taką nadzieję.

– Teraz nie istnieją żadne przeszkody, żebyś się z nim związała, Fay.

– To prawda. – Podobna perspektywa jednak budzi we mnie lęk. Nie mam już za czym się ukryć. – Choć przecież może wcale tu nie wróci. Co jeśli gdzie indziej znalazł wspaniałą pracę i spotkał wspaniałą dziewczynę?

– Wtedy albo umrzesz starą panną, albo poślubisz śmierdzącego Stana.

– Dzięki, Lijo.

Choć mnie to przeraża, to jest w tym ziarno prawdy. Chociaż spędziłam z Dannym tylko jedną namiętną noc, to zostanie ona ze mną aż do śmierci. Podobna perspektywa wcale mnie nie cieszy, ale jeśli nie jesteśmy sobie pisani, to może faktycznie czeka mnie życie w samotności.

ROZDZIAŁ 80

Obie mamy kaca. Lija została na noc, przespała się w pokoju Edie, i dziś rano zaczynamy później niż zazwyczaj.

Do śniadania siadamy w negliżu. Ja w mojej praktycznej pidżamie i szlafroku, Lija natomiast w czarnej, niezwykle skąpej bieliźnie, która jednak, czego jestem pewna, jest czysta. Na pewno umyła też zęby.

Obie jemy po misce płatków i pijemy czarną, mocną kawę.

– Chrup odrobinę ciszej – marudzi Lija.

– Przepraszam – mówię. – Przepraszam.

– Dżem wciąż stoi w garach – zauważa.

Wiem, bo własnoręcznie przesunęłam je na bok, żeby zrobić nam miejsce przy stole.

– Możemy go za chwilę podgrzać, a potem nałożyć do słoików.

– Jest zbyt rzadki. – Lija rzuca okiem do środka. Jej spojrzenie byłoby w stanie ściąć mleko, ale nie jestem pewna, czy wystarczy do zagęszczenia dżemu. – Wolałabym, żeby bardziej stężał.

– Zajmiemy się tym przed wszystkim innym.

Potem wciąż w oparach wczorajszego alkoholu uświadamiam sobie, że Lija dziś oficjalnie zostanie właścicielką kawiarni. Czy tego chcę czy nie, rozpocznie się nowy rozdział mojego życia. Mimo mojej autentycznej radości, że cukiernia przechodzi właśnie w jej, a nie czyjeś inne dłonie, moje serce lekko się ściska.

Ściska się jeszcze mocniej, kiedy słysząc kaszlnięcie, odwracam się i widzę Edie stojącą na progu otwartych na rościeź kuchennych drzwi. Ma na sobie słonecznożółtą, szytą na miarę sukienkę i markowe okulary przeciwsłoneczne. Na ramieniu zwisa jej warta co najmniej tysiąc pięćset funtów designerska torebka – nowy zakup, jak zgaduję, a Edie nawet się nie kryguje, żeby ją ukryć. Krew gotuje się we mnie.

– Cześć – wita się nieśmiało.

Nie widziałam jej ponad tydzień.

– Przyszłam się pożegnać – ciągnie Edie. – Na dziś wieczór zarezerwowałam bilet do Nowego Jorku.

– Tak szybko? – nie dowierzam.

– Nic mnie tu nie trzyma. – Kręci się nerwowo, a potem wchodzi do środka.

Lija wstaje, aby jej ustąpić miejsca, ale Edie tylko ją mija.

Powinnam zaproponować jej herbatę lub grzankę, ale nie mam siły na dobre maniery w stosunku do własnej siostry. Kiedy na nią patrzę, nie czuję nic poza bólem. Odebrała mi wszystko i nawet się tego nie wstydzi.

Edie przesuwa okulary na głowę.

– Sprzedaż wejdzie dziś w życie. Prawnik powiadomił mnie, że nie ma żadnych problemów. Czekam teraz na jego telefon.

Tak oto, myślę, wszystko dobiega końca.

Za plecami Edie Lija podnosi nóż i udaje, że wbija go w kark mojej siostry. Zasłaniam dłonią usta, aby ukryć uśmiech i w duchu dziękuję Lii za odrobinę humoru w tym trudnym momencie. Bez niej byłoby to nie do zniesienia.

– Sądziłam, że będziesz już spakowana i gotowa do drogi – mówi Edie. Chłodnym, pogardliwym spojrzeniem omiata moją pidżamę i bieliznę Lii. – Zakładam w takim razie, że nowi właściciele nie wprowadzają się od razu, bo niebawem – umyślnie rzuca okiem na zegarek – ten dom przestanie być twoim domem.

– Zostaję tu z Liją.

Gdybyśmy w ciągu ostatnich tygodni porozmawiały ze sobą na poważnie jak przystało na dwie dorosłe osoby, Edie byłaby na bieżąco. Najwyraźniej uważa, że zostanę dziś wykopana na bruk. Mój gniew narasta. Nie interesuje jej ani gdzie zamieszkam, ani co będę robiła, zwyczajnie ma mnie w nosie.

– Nie możesz tu zostać – jeży się.

W tej chwili dzwoni jej telefon. Edie przykłada go do ucha.

– Tak – mówi. – Dziękuję. Bardzo się cieszę. – Ściąga usta i rozłączywszy się, informuje mnie: – Sprzedaż domu stała się faktem.

– Także bardzo się cieszę – mówię. – Mam nadzieję, że jesteś zadowolona.

– Nie stało się tak z mojej woli – unosi się dumą. – Takie było życzenie mojej matki.

– Możesz zatem wracać do Nowego Jorku z niezachwianą pewnością, że wypełniłaś ostatnią wolę zmarłej.

– Nie wiem, czy do końca rozumiesz moje położenie – oschle tłumaczy się Edie. – Razem z Brandonem potrzebujemy pieniędzy. Cała ta sytuacja w ogóle mnie nie bawiła.

– Naprawdę? – Jestem zbyt wyczerpana, żeby wchodzić w dyskusję. – Odniosłam inne wrażenie. Ale cieszę się, że dom należy teraz do Lii.

Edie odwraca się, patrząc na nas obie całkowicie zbita z tropu.

– Co?

– Cieszę się, że Lija tu zamieszka – powtarzam. – Przynajmniej nie zamknie kawiarni, na którą z takim trudem pracowałam.

Moja siostra świdruje Liję wzrokiem.

– Jak? Jak to możliwe?

W tej chwili dzwoni telefon Lii, która odbywa identyczną rozmowę jak przed chwilą Edie.

– Tak. Dziękuję. Bardzo się cieszę – powtarza słowo w słowo.

Lija odkłada słuchawkę.

– Właśnie zostałam właścicielką tego domu. – Nie może powstrzymać uśmiechu.

– Moje gratulacje. – Podchodzę, żeby ją uściskać. – Bardzo się cieszę.

– Ty go kupiłaś? – wścieka się Edie. Zaciśnięte w pięści dłonie zwisają u jej boków, a twarz sinieje ze złości. – To niemożliwe. Kupił go mężczyzna o imieniu Robert.

– Roberta – poprawia ją Lija, a uśmiech nie schodzi jej z ust. – Roberta Lija Vilks.

– To jakiś żart?

– Nie – mówię. – Dlaczego?

– Nie wiedziałam, że to Lija kupuje dom.

– Jakie to ma znaczenie? Dostałaś to, czego chciałaś.

Edie mruży oczy.

– Myślisz, że jesteś taka sprytna.

– Czy nie cieszy cię, że mam gdzie mieszkać? – pytam Edie. – Odebrałaś mi wszystko. Lija zapłaciła ci gotówką. Dzięki temu szybciej mogłaś sfinalizować sprzedaż.

– Nie wiem, w co grasz, Fay, ale umywam ręce.

– W nic nie gram, Edie. Wszystko przebiegło dokładnie tak, jak zaplanowałaś. I już.

– Mam nadzieję, że będziecie tu obie bardzo szczęśliwe – prycha.

Odwracam się do Lii.

– Będziemy się starać, prawda?

– Oczywiście – zgadza się ze mną.

– Ale chyba zapomniałyśmy o jednej rzeczy, Lijo.

– Tak?

Rzucam okiem na stojące na stole gary pełne dżemu.

Lija błyskawicznie łapie, o co mi chodzi.

– Oj, tak.

Wspólnymi siłami podnosimy ciężki gar.

Moja siostra patrzy na nas jak na dwie wariatki. Którymi naprawdę możemy się okazać.

– Raz, dwa, trzy – odliczam i podchodzimy do Edie, która szybko uświadamia sobie, co zamierzamy zrobić.

– Nie ośmielicie się – cofa się, ale wpada na blat bez możliwości dalszego manewru.

My natomiast nie napotykamy żadnych przeszkód. Mój mózg wyłączył się na dobre. Napędza mnie czysta żądza zemsty, która mnie szczerze raduje.

Jednym gładkim ruchem wylewamy truskawkowy dżem na głowę Edie. Moja siostra tylko stoi, gotując się z bezsilnej złości, kiedy słodka maź spływa po jej idealnych, kasztanowych lokach, nieskazitelnym makijażu i designerskiej torebce. Jej słonecznożółta sukienka wygląda, jakby zachlapała ją krew.

– Och! – krzyczy Edie. – Och!

Rozpaczliwie próbuje zetrzeć dżem z siebie dłońmi, usunąć go z włosów i twarzy. W rezultacie tylko bardziej rozsmarowuje go po sobie. Nowiutka, szpanerska torebka tonie w lepkości.

Głośno dyszę, a serce wali mi w piersi. Zachowałam się podle, bardzo podle. Ale nie mogę zaprzeczyć, że dobrze się przy tym bawiłam.

– Między nami koniec, Fay – mówi. – Już nie jesteś moją siostrą.

– Wydaje mi się, że już dawno przestałam nią być, Edie – odcinam się z żalem.

Edie podchodzi do drzwi, ślizgając się na dżemie przyklejonym do jej butów.

– Nie dzwoń do mnie. Już nigdy, Fay. Nigdy już nie zamienię z tobą słowa.

Potem, trzaskając kuchennymi drzwiami, wychodzi.

– Podła małpa. – Lija niepewnie zerka na mnie. – Wszystko okej?

– Tak – mówię.

Serce wraca do swojego rytmu. Edie to kolejna osoba na liście osób, które zniknęły z mojego życia. Jest mi smutno, bardzo smutno, ale nie zamierzam szaleć z rozpaczy.

Zlizuję dżem z palców i odwracam się do Lii.

– Miałaś rację – odzywam się. – Dżem był za rzadki.

ROZDZIAŁ 81

W kawiarni panuje dziś duży ruch i Lija ku swej radości szaleje w kuchni. W piekarniku piecze ciasto, a kanapki tworzy w tempie linii produkcyjnej. Już czuję, że to nie jest mój dom ani mój biznes. Choć bardzo bym chciała, żeby wszystko wróciło do normy, to nie jestem w stanie powstrzymać poczucia zagubienia.

Wiem, że Lija wciąż się kryguje w stosunku do mnie, na pewno przez cały dzień rzucała mi niepewne spojrzenia. Może boi się, że sobie pójdę, teraz, kiedy dom zmienił właściciela, ale gdzieżbym miała pójść? Po prostu z czasem przyzwyczaimy się do nowej sytuacji, obie o tym wiemy.

Lija jest teraz szefem i choć rządziła mną, od kiedy zaczęła dla mnie pracować, teraz układ sił uległ zmianie. Ale cieszę się. Skoro i tak miałam stracić kawiarnię, wolę, że przypadła mojej kochanej Lii niż komukolwiek innemu.

– Kanapki z łososiem do stolika pod jabłonią – mówi, a potem dodaje: – Jeśli nie masz nic przeciwko temu.

Najwyraźniej wciąż nie jest sobą.

Podnoszę talerz i wychodzę na zewnątrz. To Fensonowie, których zazwyczaj uwielbiam, ale dziś zmuszam się do uśmiechu za każdym razem, gdy mam rozmawiać z klientami. Kiedy stawiam kanapki na stoliku, czuję, że nie wkładam w to serca. To już nie jest moje, teraz wszystko, na co pracowałam, należy do kogoś innego i mimo moich starań mam wrażenie, jakby wyrwano cząstkę mnie.

Przypominam sobie godziny, które poświęciłam temu miejscu, krew, pot i łzy – na co to wszystko? Robiłam to dla mamy, dla nas. Mama jednak, zupełnie o mnie nie dbając, oddała wszystko Edie, która znów sprzedała mnie bez zmrużenia okiem. Wygląda na to, że nie mam już siostry. Nie sądzę, abym potrafiła przebaczyć jej, że skazała mnie na bezdomność. Poza tym myślę, że ona też nigdy mi nie wybaczy wylania na nią dżemu, bo w jej oczach to wydarzenie zupełnie przesłania moją sytuację.

Jest gorąco, gorąco i jeszcze raz gorąco. Powietrze jest ciężkie od wilgoci. A ludzie, jak przystało na rasowych Brytyjczyków, którym nigdy nie dość słońca, już zaczynają narzekać na nieprzerwany ciąg upalnych dni. W prognozie pogody ostrzegają, że temperatury mogą sięgnąć czterdziestu stopni, a miasta grożą wprowadzeniem zakazu podlewania ogródków. Za każdym razem, gdy mi za gorąco, szukam ochłody nad brzegiem wody, gdzie z przyjemnością siadam na pięć minut. Tyle wystarczy. Ogród jednak cierpi, wszystkie kwiaty więdną z braku deszczu. Wkrótce musi nastąpić załamanie pogody.

Na kanale panuje spory ruch, ale łodzie suną przez wodę osowiale, a wielu spośród wynajmujących je turystów opaliło się w tym niemiłosiernym słońcu na czerwono. Obecnie stosunkowo łatwo ogrzać łódź zimą, bo na większości zainstalowano układ centralnego ogrzewania i opalane drewnem piece. Latem, szczególnie teraz, podczas kanikuły, schłodzenie wnętrza okazuje się problematyczne. Czasem na Ślicznotce Merryweather musimy zostawiać drzwi otwarte przez całą noc, a nawet zdejmować okna, bo tak trudno jest przewietrzyć kajutę.

Zastanawiam się, gdzie może być Danny. Czy ze względu na upał zatrzymał się gdzieś na chwilę, czy może wolno sunie poprzez wody kanałów? Mam nadzieję, że dobrze się bawi, spędzając wakacje na pokładzie.

Moja siostra już powinna wylądować w Nowym Jorku. Mam nadzieję, że jej lot był przyjemny. Smutno mi, kiedy pomyślę, że nie odwiozłam jej na lotnisko, nie pomachałam na pożegnanie. Oby, dzięki pieniądzom mamy, oboje z Brandonem doznali szczęścia i mądrze dysponowali spadkiem. Może jednak liczę na zbyt wiele. Teraz, kiedy oboje rodzice nie żyją i skłóciłyśmy się z Edie, uświadamiam sobie, że zostałam sama na tym świecie. Najbliższymi mi ludźmi są teraz Lija i Stan.

– Czy możemy prosić o dolewkę herbaty, Fay!? – Fensonowie wołają spod jabłoni, wyrywając mnie z rozmyślań.

– Tak, oczywiście. – Wracam do kuchni, żeby się tym zająć.

Po obsłużeniu ich, kiedy jestem z powrotem w domu, Lija mówi:

– Przyniosę swoje rzeczy dziś po południu, jeśli nie masz nic przeciwko temu.

Chwytam za jej kościste ramiona i czule ją przytulam.

– To twój dom, Lijo. Oczywiście, że nie mam.

– Ashley pożyczył furgonetkę od znajomego, żeby mi pomóc.

Chodzi o uroczego barmana z Dwóch Barek. Nie wspominała o nim od festiwalowej nocy, dlatego jestem mile zaskoczona. Wydaje mi się także, że Lija lekko spąsowiała, kiedy wypowiedziała jego imię.

– Czy mogę ci jakoś pomóc?

Lija wzrusza ramionami.

– Zmienię pościel. – Wiem, że z oporami zgodziła się na zamieszkanie w dawnym pokoju mamy, dlatego zamierzam porządnie go wysprzątać i przewietrzyć. – Czy masz prześcieradło w rozmiarze na podwójne łóżko? Bo równie dobrze możesz wykorzystać któreś z tutejszych.

– Mam. Przyniosę. Wyjdę dziś zaraz po zamknięciu. Okej?

Śmieję się.

– Nie musisz mnie już o to prosić, Lijo. Możesz przychodzić i wychodzić, kiedy chcesz. Ty tu jesteś szefem.

A ja jestem twoim podwładnym.

Nie przedyskutowałyśmy jeszcze kwestii mojej pensji, ale nie możemy dłużej tego odkładać, bo zaczynam się niepokoić. Moje skąpe oszczędności nie wystarczą mi na długo.

ROZDZIAŁ 82

Ashley przyjeżdża w furgonetce przyjaciela zabrać Liję. To miły chłopak. Troskliwy. Patrzę, jak toczą się w dół uliczki, omijając liczne dziury w asfalcie, a zawieszenie pojazdu skarży się, żałośnie zawodząc.

Potem wchodzę na górę, żeby przygotować łóżko na przyjazd Lii, i ściągam pościel mamy. To dziwne, ale nie byłam tam od pogrzebu i teraz zauważam, że czeka mnie o wiele więcej pracy, niż zakładałam. Leki mamy stoją w rządku na nocnej szafce, książka jest otwarta na stronie, na której skończyła czytać. W szafie wciąż wiszą jej ubrania, niektóre nienoszone przez wiele lat. Muszę je zabrać, nim przyjedzie Lija, trzeba też opróżnić komodę. W pokoju panuje zaduch i, mówiąc szczerze, cuchnie starszą panią. Aż ściska mnie w gardle. Odsuwam zasłony i szeroko otwieram okna, żeby wpuścić trochę parnego, wieczornego powietrza. Ciemne chmury zbierają się na horyzoncie, zanosi się na deszcz.

Teraz położę wszystko w dawnym pokoju Edie, a potem, po przejrzeniu i posortowaniu, oddam rzeczy do sklepu z używaną odzieżą. Okazuje się, że wcale nie ma tego dużo. Kilka zatęchłych, starych płaszczy, których już dawno nikt nie nosił, parę eleganckich sukienek z czasów, kiedy mama jeszcze wychodziła, z przyjemnością się w nie strojąc. Od kurzu łzawią mi oczy. Wyobrażam sobie mamę leżącą w łóżku niczym królowa na tronie i aż mi wstyd, że wspominam ją z taką goryczą. Kiedy sama umrę, chciałabym, żeby ludzie myśleli o mnie z uśmiechem.

Po wyciągnięciu ubrań z szafy zanoszę je do pokoju Edie i układam na łóżku. Donoszę jeszcze buty i kilka torebek. W ten sam sposób opróżniam komodę. W najwyższej szufladzie znajduje się jej bielizna, którą spakuję do osobnego pudełka lub torby. W środkowej trzymała koszule nocne, czyli jedyne ubrania, które nosiła w ostatnim czasie. Zanoszę wszystko do pokoju Edie. W najniższej szufladzie leży kilka swetrów. Kiedy ostatnio założyła choć jeden z nich? Zastanawiam się. Wieki temu. Trzeba było już dawno temu tu posprzątać, ale wcześniej wciąż liczyłam, że wróci do zdrowia, wstanie z łóżka i wyjdzie z domu.

Papier, którym zawsze uparcie wykładała szuflady, podarł się i trzeba go wymienić. Jestem przekonana, że Lija nie będzie chciała go zachować. Wyciągam go i wtedy zauważam leżącą pod spodem czarno-białą fotografię.

Rzucam swetry na łóżko i podnoszę zdjęcie. Pomięte, pożółkłe ze starości i wytarte na brzegach. Przedstawia mężczyznę i kobietę, którzy stoją na pokładzie Ślicznotki Merryweather. Ona, młodziutka dziewczyna, trzyma na ręku dziecko. Oboje z mężczyzną wyglądają na młodych i bardzo szczęśliwych. On obejmuje ją w pasie, kiedy pozują do zdjęcia. Od razu rozpoznaję ojca, choć tu jeszcze nie wyłysiał, ale kobieta obok niego nie jest tą, którą przez całe swoje życie nazywałam mamą.

Ma krągłe kształty i jasne włosy opadające do ramion, odnoszę wrażenie, że patrzę na siebie. To moja prawdziwa matka. Bez cienia wątpliwości. Modlę się w duchu, żeby dziecko w jej ramionach okazało się mną. Czuję suchość w ustach, kiedy odwracam zdjęcie. Z tyłu charakterem pisma taty jest napisane: „Ja, moja ukochana Jean i malutka Fay".

Opadam na dywan. To moja matka, to ja. Tata zapisał też datę. Byłam zaledwie trzymiesięcznym niemowlęciem. Jean wygląda na dwadzieścia lat, nie może być starsza.

Palcem muskam zarys jej twarzy i czuję łzy spływające po policzkach. To moja mama. Moja prawdziwa mama.

– Och, tato – szepczę. – Dlaczego nigdy nic mi nie powiedziałeś? Bardzo bym chciała, żebyś mi o niej opowiedział.

Raz jeszcze patrzę na zdjęcie i widzę, że oboje patrzą na siebie z uwielbieniem. Wspominanie mamy musiało przychodzić ojcu z wielkim trudem. Zastanawiam się, czy poślubił Mirandę ze względu na mnie, żeby zapewnić mi dom, matkę. Zastanawiam się, czy kiedykolwiek pokochał ją równie mocno jak swoją ukochaną Jean i czy Miranda o tym wiedziała. Nie dziwię się, że nigdy nie przepadała za łodzią. Zawsze musiała jej przypominać o poprzednim życiu ojca, o jego pierwszej miłości. Uświadamiam sobie, że ślicznotka Merryweather to moja prawdziwa mama.

Szkoda, że jej nie poznałam. Wygląda na dobrą i miłą kobietę. Siedzę z głową wspartą o kolana, mocno ściskając w dłoniach zdjęcie, i tylko płaczę, i płaczę. Nie wiem dokładnie dlaczego. Czy opłakuję matkę, którą utraciłam, czy matkę, którą właśnie odnalazłam? A może łkam nad samą sobą, bo nigdy nie miałam szansy żadnej z nich tak naprawdę poznać?

ROZDZIAŁ 83

Wciąż zalewając się łzami, patrzę na trzymane w rękach zdjęcie i zaczynam myśleć, że powinnam się ruszyć, nim przyjedzie Lija, kiedy nagle powietrze przecina głośny grzmot. Załamuje się pogoda. Robi się chłodno, niebo ciemnieje i naraz wiatr nadyma zasłony w pokoju mamy. Kilka sekund później deszcz już leje się strumieniami.

Szybko biorę się w garść i wstaję, żeby zamknąć okna, nim woda przemoczy parapety. Wychylam się, żeby złapać za uchwyt, i kiedy przyciągam do siebie okiennice, zauważam, że do pomostu za Ślicznotką Merryweather dopływa inna łódź. Moje serce przyspiesza. To Łapacz Snów, a Danny stoi przy sterze na rufie cały mokry od deszczu.

Kolana mam jak z waty, kiedy tak wpatruję się w mrok. Wrócił.

Powinnam skończyć opróżnianie pokoju, żeby był gotowy na przyjazd Lii, ale chcę pobiec do niego. Rozpaczliwie pragnę do niego pobiec.

Mogłabym też się uspokoić i poczekać, aż sam wejdzie do domu. Przyjechał się ze mną zobaczyć. Nie ma innej możliwości. Ale jeśli nie będzie chciał mnie niepokoić? Co jeśli postanowi poczekać do jutra? To byłoby do niego podobne, ja tymczasem oszalałabym do reszty.

Łapię ostatnią partię ubrań mamy i zanoszę je do pokoju Edie. Potem idę do siebie i kładę zdjęcie rodziców na komodzie. To mój skarb.

Następnie zbiegam do schodach, piszę kilka słów wyjaśnienia Lii i zostawiam kartkę na stole w kuchni.

Danny wrócił! – piszę. Więcej nie muszę dodawać.

Potem, kiedy jestem gotowa do wyjścia, dochodzi mnie zgrzyt klucza w zamku, Lija otwiera frontowe drzwi.

– Hej! – woła.

Niespokojnie zerkam przez kuchenne okno. Łapacz Snów zacumował, widzę, że Danny wiąże linę, a Diggery niepomny na deszcz biega po pomoście.

To pierwsza noc Lii w już teraz jej domu i jak przystało na przyjaciółkę, powinnam zostać, aby pomóc jej się urządzić.

Lija wchodzi do kuchni, a w ślad za nią zjawia się Ashley.

– Przemokliśmy do suchej nitki – stwierdza z przekąsem. Potem patrzy na mnie. – Co?

– Danny wrócił – mówię, nie mogąc powstrzymać radości. – Jest tutaj.

– To biegnij do niego.

– Nie mogę. Powinnam ci pomóc.

– Biegnij, wariatko – powtarza. – Zadbałam o pomoc. – Lija rzuca okiem na Ashleya.

– Nie masz nic przeciwko temu?

– Nie. – I jeszcze przegania mnie gestem dłoni.

– Nie zabawię długo – obiecuję.

– Nie masz do czego się spieszyć – upomina mnie.

Nie ma mamy. Nie ma Anthony'ego. Nie ma nic.

– Wróć tak, żeby być rano w pracy – dodaje.

– Tak zrobię.

Głową kiwa w kierunku okna, za którym leje deszcz.

– Masz parasolkę? Sweter? Awaryjne majtki i szczoteczkę?

– Nie, nic nie mam.

Uśmiecha się szeroko.

– Zakochałaś się po uszy.

– Chyba tak.

Wybiegam przez tylne drzwi prosto w ulewę. Leje jak z cebra, co chwila grzmi i błyska.

Najszybciej, jak daję radę na czterdziestodwuletnich nogach, biegnę w dół ogrodu. Błyskawice przecinają niebo, a krople deszczu z mocą rozpryskują się o taflę wody. Danny właśnie skończył cumowanie łodzi i zamierza wskoczyć na pokład. Widzę, że rzuca okiem na okno mojego pokoju

– Danny! – wołam. – Danny!

Wtedy spuszcza wzrok i zauważa mnie. Nawet z odległości widzę, że się cieszy na mój widok. Diggery szczeka na powitanie. A moje nogi, nagle niesamowicie lekko, niosą mnie wprost do niego.

Włosy kleją mi się do twarzy, deszcz spływa po policzkach, mieszając się ze łzami radości.

Wpadam prosto w jego szeroko otwarte ramiona. Danny podnosi mnie i wirujemy mocno przytuleni raz za razem na pomoście, aż wreszcie kręci nam się w głowie i brak nam obojgu tchu.

– Nie potrafiłem żyć bez ciebie – szepce mi do ucha. – Nie potrafiłem.

ROZDZIAŁ 84

Błyska i grzmi tuż nad nami, aż drżę, ale sama nie wiem, ze strachu czy z radości.

– Przemokłaś do nitki – zauważa Danny. – Chodźmy do środka.

Wchodzimy razem na pokład Łapacza Snów, a potem do ciepłej i przytulnej kajuty. Woda z nas ścieka. Jego włosy zupełnie przemokły, a koszulka przykleiła mu się do skóry. Wciąż mnie trzyma za rękę, kiedy odwraca się, by na mnie popatrzeć. Splatamy palce i patrzymy się sobie prosto w oczy.

Namiętność iskrząca w moim spojrzeniu odbija się w jego jak w lustrze. Bez słowa zbliżamy do siebie usta, jego wargi są gorące, złaknione.

Kiedy mnie do siebie przyciąga, rozpalonymi dłońmi błądzi po moim przemarzniętym ciele, aż parzy. Ściągam mu koszulkę i jest piękniejszy, niż zapamiętałam, niż śniłam. Opuszkami palców pieszczę mokrą skórę na jego piersi.

Potem zachowujemy się jak dwójka wygłodzonych gości zaproszonych na najwystawniejszy bankiet na świecie. Rzucamy się na siebie gotowi na ucztę. Naszej grze wstępnej brak finezji. Zataczając się, ruszamy do kajuty sypialnej, potykamy się, szarpiąc się nawzajem za ubrania, wreszcie rozbieramy się, potem wpadamy na ściany, meble, przystajemy, aby się całować, dotykać, pieścić. Tym razem obywa się bez wódki, bez skręta, ale i tak czuję się jak pijana i upalona.

Diggery szczeka, idąc w ślad za nami, podskakuje radośnie u naszych stóp, pewnie myśli, że to świetna zabawa.

Padamy na łóżko, zrzucając pozostałe nam jeszcze ubrania, aż nadzy wtulamy się w siebie, ciało przy ciele. Kiedy Danny wchodzi we mnie, czuję się niczym w siódmym niebie. Kocha się ze mną jak spragniony człowiek, który wreszcie dotarł do wodopoju.

– Kocham cię – szepce. – Kocham cię.

Na zewnątrz szaleje burza. Deszcz dudni o szyby. Nasze ciała znajdują wspólny rytm. Diggery zasypia w kącie.

Później, znacznie później, ustaje burza, my też opadamy z sił. Całujemy się teraz czule, spokojnie i słyszymy grzmoty cichnące w oddali. Potem usypiamy wtuleni w siebie w rozkosznej plątaninie ciał i pościeli.

ROZDZIAŁ 85

Po przebudzeniu oboje jesteśmy onieśmieleni.

– Cieszysz się, że wróciłem? – droczy się ze mną.

Wzruszam ramionami, zgrywając obojętność.

– Trochę.

– Czy ucieszyłabyś się bardziej, gdybym zaparzył ci herbatę?

– Tak, myślę, że to by bardzo pomogło – przyznaję.

Ustami muska mój nagi bark i z rozkoszy przechodzi mnie dreszcz. Danny wstaje z łóżka i prosto na nagie uda wciąga dżinsy, co tylko budzi na nowo moje pożądanie. Potem rusza do kuchni i wesoło pogwizdując, szykuje nam herbatę. Chwilę później dociera do mnie zapach opiekanego pieczywa.

Siadam i owijam się prześcieradłem. Przebudzony Diggery wskakuje na łóżko. Głaszczę go po uszach, szyi, aż wreszcie uradowany mości się w kącie przy moich stopach. Wiatr przegonił deszczowe chmury, niebo znów lśni błękitem, choć jest już późny wieczór.

Danny wraca z tacą, na której niesie dwa kubki z herbatą i stos posmarowanych masłem grzanek.

– Kolacja w łóżku – oznajmia.

Wtedy zastanawiam się, pełna nadziei i niepokoju, czy to będzie pierwsza z wielu.

Ściąga dżinsy i nagi siada koło mnie. Kusząca jest myśl, żeby jak najszybciej zjeść tosty i wypić herbatę.

– Nie mogę uwierzyć, że wróciłeś – mówię.

– Płynąłem prosto przed siebie, ale dotarłem tylko do Market Harborough – opowiada ze śmiechem. – Niezbyt wielki ze mnie podróżnik. Im bardziej się od ciebie oddalałem, tym mocniej czułem, że muszę wrócić.

Obejmuje mnie ramieniem, a ja przytulam się szczęśliwa, że znów znalazłam się tak blisko niego.

– Cieszę się, że wróciłeś.

– Na wypadek, gdybym potrzebował pretekstu, odkupiłem ten używany silnik z myślą o Ślicznotce Merryweather.

– Naprawdę?

Kiwa głową.

– Wciąż potrzebuje odrobiny pracy, ale myślę, że sam dam radę. Pogadaliśmy od serca z jego byłym właścicielem, który zaoferował pomoc w razie problemów. Jeśli wciąż chcesz, żebym ją wyremontował.

– Oczywiście, że chcę. – Wtedy uświadamiam sobie, że on nic nie wie o moim nowym położeniu. – Ale może z tym być jeden mały problem.

Danny marszczy brwi.

– Ostatnio w moim życiu zaszło wiele zmian... Nawet nie wiem, od czego zacząć.

– Może od początku?

– Gdzie się to wszystko zaczęło? To zresztą nieistotne – zaczynam. – Rozstaliśmy się z Anthonym. Ale u niego wszystko dobrze, jest zakochany, a ja trzymam za nich oboje kciuki.

– O do diabła!

– Nigdy do siebie nie pasowaliśmy. Tylko uświadomienie sobie tego zabrało mi mnóstwo czasu. Jego aktualna partnerka gra w zespole na dzwonkach. To jego ulubienica – dodaję. – To była miłość od pierwszego wejrzenia.

– Na szczęście nie ciąży ci to na sercu.

– Tak, ale, niestety, inne sprawy są znacznie poważniejsze.

Opowiadam mu o kontrowersyjnym testamencie mamy i o tym, jak dowiedziałam się, że w ogóle nie była moją prawdziwą matką. Danny słucha mnie prawdziwie zaabsorbowany, dlatego ciągnę dalej historię o sprzedaży domu przez moją siostrę, kończąc na stwierdzeniu, że zostałam teraz bez domu i cukierni.

– Obecnie nie mam grosza przy duszy, dlatego remont Ślicznotki Merryweather musi poczekać.

– Ale łódź wciąż należy do ciebie?

– Tak. – Tym samym dochodzę do końca opowieści. – Przynajmniej ona jedna.

Danny mierzwi włosy, a na jego twarzy maluje się wyraz lekkiego zdziwienia.

– I to wszystko wydarzyło się podczas mojej nieobecności?

– Tak. Jest jeszcze kilka rzeczy. Teraz dom i kawiarnia należą do Lii. Z całym majdanem. Szczęśliwie okazało się, że jej ciotka zalicza się do grona dość podejrzanych rosyjskich oligarchów i pożyczyła jej pieniądze. Całą potrzebną kwotę. Sama wcześniej próbowałam zebrać gotówkę, ale banki nawet nie chciały się ze mną umówić. Miałam wrażenie, że kredytu udziela się tylko wtedy, gdy się go nie potrzebuje.

– Jak się z tym wszystkim czujesz, że Lija została właścicielką cukierni i domu?

– Cieszę się. Miło mi, że przejął to ktoś mi bliski. Nawet nie wyobrażam sobie, jak okropnie by było, gdyby dom trafił w obce ręce albo gdyby nowy właściciel zamknął interes. Poza tym Lija doskonale da sobie radę. Już kipi pomysłami, które mnie samej nigdy nie przyszłyby do głowy.

– Co teraz zamierzasz zrobić?

Patrzę na niego ze smutkiem.

– To dopiero pytanie. Najprawdopodobniej zostanę, żeby pomóc Lii. Obiecałam, że będę ją wspierać. – Z westchnieniem dodaję: – W tej chwili czuję się, jakby odebrano mi wszelkie prawa obywatelskie, poza tym zbyt wiele złego się tu wydarzyło.

Danny siada gwałtownie.

– Płyń ze mną – mówi. – Lija da sobie radę bez ciebie. Uwielbiam życie na wodzie, Fay. Tobie też się spodoba. Jestem tego pewien. Na razie dane było mi posmakować zaledwie ułamka tego, z czym to się wiąże. Moglibyśmy popłynąć na północ, aż do Walii i z powrotem. – Jego rozentuzjazmowane oczy lśnią. – Takie życie ma swój własny rytm, zresztą po tych wszystkich przeżyciach na pewno przydałyby ci się długie wakacje.

To brzmi bardzo kusząco. Moje serce radośnie podskakuje na myśl o przemierzaniu kanałów z Dannym na pokładzie Łapacza Snów. To dopiero byłaby sielanka.

Ale rzeczywistość ściąga mnie na ziemię.

– Co z Liją? – pytam. – Nie mogę jej tak po prostu zostawić na lodzie. Będzie mnie potrzebować. A Stan? Co ze Stanem? – Przypominam sobie jego wczorajszą, zmęczoną twarz. – Ma dziewięćdziesiąt trzy lata. Ile mu jeszcze pozostało? Potrzebuje pomocy, troski, przecież nie ma już żadnej rodziny.

– Jesteś wolna, Fay. Po raz pierwszy od lat. Nie ogranicza cię ani mama, ani cukiernia. Nie mnóż niepotrzebnych przeszkód. Masz teraz czas dla siebie. Możemy to zrobić, razem.

Z jego ciemnych oczu bije taka szczerość, tak mocne pragnienie, że z trudem przyjdzie mi się z nim nie zgodzić. A jednak...

– Nie mam pieniędzy. Ani pensa.

– Mamy dość, żeby przeżyć przez jakiś czas – zaprzecza. – Po drodze zresztą mogę się najmować do rozmaitych prac. Ty mogłabyś piec ciasta i sprzedawać je z pokładu.

– Sama nie wiem...

Czuję narastającą w piersi panikę. Czy mogłabym tak po prostu wstać i odejść? Złożyłam obietnicę Lii. Martwię się o Stana.

– Mógłbyś tu zostać – proponuję. – Znaleźć pracę w okolicy.

– Mógłbym – zgadza się ze mną spokojnym tonem głosu. – Ale nie o tym marzę.

Czuję, jak przygniata mnie jarzmo odpowiedzialności. Czy mogłabym po prostu wstać i zostawić ich samym sobie? Nawet teraz martwię się, że zostawiłam Liję samą w jej pierwszą noc.

– Chyba powinnam wracać – mówię.

Zrobiło się ciemno. Nie wiem, jak długo leżałam w jego rozkosznych ramionach, ale najprawdopodobniej trzeba się ruszyć.

– Lija musi zachodzić w głowę, gdzie jestem.

– Nie jest dzieckiem, Fay – przypomina mi Danny. – Tylko dorosłą kobietą, i wierz mi lub nie, ale potrafi sobie dać bez ciebie radę.

– Nie chciałabym, żeby spędziła samotnie swoją pierwszą noc w domu.

– Och, Fay – wzdycha Danny. – Kiedy zaczniesz myśleć o sobie?

– Nie wiem – odpowiadam mu. – Nie wiem, czy w ogóle potrafię.

ROZDZIAŁ 86

Niechętnie wstaję z łóżka i ubieram się. Kiedy w ciemności przechodzę przez ogród w stronę domu, czuję pod stopami mokrą trawę. Już tęsknię za ciepłem jego ramion i bliskością jego silnego ciała.

Na dole światła są zgaszone, wygląda na to, że Lija już się położyła, dlatego na paluszkach wchodzę na górę, żeby jej nie obudzić.

Najwyraźniej niepotrzebnie się martwiłam. Zamieram na szczycie schodów, nie wiedząc, co zrobić. Odgłosy dochodzące z pokoju mamy, to znaczy Lii, świadczą o tym, że nie jest sama. Wygląda na to, że razem z Ashleyem wzięli się za świętowanie. Z werwą i entuzjazmem. Wygląda na to, że nie musiałam się martwić, jak sobie poradzi sama. Powinnam była się domyślić.

Namiętne krzyki i jęki narastają, dlatego zatykam uszy palcami. O mój Boże, modlę się, żeby nie potrwało to całą noc. Powinnam jednak oddać sprawiedliwość Lii, która musiała założyć, że zostanę na noc na Łapaczu Snów przy Dannym, bo ona tak właśnie by postąpiła w podobnych okolicznościach. Przeklinam w duchu swoją durnotę. Danny miał rację. Oczywiście, że Lija da sobie beze mnie radę.

Przy następnej fali okrzyków mam ochotę napisać SMS-a do Lii, żeby wiedziała, że jestem w pokoju obok. Ale przecież to jest jej dom. Może w nim robić to, na co ma ochotę. Jeśli zamierza przyprowadzać co wieczór innego faceta, nie mam tu nic do powiedzenia.

Cichutko jak myszka zakradam się do sypialni. Następnie podchodzę do okna, żeby popatrzeć na kanał. Na Łapaczu Snów wszystkie światła są już zgaszone, najwyraźniej Danny i Diggery śpią. Obu przesyłam pocałunek.

Kocham go. W to nie wątpię. Dlaczego w takim razie tak bardzo bronię się przed związaniem się z nim?

W nocy źle spałam i nie miało to związku z namiętnymi wyczynami Lii, najzwyczajniej na świecie nie potrafiłam znaleźć ukojenia od dręczącej mnie gonitwy myśli. Aż do białego rana wałkowałam ostatnie wydarzenia, odtwarzałam każdy ich szczegół wciąż i wciąż bez końca, ale nigdzie mnie to nie zaprowadziło.

Ostatnią rzeczą na ziemi, na jaką mam dziś ochotę, jest praca w kawiarni i muszę przyznać, że po raz pierwszy w życiu tak się czuję.

Biorę długi, gorący prysznic, ubieram się. Kiedy schodzę na dół, Lija już tam jest. Razem z Ashleyem. Siedzą obok siebie przy kuchennym stole, karmiąc się nawzajem kawałeczkami tostu i chichrając niczym para podlotków. Lija wciąż jest tylko w bieliźnie, a Ashley siedzi boso, bez koszulki, w samych dżinsach. Na mój widok oboje podskakują.

– Przepraszam – mówię. – Przepraszam.

– Myślałam, że zostałaś z Dannym – zauważa Lija nie bez słuszności.

– Ja... to znaczy... Nie chciałam, żebyś była tu sama.

– Fay – uśmiecha się do mnie. – Nie musisz się o mnie martwić.

– Wiem. – Zmieszana wykręcam dłonie. – To znaczy, właśnie sobie to uświadomiłam. Przyzwyczajenie drugą naturą człowieka.

– Chodź. Siadaj. Zrobię ci grzankę.

– Nie. Nie. Nie chciałabym przeszkadzać.

Podchodzi, aby zaprowadzić mnie do krzesła, na którym usadza mnie siłą.

– Zamknij się. Pij herbatę.

Ashley napełnia dla mnie kubek.

– Dzień dobry.

– Dzień dobry. – Podnoszę herbatę. – Dziękuję.

Posyła mi nieśmiały uśmiech. Wygląda, jakby żałował, że nie założył koszulki.

Ja natomiast czuję się niczym piąte koło u wozu. Wtedy pewna myśl uderza mnie z całą mocą. Lija mnie tu wcale nie potrzebuje. Łatwiej by jej było, gdybym usunęła się z drogi, żeby samodzielnie mogła zarządzać tym miejscem, nie musząc martwić się, czy czasem nie zerkam jej przez ramię.

– Zaraz wracam – rzuca Ashley i wybiega z kuchni.

– Teraz go na dobre przepłoszyłaś – mówi Lija, stawiając przede mną kilka grzanek.

– Przepraszam – bąkam.

– Żartuję – cmoka zniecierpliwiona. – Musi iść do pracy. My także.

– Powinnyśmy porozmawiać, Lijo.

– Wiem. Finanse. Trzeba ustalić nasze pensje i przejrzeć księgi. Mam to na liście. – Macha mi przed oczami kartką papieru.

Na liście? Nie wiedziałam, że Lija działa w ten sposób.

– Obmyśliłam plan rozwoju – ciągnie.

– Może mnie tu nie być, kiedy zaczniesz go wdrażać. – Zbieram w sobie całą odwagę, głęboko wdycham powietrze i dodaję: – Danny zaprosił mnie, żebym wyruszyła z nim. Na Łapaczu Snów.

– Na wakacje? Świetny pomysł – entuzjastycznie przyklaskuje.

– Nie na wakacje. Nie do końca. – Waham się przed sprostowaniem: – Na zawsze.

Lija aż się cofa. Jej już zazwyczaj blada twarz jeszcze bardziej blednie.

– Nie – mówi. – Nie możesz mi tego zrobić. Potrzebuję cię tutaj. Zrobiłam to dla ciebie, dla nas.

– Wkrótce znów wypływa. Zamierza przepłynąć kraj wszerz i wzdłuż.

– Mógłby tu zostać – proponuje. – Dlaczego by nie?

– Marzy mu się życie w ruchu, na łodzi, ze mną u boku. – Następnie ściszając głos do szeptu, dodaję: – Myślę, że chciałabym z nim popłynąć.

– Nie. – Lija chwyta mnie za ręce. Z jej oczu bije panika. – Nie teraz. Zostań. Bez ciebie nie dam rady.

– Dasz radę. Praktycznie rzecz biorąc, już dajesz.

– Nie! – Jest zrozpaczona, nigdy nie widziałam jej tak przerażonej. – Jeszcze nie teraz. Zostań. Choć na pół roku. Pomóż mi się wdrożyć. Naucz mnie wszystkiego. Do jasnej cholery, nie uciekaj mi teraz na koniec świata, kiedy cię potrzebuję.

– Och, Lijo. – Błyskawicznie rośnie we mnie poczucie winy.

– Pół roku – prosi. – Rok. Nie więcej. Potem możesz odejść.

Moja twarda decyzja zaczyna kruszeć u podstaw.

– Danny zrozumie.

Naprawdę? Zrozumie?

Miałam przez chwilę pewność, stuprocentową pewność, że mogłabym z nim popłynąć. Najnormalniej w świecie wyruszyć w stronę zachodzącego słońca. Ale Lija ma rację. Jak mogłabym ją zawieść? W głębi serca wiem, że nie potrafię.

Gdybym była Edie, mogłabym się zabrać bez pożegnania, ale nie jestem nią. Nawet nie chcę być taka jak ona. Jestem odpowiedzialna, nie zawiodę Lii. Jest dla mnie jak rodzina. Jedyna rodzina, jaka mi została. Zgodnie z tym, co powiedziała, uratowała mój dom i cukiernię. Na pewno na tym nie traci, ale w pierwotnym zamierzeniu chciała mi pomóc. Czy mogłam odwrócić się do niej plecami, skoro wiem, jak trudno znieść zawód od ludzi, którzy, jak nam się wydaje, nas kochają? Mogłam odejść pod jednym warunkiem, jeśli Lija mi na to pozwoli.

– Oczywiście, że zostanę – uspokajam ją. Próbuję się roześmiać, ale zdobywam się jedynie na miałki chichot rozczarowania. – Nie wiem, co sobie myślałam.

Jej ulga jest wręcz namacalna.

– Nie pożałujesz tego. Dziękuję ci, Fay.

– Powiem Danny'emu, że to niemądry pomysł. Zresztą pewnie tu wróci. Jestem o tym przekonana.

Zerkam przez ogród na Łapacza Snów i wewnątrz czuję pustkę.

ROZDZIAŁ 87

Cały poranek w kawiarni panuje ruch, biegamy jak szalone. Wypieki Lii cieszą się coraz większą popularnością. Wcześniej zadzwonili z pobliskiej restauracji z pytaniem o możliwość stałych dostaw. To dowód na to, że jestem tu potrzebna. Lija dzielnie się trzyma, choć wydaje się odrobinę bardziej niespokojna. Staram się usunąć w cień i pozwolić jej na zarządzanie wszystkim, jak to bywało zazwyczaj.

Stan przychodzi na lunch wcześniej i bardzo się cieszę, bo dziś najwyraźniej wrócił do pełni formy.

Siada pod jednym z parasoli zamontowanych przez Danny'ego podczas jego pierwszego postoju w naszej okolicy. Wychodzę się z nim przywitać.

– Cześć, Stan. Wszystko dziś dobrze?

– Och, znakomicie – odpowiada. – Dzień jest przepiękny! Zresztą każdego ranka niezależnie od pogody budzę się, czując ogromną wdzięczność, ale słońce zawsze jest mile widziane.

Siadam naprzeciw niego, pozwalając stopom na krótki odpoczynek. Wczoraj wydawało mi się, że burza przyniesie ochłodzenie, ale dziś jest jeszcze cieplej.

– Przyszłam zapytać, na co masz dziś ochotę. Mamy pyszną nicejską sałatkę, jeśli miałbyś ochotę na małą odmianę, bo jest zbyt gorąco na zupę.

To jedna z pierwszych zmian w menu wprowadzona przez Liję.

– Och, to moja ulubiona – mówi Stan. – Byłoby wybornie.

– Nie chciałbyś usłyszeć, co jeszcze mamy?

– Nie, nie – dziękuje. – Naprawdę nie trzeba.

– W takim razie wracam za chwilę.

– Wyglądasz dziś na zmartwioną, Fay – zauważa Stan.

Nie ruszam się z miejsca.

– Sercowe problemy – przyznaję. – Czas jednak goi rany.

Stan rzuca okiem na Łapacza Snów. Od rana nie widziałam ani Danny'ego, ani Diggery'ego.

– Zauważyłem, że wróciła do nas łódź młodego Danny'ego.

Uśmiecham się. Nic nie umknie przed spojrzeniem Stanleya Whitwella.

– Jesteś spostrzegawczy.

– „Nigdy pogodnie prawdziwej miłości strumień nie płynął"*, jak twierdził Szekspir. A w tym temacie był ekspertem.

– Chce, żebym z nim wyruszyła i zamieszkała na łodzi – wyznaję. – Ale muszę zostać i pomóc Lii.

– Naprawdę? – pyta. – Jesteś tego najzupełniej pewna? Lija to młoda i bardzo zdolna dziewczyna.

– Poprosiła, żebym została. Nie mogę jej zawieść.

– To twój wybór – zauważa Stanley. – Ale, najdroższa Fay, uważaj na decyzje, które mogą ci odciąć drogę prowadzącą do wspaniałych możliwości. Żebyś w moim wieku nie żałowała.

Jak jednak mam to zrobić, przy okazji wszystkich uszczęśliwiając?

– Oboje będziemy za tobą strasznie tęsknić – ciągnie. – Ale ludzie zadziwiająco szybko przyzwyczajają się do nowych okoliczności. Weź to pod uwagę.

– Pójdę przygotować twój lunch – mówię. – Dziękuję za radę. Naprawdę ją doceniam.

Ważę jego słowa przez całą drogę do kuchni.

---

* W. Szekspir, *Sen nocy letniej*, tłum. Stanisław Koźmian, Warszawa 1966, s. 34.

Kiedy ostatni klienci wreszcie kończą posiłek i wychodzą, po gorączce okołolunchowej następuje chwila oddechu. Lija robi listę ciast, które jutro upieczemy.

– Chcesz, żebym poszła i sprawdziła stan zapasów na Ślicznotce Merryweather? Nie zaszkodziłoby tam też przetrzeć kurze.

– Tak – mówi Lija, a po chwili dodaje: – Byłoby miło.

Całe rano obchodzi się ze mną jak z jajkiem. Za kilka dni na pewno wróci do swojej zwykłej aroganckiej pozy.

– Nie zabawię długo.

Wyciągam z szafki ściereczkę i mleczko do mebli, a potem ruszam w dół do Ślicznotki Merryweather.

Wydaje się, że błogie słoneczne dni nigdy się nie skończą, ale nim się spostrzeżemy, noce zaczną się wydłużać, pojawią się chłodne, jesienne wiatry, a ruch w cukierni zmniejszy się, nabierając zimowego rytmu. Czy Lija wtedy będzie mnie potrzebować aż tak bardzo? Zastanawiam się. Prawdę powiedziawszy, najprawdopodobniej przez większość czasu sama bym dała sobie radę, zwłaszcza kiedy odpadłaby opieka nad mamą. Tylko że nigdy tego nie chciałam. Mimo jej impertynencji, Lija zawsze była świetną i lojalną towarzyszką. W podziękowaniu mogę jedynie odpłacić jej podobną dobrocią.

Wchodzę na pokład Ślicznotki Merryweather. Zawsze, kiedy mam tu spędzić chwilę, nieważne jak krótką, moje serce rośnie. Kochałam tę łódź całe życie, ale teraz stała się dla mnie jeszcze droższa, od kiedy wiem, że na jej pokładzie moi rodzice byli tak szczęśliwi i że kiedyś żyliśmy tu razem całą rodziną. To mnie podnosi na duchu.

Półki nieco opustoszały, notuję w notatniku w telefonie, czego potrzebujemy: biszkoptów przekładanych kremem, babek cytrynowych, pierników – klasyczne ciasta sprzedają się na pniu. Nie brakuje za to dżemu truskawkowego, mimo że jeden z garnków wylądował na głowie mojej siostry. Wzdycham na to wspomnienie.

Edie jest już u siebie, w swoim pełnym wiru manhattańskim życiu. Ta myśl sprawia, że w oczach stają mi łzy. Ciężko będzie mi nie dzwonić do niej, aby zapytać, jak jej leci, ale nie sądzę, żeby chciała ze mną rozmawiać.

Siadam przy stole i chowam twarz w dłoniach.

– Przepraszam cię, tato, że wszystko tak się właśnie ułożyło – mówię. – Zawsze starałam się o nią troszczyć. Nie wiem, gdzie popełniłam błąd.

Tutaj czasami zdarza mi się tak bardzo poczuć bliskość taty, aż mam wrażenie, jakby siedział obok mnie, i wierzę, że po otwarciu oczu go zobaczę. Przyjemny, choć lekko stęchły zapach łodzi, przypominając mi o nim, potęguje tylko to wrażenie.

– Widziałam wasze zdjęcie, twoje i mamy, mojej prawdziwej mamy. Znalazłam je w szufladzie pod papierem. Ciekawe, czy to ty je tam schowałeś? Mama wygląda ślicznie – mówię. – Czy kochałeś ją mocniej niż Mirandę? Wyglądacie na strasznie zakochanych. Szkoda, że nie możemy porozmawiać, tato. Przydałoby mi się kilka twoich rad.

Wystarczyłoby jedno słowo. Więcej nie potrzebuję. Głos taty niesiony na wietrze. Ze smutkiem jednak wsłuchuję się w panującą wokół ciszę.

Kiedy jednak podnoszę głowę, widzę, że Danny z Diggerym wyskakują z Łapacza Snów na pomost. Moje serce na jego widok robi radosne salto. Pukam w okno i macham do niego. Kiedy odwraca się i mnie zauważa, jego oczy lśnią tak, że aż przechodzi mnie dreszcz.

– Wybacz, kurzu – mówię głośno. – Musisz jeszcze poczekać.

I wybiegam do Danny'ego.

ROZDZIAŁ 88

Danny wyciąga dłoń, żeby pomóc mi wyjść z łodzi, i staję na pomoście naprzeciwko niego.

– Hej – witam się z absurdalnym poczuciem onieśmielenia.

– Masz teraz czas? Chodźmy na spacer. – Jest radosny, podekscytowany. – Na łodzi panuje żar jak w piekle, a Digs rozpaczliwie potrzebuje czegoś się napić dla ochłody, dlatego zamierzaliśmy przejść się do Dwóch Barek.

Zerkam na dom. Powinnam wrócić i pomóc Lii z wypiekami na jutro, ale nie sądzę, żeby miała mi za złe godzinną przerwę, poza tym Danny'ego i mnie czeka trudna rozmowa.

– Chyba tak. Ale lepiej zapytam Lii, czy mogłabym wyskoczyć na chwilę?

– Nie czujesz się dziwacznie, od kiedy ona została twoją szefową?

– Trochę – przyznaję. – Ale jestem pewna, że z czasem obie się do tego przyzwyczaimy.

Patrzy na mnie, a ja nie jestem w stanie rozgryźć, o czym myśli.

– Jak rozumiem, zamierzasz zostać.

– Chodźmy – mówię.

Bierze mnie za rękę i ruszamy przez ogród. Kiedy docieramy do werandy, zaglądam przez tylne drzwi do środka. Lija ma już ręce białe od mąki.

– Hej. – Danny zatrzymuje się i wyciąga do niej dłoń.

– Hej, kochasiu – odpowiada mu tym samym tonem, wtedy on przesyła jej szeroki uśmiech.

– Danny zaprosił mnie do Dwóch Barek na drinka – mówię. – Nie masz nic przeciwko temu?

– Oczywiście, że nie – odpowiada.

Męczy mnie poczcie winy, że zostawiam ją samą, kiedy jest tyle do zrobienia.

– Nie zabawię długo.

Lija patrzy na mnie i ściąga usta.

– Co?

Czy nie chce, żebym teraz szła?

Lija kręci głową.

– Nic. Idź już.

– Nie wolałabyś, żebym została ci pomóc? Jeśli chcesz, to nie ma sprawy.

– Już cię nie ma. – Palcami białymi od mąki wskazuje na ulicę. – I nie musisz się śpieszyć z powrotem.

– Okej.

Wychodzimy zatem z Dannym przez bramę na ulicę, Diggery rusza w ślad za nami, radośnie podskakując wokół naszych nóg. Na moście zatrzymujemy się i opieramy o stary mur z cegieł, aby popatrzeć na płynącą pod nim wodę. Danny obejmuje mnie w pasie, odwracam się w jego stronę.

Całujemy się namiętnie, przywieram do jego ciała, ciesząc się z tej bliskości. Wiruje mi w głowie. Czy zasmakowawszy w tym uczuciu, będę potrafiła bez niego żyć?

– Tęskniłem za tobą – mówi Danny, kiedy odsuwamy się od siebie.

– Przecież widzieliśmy się zaledwie kilka godzin temu.

– Wiem – przyznaje.

To tortura, prawdziwa tragedia. Nie mam ochoty na rozmowę, która nas czeka. Chciałabym zatrzymać tę chwilę na zawsze, aby umknąć przed nieuniknionym. W moich uszach wciąż dźwięczą słowa Stana, jego rada, aby korzystać z nadarzających się okazji.

Idziemy, trzymając się za ręce, nadbrzeżną ścieżką w kierunku pubu. Niebawem jeżyny obsypią się dojrzałymi owocami i razem z Liją przyjdziemy je oberwać, a potem urządzimy kolejną długą sesję przygotowywania dżemów. W tym roku niewiele padało w ciągu lata, dlatego owoców nie będzie zbyt wiele. Zamiast soczystych, ogromnych czekają nas raczej drobne i mikre jeżyny. Ale nawet zaduma nad zmienną naturą przyrody nie pozwala mi zapomnieć o bliskości Danny'ego.

– Czuję się dziwacznie – odzywam się.

Śmieje się.

– Czemu?

– Nie wiem – przyznaję. – Po prostu.

Jesteś zbyt młody i zbyt piękny dla mnie, myślę w duchu. Ale jednocześnie w głębi serca czuję, że kocham go za to jeszcze bardziej.

– Moglibyśmy spędzać czas razem już zawsze, wiesz dobrze.

Ściskam mu dłoń. Niełatwo będzie mi to powiedzieć.

– Nie mogę zostawić Lii.

Uśmiecha się ze smutkiem w oczach.

– Skąd wiedziałem, że tak właśnie powiesz?

– Bo jestem tchórzem.

Zatrzymujemy się, a on opiera dłonie na moich ramionach.

– Bo jesteś dobrą i oddaną przyjaciółką, która nigdy nie pozwoli, aby jej własne potrzeby przeważyły nad sprawami innych.

Unosi mój podbródek, a wtedy, patrząc w jego pełne smutku oczu, mówię:

– Co w takim razie teraz zrobimy?

– To zależy tylko od ciebie, Fay.

– Nie potrafię tak po prostu odejść. Jeszcze nie teraz.

– A może nigdy.

– Sama nie wiem.

– Z trudem zostawiasz ją samą na pięć minut – zauważa.

I ma zupełną rację.

– Poprosiła, żebym została na pół roku, może nieco dłużej. Aż sama stanie na nogi. Tylko tyle.

– Rozumiem, Fay – ciągnie. – Oczywiście, że to rozumiem. Ale co, jeśli potem znów cię poprosi, żebyś została? Albo jeśli Stan zachoruje?

– Nie wiem.

– Zawsze coś się znajdzie, Fay. Teraz jesteś wolna jak nigdy dotąd. Czy żądam zbyt wiele, prosząc, abyś dała mi szansę i umieściła mnie na pierwszym miejscu?

– Nie. Oczywiście, że nie.

Ciężko wzdycha.

– Ty nie potrafisz się stąd wyrwać, a ja nie potrafię tu zostać. To, że kocham cię nad życie, nie ma tu nic do rzeczy.

W tej chwili zapewne, aby zmusić go do zmiany zdania, mogłabym sięgnąć do arsenału błagań, próśb, emocjonalnego szantażu czy innych odwiecznych kobiecych sztuczek. Mogłabym obarczyć go podobnym poczuciem winy, które mnie samej krępowało ruchy. Co jednak bym w ten sposób osiągnęła? Doświadczyłam tego ze strony Edie i mamy i nie lubiłam takiego traktowania. Ktoś musiał zostać, bo obie tego chciały, po prostu. Nie mam prawa przetrzymywać tutaj Danny'ego tylko dlatego, że ja tak chcę.

– Pragniesz podróżować – odzywam się. – A ja nie chcę ci tego uniemożliwiać. Nie zamierzam odbierać ci szansy na wspaniałe życie, na smakowanie wolności i radości z bycia młodym.

– Ale do mnie nie dołączysz?

– Możesz tu zawsze przyjechać, kiedy tylko będziesz miał ochotę. Wiesz o tym. – Silę się na beztroski ton, ale serce mi pęka na pół.

– Może nie być mnie dłużej niż pół roku – ostrzega Danny. – Dopiero uczę się nowego rytmu, dlatego nie wiem, ile zajmie mi żeglowanie po kraju.

– W zależności od miejsca, w którym będziesz, mogłabym dojechać do ciebie na weekend lub krótki urlop.

– Tak? – Unosi brew. – Kiedy ostatnio byłaś na wakacjach, Fay?

– Poczekaj... niech się zastanowię – bronię się. – Dawno temu.

Tak dawno, że nawet nie pamiętam. Anthony wyjeżdżał na golfowe zgrupowania z kolegami, a ja wciąż nie znajdowałam czasu, obarczona troską o macochę i cukiernię.

– Bo zawsze miałam na głowie mamę i interes...

– A teraz masz Liję i Stana.

– Jeśli nie spróbuję, nigdy się nie dowiem.

Potem oboje milczymy, bo doskonale zdajemy sobie sprawę, że tego akurat nie chce żadne z nas. Przecież marzę o wspólnym życiu razem z nim i jestem pewna, że Danny pragnie tego samego, ale trzeba też wziąć pod uwagę potrzeby wszystkich wokoło. Prawda?

Dochodzimy do Dwóch Barek i mimo wczesnego popołudnia ogródek jest pełen ludzi.

– Zbyt długo chyba cieszyłem się ciszą i spokojem żeglugi, bo panujący tu gwar aż rani mi uszy – stwierdza Danny.

Wyobrażam sobie, jak rozkosznie można się czuć, samotnie dryfując przez spokojne wody kanału, ale szybko przeganiam ten obraz z głowy.

Razem z Diggerym idziemy do ogrodu, gdzie znajduję wolny stolik na skraju, tuż nad wodą. Kilka barek wynajętych w miejscowej wypożyczalni cumuje wzdłuż brzegu, a rodziny z dziećmi szaleją na placu zabaw. Kilkoro klientów wygląda, jakby urwało się z pracy i było na wagarach, zostawiwszy zamknięte biura daleko w Milton Keynes i teraz cieszą się promieniami popołudniowego słońca.

Kilka minut później Danny przynosi do stolika nasze napoje. Przede mną stawia kieliszek mocno schłodzonego białego wina, sam pije piwo prosto z butelki.

Wino ma kwaśny posmak, ale sprawiła to chyba jednak moja głowa, a nie jakość trunku.

– Dziś już wypływam – oznajmia.

– Och. Tak szybko?

Jego słowa trafiają mnie obuchem. Założyłam, że zostanie na tydzień albo i dłużej. Nie zniosę chyba, jeśli odpłynie już dziś, kiedy tak bardzo cieszy mnie jego bliskość.

– Nie zamierzam tego przeciągać, Fay. Potem będzie jeszcze trudniej. – Kładzie dłoń na mojej. – Rozumiesz mnie?

– Jasne.

Ale to wcale nie pomaga w uśmierzeniu bólu. Na samą myśl o rozstaniu dostaję mdłości.

– Nawet nie znam twojego numeru telefonu – mówi Danny.

– To przynajmniej można szybko zmienić.

Oboje wyciągamy nasze komórki i wymieniamy numery. Zachowujemy się sztywno niczym nieznajomi.

– Bądź wyrozumiała – prosi Danny. – Sama wiesz, jak marnie jest z zasięgiem na wodzie. W trzech czwartych czasu telefon jest zupełnie bezużyteczny. Dlatego nie panikuj, jeśli od razu nie oddzwonię.

Nie mogę uwierzyć, że o tym rozmawiamy. Zjawił się w moim życiu i wywrócił je do góry nogami. A teraz zaraz, zbyt szybko, znów zniknie. Czułam, jak mi się wymyka. Nie podejrzewam, że co noc planuje imprezę, ale co, jeśli podróżując, kogoś spotka? Kogoś, kogo nie przytłacza nadmierne brzemię odpowiedzialności, kto może z nim być przez cały czas?

Danny kończy swoje piwo.

– Odprowadzę cię.

Dopijam wino i razem wracamy ścieżką do domu. Schodzimy na brzeg kanału i dochodzimy do pomostu, przy którym zacumował Łapacza Snów.

– Uda nam się – mówi. – Jeśli oboje tego zechcemy.

Jest młody i pełen optymizmu. Choć jestem starsza, ale niewiele mądrzejsza, to wiem, że życie często potrafi pokrzyżować plany i zniweczyć marzenia.

– Oczywiście, że tak.

– Będzie nam ciebie brakować. Nieprawdaż, Digs?

Piesek macha ogonem i to już wystarcza, żeby rozerwać mnie na pół.

– Kiedy odpływasz?

– Za kilka godzin.

Zerkam na dom.

– Lija będzie mnie teraz potrzebować, ale wrócę później pomachać ci na pożegnanie.

Danny kręci głową.

– Nie. Nie trzeba. To byłoby nie do zniesienia.

Próbuje się uśmiechnąć, ale widzę, że mu smutno. Troszcząc się o jedną osobę, drugą skazuję na cierpienie. Czy to jedno z niepisanych praw wszechświata?

– Pocałuj mnie i życz mi szerokiej drogi.

Podchodzę i wtulam się w niego, czując dotyk jego gorących ust na swoich. Jak mogę pozwolić mu odejść? Z oczu lecą mi łzy, które on ściera kciukiem.

– Pół roku szybko minie – szepce mi nad uchem.

– W mgnieniu oka.

Ale w głębi serca wiem, że mogę go stracić. Jeśli odpłynie, może się to okazać naszym pożegnaniem na zawsze.

ROZDZIAŁ 89

Szybko idę do domu, przełykając po drodze łzy. Wiem, że stoi tam, patrząc, jak odchodzę. Diggery szczeka. Ale nie potrafię się odwrócić. Gdybym tak zrobiła, byłabym stracona.

Chcę na zawsze zachować w pamięci obraz, jak stoją obaj na pomoście tuż przy Łapaczu Snów. Pomoże mi przetrwać samotne dni i noce.

Kiedy docieram do werandy, biorę się w garść. Wymuszam na sobie uśmiech gotowa wskoczyć z powrotem w codzienną rutynę, aby pomóc Lii w kuchni. Muszę pokazać jej zapisaną w telefonie listę ciast, których zapasy na Ślicznotce trzeba szybko uzupełnić.

Rozkojarzona wchodzę do kuchni, ale kiedy widzę białą jak ściana Liję stojącą przy kuchence, od razu przytomnieję i zszokowana zauważam moją siostrę siedzącą przy kuchennym stole. Ma przekrwione oczy i zmęczoną, bladą cerę. Na podłodze stoi jej walizka.

– Myślałam, że jesteś już w Nowym Jorku. – Pierwsza myśl, jaka przychodzi mi do głowy, to, że pokłócili się z Brandonem. – Czy wszystko w porządku?

– Nie potrafiłam wejść na pokład samolotu, Fay – odzywa się niepewnie. – Musiałam wrócić z tobą porozmawiać.

Zerkam na Liję.

– Przepraszam, ale chyba potrzebuję kolejnej przerwy.

W odpowiedzi kiwa głową.

– Chodźmy na werandę – mówię do Edie.

Moja siostra wstaje i rusza w ślad za mną.

– Przyniosę herbatę – oferuje Lija. – Obu wam się przyda.

– Dziękuję.

Edie idzie za mną na werandę, wyciągam dwa krzesła stojące pod więdnącym powojnikiem. Lija przynosi i zostawia nam dwa kubki herbaty, a potem pełna dyskrecji zamyka za sobą drzwi prowadzące do kuchni. Obie z Edie patrzymy na kanał, nie ośmielając się spojrzeć sobie w oczy.

– Zostałyśmy tylko dwie, Fay – zaczyna Edie. – Nie potrafiłam tego tak zostawić. Kiedy przyjechałam na lotnisko, nawet nie zgłosiłam się do odprawy. – Ciężko wzdycha. – Stanęłam w kolejce, czując, że z każdym krokiem jestem dalej stąd, ale kiedy miałam podejść z paszportem, nie potrafiłam ruszyć z miejsca. Zawróciłam i przez kilka godzin siedziałam w holu lotniska, nie wiedząc, co powinnam zrobić, wrócić czy wyjechać. W końcu przyjechałam do Milton Keynes i zameldowałam się w hotelu. Potem długo zbierałam się na odwagę, żeby tu przyjść z tobą porozmawiać. Nie byłam pewna, czy w ogóle będziesz mnie chciała widzieć.

– Jesteś moją siostrą.

– Tak i potraktowałam cię naprawdę podle. – Rozkleja się i zaczyna płakać. – Wszystko straciłaś. – Dłonią wskazuje na ogród. – Odebrałam ci dom i źródło utrzymania. Choć wiedziałam, że kochasz to miejsce. To wszystko moja wina.

– To prawda, Edie. Nie zaprzeczę. Wszystko mi odebrałaś.

– Nie wiem, co teraz zrobić? – lamentuje. – Jak mogłabym to naprawić?

– Co chciałabyś teraz zrobić? Już nie odzyskasz domu. Klamka zapadła. Wszystko teraz należy do Lii. Pomogła mi, dzięki Bogu, kiedy odwróciłaś się do mnie plecami.

– Teraz dopiero to do mnie dotarło. – Edie jest zrozpaczona. – Nie wiem, co ja w ogóle miałam w głowie. Za bardzo się pospieszyłam, nie przemyślałam wszystkiego dokładnie.

– Interesowały cię tylko pieniądze. Nie brałaś pod uwagę możliwych konsekwencji.

Zwiesza głowę.

– Musisz mnie nienawidzić.

– Niezbyt cię lubię – przyznaję. – Ale mimo wszystko wciąż cię kocham. Jesteśmy siostrami i nic tego nie zmieni.

– Przepraszam. – Edie zalewa się łzami. – Przepraszam.

Przysuwam krzesło do niej i obejmuję ją ramieniem.

– Cicho, cichutko – szepcę. – Nie płacz.

– Jak mogłabym to naprawić?

– Już za późno, Edie. Pozostaje nam cieszyć się tym, co mamy.

– Bez ciebie nie dam sobie rady, Fay. Strasznie się cieszyłam, że wracam do Brandona, a potem uświadomiłam sobie, jak płytkie jest moje życie przy jego boku. Nic razem nie robimy. Nawet nigdzie nie chodzimy razem. Pomyślałam, że teraz, kiedy mam pieniądze, pomogę mu, a wtedy chętniej będzie ze mną spędzał czas, ale czy to właściwa podstawa dla związku? W ten sposób tylko płaciłabym za jego miłość.

Może Edie wreszcie dorasta.

– Rozważam powrót do Anglii. Może zamieszkałabym w okolicy i dojeżdżała do pracy w Londynie. – Znów szlocha. – Mogłam przecież już dawno wrócić do domu.

– Zawsze wydawało mi się, że dobrze byśmy się bawiły, prowadząc wspólnie kawiarnię.

– Gdybym się ciebie w porę posłuchała. – Ociera łzy i z braku chusteczki wyciera nos w przedramię.

Przypomina mi się Edie sprzed ponad dwudziestu lat, i aż ściska mnie w sercu.

– Zawsze byłaś rozsądniejsza ode mnie – dodaje.

Może zbyt rozsądna, aby zadbać o siebie.

– Teraz prowadzisz kawiarnię z Liją.

– Tak.

– Chciałabym się z tobą pogodzić – ciągnie Edie. – Zawsze mi pomagałaś, a ja zachowałam się jak samolubna świnia.

– Nie zamierzam tego komentować – ganię ją.

– Podzielę między nas pieniądze – proponuje. – Wciąż czekam na przelew. Pan Crawley twierdzi, że to zajmie chwilę, bo formalności okołospadkowe zawsze trwają, trzeba też zatwierdzić testament. Ale gdy tylko dostanę pieniądze, połowa należy do ciebie.

– Nie musisz tego robić, Edie.

– Poprosiłam w banku o zaliczkę i już teraz mogę ci dać kilka tysięcy.

– Nie ma takiej potrzeby.

Wyciąga grubą kopertę z designerskiej torebki i kładzie ją koło mnie na stole.

– Weź – mówi. – To twoje.

– Dziękuję.

Mam swoją dumę, ale muszę brać pod uwagę także sytuację, w jakiej się znajduję. Nie chciałabym też odrzucić pojednawczego gestu ze strony Edie.

– Naprawdę mi zależy, Fay. Chciałabym, żeby między nami było jak dawniej. Jesteśmy siostrami, choć z dwóch różnych matek. Wychowałyśmy się razem i powinnyśmy trzymać się razem.

– Znalazłam zdjęcie mojej prawdziwej mamy – zwierzam się. – Wyglądało na to, że tata ukrył je w jednej z szuflad w sypialni, pod papierową wyściółką. Jestem do niej podobna.

– Och, Fay. Mama nigdy nie powinna była tak postąpić. Skłóciła nas ze sobą, co wcale nie wyszło na dobre.

– Musiała mieć swoje powody. – Choć nie wiem, jaki człowiek z premedytacją krzywdzi własne dzieci. – Ale wkrótce dowiem się, ile tylko dam radę, o mojej prawdziwej mamie. Chcę wiedzieć, kim była.

– Na pewno ci się uda. – Edie patrzy na mnie z nadzieją. – Czy na nowo jesteśmy siostrami? Wybaczysz mi?

– Nigdy nie przestałyśmy być siostrami – mówię. – Ale cieszę się, że znów jesteśmy przyjaciółkami.

– Ja też.

Wstajemy i mocno się przytulamy.

Śmieję się przez łzy.

– Czy wybaczyłaś mi, że wylałam na ciebie gar dżemu?

– To w sumie było bardzo zabawne – przyznaje, pociągając nosem Edie. – Ale dotarło to do mnie dopiero później. Moja ulubiona sukienka była do wyrzucenia.

Chichoczemy razem niczym małe dziewczynki, Edie przytula mnie raz jeszcze.

– Kiedy wreszcie przyjdzie przelew, może mogłabyś odkupić cukiernię albo coś.

– Może.

– Lija na pewno się zgodzi. Przecież zrobiła to dla ciebie, Fay. Ta drobna, opryskliwa dziewczyna potraktowała cię lepiej niż ja, twoja siostra. Nigdy o tym nie zapomnę.

Jestem pewna, że Lija pozwoliłaby mi odkupić cukiernię, ale teraz biznes należy do niej, a ja w głębi duszy czuję, że już mi nie zależy. Mogę oczywiście zostać i ciągnąć to dalej, ale jakim kosztem? Poza tym najpierw poczekam, czy Edie dotrzyma słowa. Mam nadzieję, że nie zmieni zdania, kiedy w końcu wróci do Brandona. Mocno trzymam kciuki, bo na pewno zdjęłoby to ogromny ciężar z moich ramion. I wiecie co? Kiedy następnym razem ponowi swoją propozycję, przyjmę pieniądze i z przyjemnością zdeponuję je w banku. Przynajmniej pozwoli mi to na wyremontowanie i przywrócenie Ślicznotki Merryweather do stanu świetności, co na pewno mnie szczerze uraduje.

– Przykro mi też, że zerwaliście z Anthonym. – Jest teraz jeszcze bardziej zawstydzona.

– Nic się nie stało. Nie byliśmy sobie pisani. W jego sercu była już inna kobieta. Razem wydają się tacy szczęśliwi.

– Co z tobą? Co z tym przystojnym, młodym gościem, z którym było ci tak dobrze?

Zerkam na Łapacza Snów.

– Danny jest tutaj – mówię. – Ale wkrótce płynie dalej. Marzy mu się życie na łodzi, wieczna żegluga i nie chcę mu tego odbierać.

– W takim razie zabieraj się z nim – radzi mi Edie. – Dlaczego by nie? Sama nie widzę w tym nic pasjonującego, ale od zawsze uwielbiałaś starą łajbę taty i kanał.

– Poprosił mnie nawet o to. Ale... cóż, nie mogę zostawić Lii.

Marszczy brwi.

– Nie jestem może najwłaściwszą osobą do udzielania porad parom, ale wydawało mi się, że łączy was coś szczególnego. Na pewno jest między wami chemia.

– Lubię go. Kocham go.

– Taka miłość nie zdarza się zbyt często. Na twoim miejscu uczepiłabym się jej mocno dwoma rękami i nie pozwoliła się wymknąć.

– Nie mogę tak po prostu rzucić wszystkiego i wyjechać.

– Sama wiesz o tym najlepiej, Fay. Ale skoro mowa o wyjeżdżaniu... – Edie rzuca okiem na zegarek. – Muszę lecieć, bo spóźnię się na samolot. Kolejny raz. Przesunęłam bilet na dzisiejszy wieczór i jeśli teraz nie wyjdę, to mogę nie zdążyć.

– Zostań jeszcze – proszę. – Kilka dni dłużej? Ostatnie tygodnie były potworne dla nas obu.

– Nie można dwa razy zmieniać daty wylotu – mówi. – Poza tym muszę wrócić do Nowego Jorku, żeby zerwać z Brandonem. Powinien wrócić do rodziny, bo tam jest jego miejsce. Chcę mu to osobiście powiedzieć. Wkrótce wpadnę z wizytą. Obiecuję.

– Zawiozę cię na lotnisko.

– Z przykrością przypominam, że twój samochód jest zepsuty. Kolejna rzecz z mojej winy. – Najwidoczniej męczą ją wyrzuty sumienia. – Pojadę taksówką.

– Moje auto może nie prezentuje się najlepiej, ale wciąż jest na chodzie – mówię. – Dałoby radę. Jedno z bocznych lusterek wisi na włosku, a z silnika wydobywa się niepokojący chrobot, ale dojechałabym na miejsce. Zaryzykujmy. Chciałabym cię odwieźć.

– Okej – zgadza się Edie. – Będzie mi miło.

Wracamy do środka po jej walizkę.

– Kiedy wrócę, wszystko ci wyjaśnię! – rzucam do Lii, która jest wyraźnie zmieszana przez ten niespodziewany zwrot wydarzeń.

Następnie razem z Edie wskakujemy ze śmiechem do auta i na pełnym gazie ruszamy w stronę lotniska. Dwie siostry znów razem.

ROZDZIAŁ 90

Mimo że wyjechałyśmy w godzinach szczytu i autostrada była zakorkowana, udaje nam się dosłownie w ostatniej chwili zdążyć na lot Edie, choć nie obywa się bez nerwów i przekleństw rzucanych przeze mnie w akompaniamencie zgrzytów silnika.

Po odprawie Edie jest gotowa ruszyć przez kontrolę bezpieczeństwa do hali odlotów, ale jeszcze stoimy razem. Nie ma już zbyt wiele czasu. Przytulamy się bardzo mocno.

– Będę za tobą tęsknić – szczerze jej mówię. – Cieszę się, że wszystko sobie wyjaśniłyśmy. Martwiło mnie, że skłóciłyśmy się na dobre.

– Nawet sobie nie wyobrażam, bo to byłoby straszne.

Kolejny uścisk.

– Daj mi znać, jak już dolecisz.

Edie rzuca mi spojrzenie pełne powagi.

– Przemyśl dobrze moje słowa – odzywa się. – Masz czterdzieści dwa lata, Fay. Nie pozwól, żeby Danny wyśliznął ci się z rąk. Jeżeli chcesz z nim płynąć, to tak zrób. Nawet jeśli wam się nie uda, przynajmniej będziesz mieć pewność, że próbowałaś.

– Zastanowię się.

– Ale nie myśl zbyt długo. On jest jeszcze młody. Mężczyźni w jego wieku są w gorącej wodzie kąpani i bardzo niecierpliwi. Może na ciebie nie poczekać. – Edie całuje mnie w oba policzki. – Wkrótce pogadamy. Życz mi powodzenia z Brandonem.

– Kocham cię – mówię. – Oczywiście, trzymam mocno kciuki. Obiecaj, że wkrótce się zobaczymy.

– Wrócę szybciej, niż się spodziewasz. Kocham cię, siostrzyczko – żegna się Edie, z niechęcią się ode mnie odsuwa, a potem znika za wejściem do kontroli bezpieczeństwa.

W drodze na parking mój mózg pracuje na najwyższych obrotach. Automatycznie uiszczam opłatę za parking, wsiadam do pokiereszowanego, zgrzytającego samochodu i podjeżdżam do bramki.

Tam zatrzymuję się i przez moment stoję, blokując wyjazd wpatrzona w czarno-żółte pasy szlabanu. Niespodziewanie uderza mnie pewna myśl, że sama sobie rzucam kłody pod nogi, a przecież życie jest na to stanowczo zbyt krótkie.

Nagle z pełną jasnością uświadamiam sobie, że chcę być z Dannym. Chcę być z nim przez cały czas. Nie tylko bywać sporadycznie w weekendy albo podczas nieokreślonych i długo wyczekiwanych postojów jego łodzi w kawiarni, ale zawsze i wszędzie. Wszyscy inni dadzą sobie radę beze mnie.

Wtedy doświadczam tego, co było udziałem Danny'ego, kiedy postanowił kupić Łapacza Snów, o czym mi opowiadał. To jedna z tych chwil, które uznałam, że nigdy nie wydarzą się w moim spokojnym, nudnym życiu. Ale nagle jest, spada na mnie z całą mocą przy bramce wyjazdowej z piętrowego parkingu przy lotnisku. Nie śpiewa anielski chór, nie ma żadnego alleluja ani nie spada na mnie słoneczny snop światła, nie dzieje się nic nadzwyczajnego, chyba że weźmiecie pod uwagę automat na bilety powtarzający w kółko: „Proszę włożyć bilet". Mimo to układ gwiazd na niebie nie budzi najmniejszej wątpliwości. Muszę zaryzykować, musimy być razem. Chcę być z nim teraz i jeśli się zgodzi, to do końca mojego życia. Wydaje się to najzupełniej oczywiste. Dlaczego miałoby tak nie być? I dzieje się dokładnie tak, jak opisał to Danny, czuję głęboko w kościach, w duszy, w całym swoim jestestwie, że to, co właśnie postanawiam, jest całkowicie słuszne.

Kocham go. Muszę z nim być. A on wypływa dziś wieczorem.

Dźwięk klaksonu, który rozlega się za mną, przywraca mnie do rzeczywistości. Zjeżdżam na bok, żeby przepuścić niecierpliwego kierowcę, i wyciągam z torebki telefon. Brak zasięgu. Oczywiście, że nie ma sieci, jestem w końcu w podziemnym parkingu.

Ruszam zatem do bramki, prawie upuszczam na ziemię bilet, bo tak bardzo spieszę się, żeby wsunąć go do automatu, i wreszcie wyjeżdżam na zewnątrz. Znów zatrzymuję się w pierwszej mijanej zatoczce i wybieram numer Danny'ego.

Numer, do którego dzwonisz, jest aktualnie niedostępny.

Cholera jasna. Założę się, że Danny nie ma zasięgu na pokładzie Łapacza Snów. Nic nie poradzę, będę musiała dodać gazu. Nie jestem pewna, czy mój samochód potrafi w ogóle przekroczyć dozwoloną prędkość, lecz na pewno zamierzam to sprawdzić.

Niespokojna, ale z sercem lekkim jak piórko, czego nie czułam od lat, dociskam gaz do dechy i wjeżdżam na drogę prowadzącą na autostradę. Po przejechaniu dwóch zjazdów dochodzi mnie okropny łoskot. Mój Boże. Co tym razem?

Wtedy zauważam, że zmiażdżone lusterko praktycznie całkiem się oderwało i teraz niebezpiecznie zwisa nad jezdnią. Dlaczego takie rzeczy wydarzają się zawsze, kiedy człowiek najbardziej się spieszy? Nic nie poradzę. Muszę się zatrzymać. Manewrując na zakorkowanej drodze, zjeżdżam na pas awaryjny i wyskakuję z auta, żeby ocenić zniszczenia.

Lusterko oderwało się i teraz wisi tuż nad oponą. Nie mogę tego tak zostawić, bo zaraz przebije mi koło. Nie zważając na przejeżdżające z zawrotną prędkością samochody osobowe i tiry, choć boję się potwornie, mocuję się z lusterkiem, nie do końca wiedząc, czy lepiej je wyrwać do reszty, czy próbować zamocować na miejscu. Nie mam pojęcia, jak postąpić. Za każdym razem, gdy próbuję ustawić je na miejscu, od razu odpada, niebezpiecznie zwisając. Najwyraźniej brakuje jakiejś istotnej części.

Czas mija, a moja frustracja tylko narasta. Dlatego na oczach osłupiałych pozostałych użytkowników autostrady wymierzam kilka zamaszystych i celnych kopniaków w samo lusterko, ale to nic nie pomaga. Wreszcie jednak ostatni zabójczy cios mojej nogi robi swoje. Lusterko ustępuje i z rozpaczliwym brzękiem upada na asfalt. Samochód z bebechami na wierzchu przypomina teraz koszmarny pojazd rodem z horroru, ale na szczęście jeździ. Mam nadzieję. Podnoszę urwaną część z jezdni i przemykam wzdłuż pasa awaryjnego w huku przejeżdżających ciężarówek wręcz ocierających się o mój tyłek. Otwieram tylne drzwi i z westchnieniem ulgi rzucam zmiażdżony kawałek metalu na siedzenie. Wskakuję z powrotem za kierownicę, wdzięczna, że znów jestem bezpieczna. Ponownie próbuję dodzwonić się do Danny'ego, ale wciąż jest poza zasięgiem.

Włączając się do ruchu, jestem kłębkiem nerwów. Są godziny szczytu i autostrada się zakorkowała. Jadę niczym ślimak, niemal nie schodząc z trójki. Cztery pasy drogi są wypełnione wlokącymi się autami, których wściekli kierowcy marzą o najszybszym powrocie do domu i każdy tylko wpycha się przed innych, a mój niepokój sięga zenitu. Danny to szczęściarz, bo już nigdy nie zamierza znaleźć się w podobnej sytuacji. Mam nadzieję, że będzie to także moim udziałem.

Przy tej prędkości dojazd do domu zajmie mi długie godziny i sama nie wiem, co robić. Danny powiedział, że zamierza wypłynąć wieczorem, ale nie uściślił godziny. Nie mogę nie zdążyć. Muszę z nim popłynąć, i to już teraz.

Mogłabym zadzwonić do Lii i poprosić ją, by zeszła na pomost i powiedziała mu, żeby poczekał, ale najpierw chcę z nią osobiście o tym porozmawiać. Podobnych tematów nie powinno się podejmować przez telefon. Poza tym jestem pewna, że gdybym dała jej czas na zastanowienie, wymyśliłaby milion powodów, dlaczego powinnam zostać. Kocham ją i cieszę się, że kupiła dom i cukiernię, ale mam swoje życie.

Danny wypływa dziś wieczorem i nie pozwolę mu odjechać beze mnie.

ROZDZIAŁ 91

Wreszcie po dwóch nerwowych godzinach wjeżdżam pokiereszowanym samochodem na swoją uliczkę i widzę, że Stan stoi w ogródku przed domem i zrywa róże. Zatrzymuję samochód i wysiadam.

– Witaj, kochana – mówi. – Wyglądasz na półżywą.

Otwieram furtkę i wchodzę do niewielkiego, ale bardzo zadbanego ogródka.

– Właśnie odwiozłam Edie na lotnisko. Muszę powiedzieć, że bardzo się przy tym wzruszyłam.

– Cudownie – cieszy się. – Rozumiem, że się pogodziłyście.

– Tak.

– To wspaniale.

– Też tak myślę, Stan. Spieszyłam się, żeby wrócić jak najszybciej, ale mój samochód postanowił rozkraczyć się po drodze.

– Zawsze wiatr w oczy – uprzejmie komentuje.

– Chciałam z tobą porozmawiać, Stan.

Opiera dłoń o plecy i prostuje się.

– Zamieniam się w słuch.

Źle zapiął guziki w swetrze, dlatego rozpinam je i na powrót zapinam w odpowiedniej kolejności. Stan stoi nieruchowo i pozwala mi na to.

– Moja Elsie nie pozwalała mi wyjść z domu, jeśli nie byłem porządnie ubrany – mówi. – Dziękuję.

Potem zniżam głos, choć dom jest zbyt daleko, żeby mnie ktokolwiek usłyszał.

– Stan, postanowiłam odpłynąć z Dannym na Łapaczu Snów.

Jego załzawione oczy lśnią.

– To wspaniale.

– Martwię się, że zostawiam Liję samą – przyznaję. – Myślisz, że da sobie radę beze mnie?

– Bez dwóch zdań – odpowiada bez wahania. – Radziłem ci przecież, Fay, żebyś chwytała każdą nadarzającą się w życiu okazję. Dzięki temu na starość będziesz szczęśliwa. Sam cieszę się każdym drobiazgiem: wschodem słońca, trelem ptaków, wonią cudnej róży. – Podaje mi piękny, czerwony kwiat, który trzyma w dłoni, abym powąchała i jej aromat rzeczywiście zniewala. – Hm?

– Pięknie pachnie.

Gestem pokazuje, że róża jest dla mnie.

– Nigdy nie zamartwiałem się pytaniami, co by było gdyby, bo w każdej chwili czerpałem z życia garściami. Jest to mój sposób na szczęście i szczerze ci radzę, weź ze mnie przykład.

– Szkoda, że nie mam tyle odwagi co ty. Nigdy nie dostałabym Krzyża Wiktorii. Zawsze się czegoś boję.

– W takim razie nadeszła chwila twojej próby – mówi. – Lija chwyciła nadarzającą się jej okazję obiema rękami i na pewno nie będzie żałować. Może zdarzy jej się przepłoszyć kilku klientów, ale to chyba jedyna krzywda, jaka ją czeka.

– Uważasz zatem, że powinnam tak zrobić?

– Myślę, że to twoje życie, Fay. Powinnaś robić to, czego pragniesz.

Czule całuję go w wysuszony policzek, a w oczach stają mi łzy.

– Będę za tobą tęskniła, Stan.

Śmieje się.

– Poczekaj, aż staniesz na pokładzie u boku tego przystojnego młodzieńca. Nawet nas nie wspomnisz.

– Nieprawda. Nigdy o was nie zapomnę.

Potem mocno się przytulamy. Kiedy się ściskamy, wydaje mi się drobny i kruchy, zastanawiam się, jak długo jeszcze będzie z nami. Może mimo wszystko powinnam zostać, żeby się nim zająć w ostatnich latach jego życia?

– Nie będziesz daleko – mówi Stan. – W skrajnym przypadku przyjedziesz tutaj, jeśli cię to martwi.

– Oczywiście, że się niepokoję – biadolę. – Moich zmartwień starczyłoby na wszystkich Anglików.

– Kiedy wypływacie?

– Teraz, zaraz – mówię. – Danny powiedział, że wyrusza dziś wieczorem. Muszę się pospieszyć, żeby go złapać.

– Zatem lepiej już zmykaj.

– Boję się rozmowy z Liją. Nie chciałabym, żeby pomyślała, że ją porzucam.

– Da sobie radę. Może zacznie przeklinać na czym świat stoi, ale nic jej nie będzie.

Cała roztrzęsiona zostawiam Stana i podjeżdżam kilkaset metrów dzielących mnie od domu. Parkuję na podjeździe i jeszcze raz wybieram numer Danny'ego, ale wciąż słyszę ten sam komunikat. Jest poza zasięgiem.

ROZDZIAŁ 92

Mogłabym od razu iść na pomost, aby poinformować go o mojej decyzji, ale czuję, że najpierw muszę porozmawiać z Liją. Choć tyle jestem jej winna.

Kiedy wchodzę, wciąż krząta się w kuchni, co jeszcze wzmaga moje poczucie winy. Pracy tutaj nigdy nie brakuje, a ja zawsze mogłam liczyć na jej niezawodne wsparcie.

– Hej – witam się.

– Czy niecna siostra w końcu odleciała?

– Tak – odpowiadam. – Przemyślała wszystko i zmieniła zdanie. Mam nadzieję, że na dobre.

Martwię się, że po powrocie do Nowego Jorku i Brandona znów się jej odmieni. Ale obecnie myślę o niej jak najlepiej i modlę się, żeby zachowała się wobec mnie w porządku.

– Chciałabym z tobą porozmawiać – oznajmia Lija.

– Całe szczęście, bo ja też. Usiądźmy.

Lija ociera ręce o T-shirt i obie siadamy przy kuchennym stole.

– Ja zacznę – decyduje. – W końcu jestem tu szefem.

Uśmiecham się.

– W takim razie słucham.

– Chcę, żebyś wyjechała – zaczyna. – Musisz popłynąć z Dannym. Umówiłam się z Kristą, będzie dla mnie pracować. Zrezygnuje z wynajmowania pokoju i wprowadzi się tutaj, żebym nie mieszkała sama.

Potem wybucha płaczem.

– Och, Lijo. – Podchodzę, żeby ją mocno uściskać. – Wiesz przecież, że nie zostawię cię, jeśli tego nie chcesz.

– Idź – rozkazuje mi. – Zabieraj się stąd, ale już. Baw się dobrze. Żyj pełnią życia i wyrzuć wreszcie ten pieprzony sweter.

Obie śmiejemy się, a z nosa zapłakanej Lii unoszą się smarkate bańki.

– Chcę, żebyś się tym cieszyła tak jak ja. Mogłabym poprosić Danny'ego, żeby poczekał – proponuję. – Może moglibyśmy popłynąć za kilka tygodni.

– Nie – przerywa mi Lija. – Musisz iść teraz albo nigdy tego nie zrobisz. Jeśli będzie duży ruch albo Stan zachoruje, będziesz miała kolejną wymówkę.

Tak samo mówił Danny, musi zatem tkwić w tym ziarno prawdy.

Lija rzuca mi zabójcze spojrzenie.

– Idź.

– Jesteś absolutnie pewna?

– Tak. Najwyżej stanę się waszym utrapieniem i będę codziennie do ciebie wydzwaniać. Poczujesz się winna i będziesz tu często wracać.

– Będę wracać – obiecuję. – Oczywiście, że będę.

– Zmykaj spakować rzeczy.

– Zapasowe majtki i awaryjną szczoteczkę do zębów?

– Wszystko. Zabierz wszystko, jakbyś nigdy miała nie wrócić.

Oczy zachodzą mi łzami.

– Edie obiecała podzielić się ze mną pieniędzmi ze sprzedaży domu. Jeśli dotrzyma słowa, czy pozwolisz mi zainwestować w cukiernię?

– Oczywiście – odpowiada zdecydowanie Lija. – Ale teraz masz się stąd zbierać, wariatko.

Mocno ją przytulam.

– Nie musisz więcej powtarzać. Idę.

Biegnę na górę do pokoju. Wyglądam przez okno, żeby sprawdzić, czy Łapacz Snów wciąż tam stoi, i dzięki Bogu jest.

Na dnie szafy leży plecak, który kupiłam lata temu. Marzyły mi się wtedy podróże do Peru, Nepalu czy Chin. Wygrzebuję go spod stosu starych butów i torebek, potem strząsam z niego warstwę kurzu.

Wygląda na to, że wreszcie po latach bardzo mi się przyda.

ROZDZIAŁ 93

Pakuję do plecaka wszystko, co mam w zasięgu ręki. Kilka koszulek, dżinsy, skarpetki, bieliznę. Dużo nie potrzebuję. Wiszące w szafie eleganckie garsonki od lat tylko zbierają kurz. Lija powinna je wyrzucić. Tęsknie patrzę na ukochany sweter. Choć to trudne, zostawiam go.

W moim nowym życiu nie ma miejsca na swetry.

W łazience przeglądam kremy i toniki, następnie wrzucam kosmetyki do torby. Jeśli o czymś zapomnę, zawsze mogę to kupić albo w razie konieczności Lija mi prześle pocztą. Zamierzam żeglować po angielskich kanałach, nie wyprawiam się na Księżyc. Na samą myśl przyjemnie ściska mnie w brzuchu. Teraz, gdy wreszcie podjęłam decyzję, chcę wyjechać jak najszybciej.

Wreszcie sięgam po leżące na komodzie zdjęcie rodziców, muskam je ustami i wkładam do kieszonki w bluzie, na wysokości piersi, blisko serca. Niebawem, gdy tylko znajdę czas, zamierzam poszukać informacji na temat Jean Merryweather. Teraz jednak muszę się z tym na chwilę wstrzymać, bo zajmują mnie bardziej naglące sprawy.

Zbiegam na dół, ciągnąc za sobą pełny plecak i torbę z kosmetykami.

Lija stoi przy kuchence, plecami do mnie, wiem, że płacze.

Stawiam bagaże i podchodzę do niej.

– Nie płacz – mówię. – Proszę cię, nie płacz.

Odwraca się i szlochając, wpada w moje ramiona.

– Będę za tobą tęsknić.

– Ja też.

Mocno się przytulamy.

– Doprowadzisz to miejsce do perfekcji – zapewniam ją. – Tylko nie każ klientom spierdalać, gdzie pieprz rośnie.

Pociąga nosem.

– Postaram się.

– Stan ci pomoże. Będzie cię wspierał. Więcej przeżył w życiu niż niejeden z nas może sobie wyobrazić. Zaufaj mu.

W tej chwili dobiega nas ciche pukanie do drzwi i na progu staje Stan.

– Chciałem ci tylko coś dać, Fay – odzywa się nieśmiało. – I życzyć ci szerokiej drogi.

Podaje mi eleganckie, mahoniowe pudełko. Bez zaglądania wiem, co jest w środku.

– Nie mogę tego przyjąć, Stan.

– Oczywiście, że możesz. Na co mi one? Nie chcę, żeby mnie z nimi złożyli do grobu ani żeby zniknęły podczas sprzątania domu po mojej śmierci. Daję ci je na przechowanie.

Otwieram pudełko, a w środku, tak jak się spodziewałam, w równym rzędzie leżą ordery wojenne Stana.

– Dziękuję – przytulam się do niego. – To dużo dla mnie znaczy. Daję słowo, że będę o nie dbać.

– Wpadnij wkrótce z wizytą, Fay.

Ostrożnie wkładam ordery Stana do torby z kosmetykami.

– Gdy tylko wejdę na pokład, znajdę dla nich odpowiednie, bezpieczne miejsce.

Potem podnoszę wzrok i wskazuję na okno.

– Och, nie – rozpaczam. – Och, nie!

Lija i Stan skręcają głowy w kierunku pomostu, od którego właśnie odpływa Łapacz Snów.

– Wyruszył beze mnie – mówię.
– Biegnij! – każe mi Lija. – Biegnij, ile sił w nogach.
Łapię torby i śmigam w dół ogrodu najszybciej, jak potrafię.

ROZDZIAŁ 94

Jestem już w połowie drogi, Lija biegnie za mną, Stan także rusza za nami, kuśtykając o lasce, ile sił w nogach.

Danny z Diggerym przy nogach stoi na rufie odpływającego Łapacza Snów. Na mój widok pies radośnie szczeka. Ale Danny patrzy na wprost, nie odwraca głowy.

– Danny! – krzyczę, a mój głos niesie się po wodzie. – Danny! Poczekaj!

Ale nie słyszy mnie, bo ma w uszach słuchawki, widzę kabelek ciągnący się aż do kieszeni, w której pewnie schował iPoda.

– Danny!

– Biegnij, Fay! – dopinguje mnie Stan. – Biegnij!

Zawracam na pomoście i pędzę na brzeg, przeskakując co drugi stopień, a wreszcie śmigam przez most. Mogłabym powiedzieć, że lekko mi się biegnie, ale plecak zdaje się ważyć tonę. Torba z kosmetykami kolebie się u mojego boku, widzę pudełko od Stana, które niebezpiecznie z niej wystaje.

Mijam most i biegnę ścieżką. Choć Łapacz Snów nie jest zbyt daleko, to równie dobrze może to być i piętnaście kilometrów. Z trudem łapię powietrze, bolą mnie płuca, nie sądzę, abym od czasów szkoły podstawowej, gdy wystartowałam w biegu z jajkiem na łyżce, miała okazję tak pędzić.

Lija i Stan zatrzymali się na pomoście.

– Danny! – Oboje stoją na brzegu i krzyczą, ile sił w płucach. – Zaczekaj!

Diggery podekscytowany całym zamieszaniem podskakuje w miejscu.

Ale Danny, niczego nieświadomy, płynie dalej.

– Szybciej – wrzeszczy Stan, wymachując laską w powietrzu. – Szybciej, Fay!

Biegnę jednak najszybciej jak potrafię. Cała zgrzana i spocona. Zaraz pękną mi płuca. Moje serce bije tak mocno, że za chwilę wyskoczy mi z piersi.

Potem, kiedy Danny dopływa do pierwszego zakrętu, zauważam łódź Fensonów Dryfujący Raj, która utknęła w poprzek kanału. Hurra! Nie mogę uwierzyć, jakie mam szczęście. Kochana Dryfująca Katastrofa przybyła mi z pomocą.

Modlę się w duchu. Dzięki Ci, Boże!

Potem, na wszelki wypadek, dodaję kolejny akt strzelisty. Proszę, Boże, niech tam tkwią, dopóki nie dobiegnę do Łapacza Snów.

Na dziobie stoi Miriam w lekko przekrzywionym, białym, bawełnianym kapelusiku. Niemrawo odpycha się od łodzi zacumowanej przy ścieżce.

– Nie ruszę jej, Ralph! – woła do męża.

– Pchnij ją, do jasnej cholery, z całej siły, Miriam! – wrzeszczy w odpowiedzi pochylony nad sterem, sam niewiele robiąc.

Słyszę, jak silnik Łapacza Snów zmienia ton, Danny zwalnia. Zatrzymuje się, żeby im pomóc. Oczywiście, że tak. Jest przecież dobrym i troskliwym człowiekiem, dlatego chętnie ich wesprze. Danny podpływa do ścieżki i to znak dla mnie.

Chwytam pudełko z orderami Stana i tuląc je mocno do piersi zbieram w sobie śmiałość i odwagę. Potem zrzucam plecak, zostawiam torbę z kosmetykami. Nic mi nie potrzeba poza tym mężczyzną.

Zwiększam tempo, zmuszając nogi do wytężonej pracy. Czuję, jak krew pulsuje mi w uszach. Moje oczy niczym dwa lasery utkwione są na Łapaczu Snów. Jestem niczym Jennifer Ennis sięgająca po zwycięstwo. Jestem niczym Mo Farah na ostatnich centymetrach olimpijskiej bieżni tuż przed zdobyciem podwójnego złota. Jestem niczym niepokonany Usain Bolt. Jestem niczym kobieta w średnim wieku, tuż przed menopauzą, której miłość dodaje skrzydeł. Nagle pędzę po ścieżce, jakbym nafaszerowała się środkami dopingującymi.

Przede mną Danny wyjmuje z uszu słuchawki, słyszę szum steru strumieniowego wspomagającego manewrowanie łodzi do brzegu, gdzie ma zacumować. Diggery znów radośnie szczeka. Mam wrażenie, że desperacja psa dorównuje mojej.

Wreszcie! Bogu dzięki! Danny odwraca się i widzi, jak go ścigam.

– Czekaj! – wołam. – Jadę z tobą! Poczekaj na mnie!

– Naprawdę!? – odkrzykuje.

– Tak!

Potem uradowany uderza obiema pięściami w powietrze, spogląda w niebo i wrzeszczy:

– Taaaaaaak!

Czeka, kiedy biegnę do niego z rozwianym włosem, mrużąc od słońca oczy, aby złapać swój sen.

ROZDZIAŁ 95

Lija i Stan stoją na brzegu, wciąż machając na pożegnanie Danny'emu i Fay.

Lija śledzi wzrokiem oddalającego się Łapacza Snów.

– Jestem przerażona, Stan – odzywa się. – Co ja pocznę bez Fay?

– Ze wszystkim poradzisz sobie bez problemów, bo zdolna z ciebie dziewczyna – odpowiada jej Stan. – Zresztą masz przecież mnie. Jestem tu, żeby ci pomóc.

Lija opiera głowę o ramię Stana, który założył swój najlepszy, miękki, dziergany, najmniej zaplamiony sweter. Dziewczyna zauważa, że wcale nie śmierdzi, tylko czuć go stęchlizną, ale to kojący zapach.

– Lepiej mi nie umieraj.

– Nie mam tego w planach – odpowiada Stan. – Przynajmniej na razie.

– Trzymam cię za słowo.

– Niebawem wróci – dodaje Stan. – Znam ją. Nie będzie potrafiła inaczej. Uwielbia to miejsce, cukiernię, pieczenie ciast. Kiedy nacieszą się żeglugą, wrócą tutaj, żeby wyremontować Ślicznotkę Merryweather. Zapamiętaj moje słowa.

– Mam nadzieję, że się nie mylisz.

Słońce już kryje się za horyzontem, a Łapacz Snów skręca i znika z widoku.

– Czy zjadłbyś już kolację? – pyta Lija. – Właśnie upiekłam tartę szpinakową. Dobrze ci zrobi na twoje stare, łamliwe kości.

– Jak cudownie. – Stan odwraca się i zaciera obie dłonie. – Moja ulubiona.

PODZIĘKOWANIA

Dziękuję Danowi i Chrisowi, którzy tak wybornie zaopiekowali się mną i Sue podczas naszych wakacji na barce.

Pamiętajcie, że bezużyteczna pasażerka, która nic nie robiła poza siedzeniem z lampką wina w dłoni, to Sue. Natomiast ta druga, zawsze gotowa do pomocy, spiesząca, aby otwierać wrota śluzy i wyśmienicie radząca sobie z kołowrotem, to Carole.

Panowie, wyruszamy o świcie!